10
18

12, AVENUE D'ITALIE. PARIS XIIIᵉ

Sur l'auteur

Jeremy Gavron est né en 1961 et habite Londres. Ancien correspondant de presse à l'étranger, il a vécu en Inde et en Afrique. Il est l'auteur de trois romans et de deux essais. *Je vous aimais, terriblement* est son premier ouvrage traduit en français.

JEREMY GAVRON

JE VOUS AIMAIS, TERRIBLEMENT

Enquête sur la disparition de ma mère

Traduit de l'anglais
par Héloïse Esquié

SONATINE ÉDITIONS

Titre original :
A Woman on the Edge of Time :
a Son's Search for his Mother
Éditeur original : Scribe

pour Rafi, Benji, Leah, Mosie et Mima

LES FAITS

En page cinq de son édition du 24 décembre 1965, entre différents comptes rendus de soirées de Noël, de distribution de gâteaux par l'armée et une notule signalant l'inculpation d'un commerçant accusé de recel de caleçons volés, le *Camden & St Pancras Chronicle* du nord londonien publiait un bref article évoquant une enquête sur la mort d'une jeune femme.

Les faits, tels que les exposait le journaliste, étaient clairs. Dix jours auparavant, l'après-midi du mardi 14 décembre, Hannah Gavron avait déposé le plus jeune de ses deux fils à la fête de Noël de son école maternelle à Highgate et s'était rendue à l'appartement d'une amie à Primrose Hill. Elle y était entrée avec une clé qui se trouvait en sa possession, avait scellé la porte et les fenêtres de la cuisine, rédigé un bref mot, et ouvert le gaz.

Un voisin ou peut-être un passant a dû sentir l'odeur de gaz, car un installateur du North Thames Gas Board au nom improbable de Herbert Popjoy a été envoyé sur place pour identifier le problème. N'obtenant pas de réponse à la porte d'entrée, il a escaladé un mur pour pénétrer dans le jardin, à l'arrière de la maison, d'où « il a vu Mme Gavron étendue par la fenêtre ». Il s'est introduit dans la maison, l'a traînée dans le couloir et a effectué sur elle un « bouche-à-bouche », mais malgré ses « efforts héroïques », elle n'a pu être ranimée.

Les motifs du geste de Mme Gavron, à en croire l'article, étaient moins évidents. Son père, M. Tosco Raphael Fyvel, déclara aux autorités que sa fille et son mari « traversaient une "phase difficile", mais que lorsqu'il l'avait vue la veille de sa mort, elle était d'extrêmement bonne humeur ».

La jeune fille au pair de la famille, Mlle Jean Yvonne Hawes, témoigna également que « la dernière fois qu'elle avait vu Mme Gavron », le jour de sa mort, « elle était de très bonne humeur ».

Seule Mme Anne Wicks, l'amie dans l'appartement de laquelle Mme Gavron était décédée, semblait suggérer une tout autre réalité. Mme Gavron « était déprimée dans les jours qui ont précédé sa mort », et elle avait dû « faire bonne figure pour donner le change à son père », disait-elle, mais elle ne donnait aucune explication à l'état d'esprit de Mme Gavron. Elle ne précisait pas non plus pour quelle raison Mme Gavron disposait de la clé de son appartement.

À part un agent de police, qui découvrit le mot de Mme Gavron sur une table, et un médecin légiste du University College Hospital, qui déclara que la mort était due à un empoisonnement au monoxyde de carbone, il n'y avait pas d'autre témoin.

Dans son rapport, qui concluait au suicide, le coroner signalait que le mariage de Mme Gavron traversait une « mauvaise passe », mais que cela ne semblait pas suffire à expliquer pourquoi « une jeune femme au palmarès universitaire tellement brillant, avec un emploi si gratifiant et des enfants en bas âge, avait pu en arriver à une décision si tragique ». Il avait délibéré dans plus de mille sept cents affaires de suicide, disait-il, mais jamais sur un cas « dans lequel la volonté de mettre fin à ses jours était plus nette » tandis que « la cause [le] plongeait dans une telle perplexité ».

Tous les suicides laissent place à un certain degré de perplexité. Il s'agit de l'acte humain le plus difficile à comprendre car il va à l'encontre de l'hypothèse fondamentale qui sous-tend notre existence – que la vie a un sens, une valeur –, mais aussi parce qu'il ne laisse personne pour l'expliquer. Les meurtriers, au moins, on peut les interroger, mais un suicide est un meurtre dans lequel le tueur est aussi la victime : la raison, le mobile, meurt avec l'acte.

Dans certains cas, des facteurs tels que l'âge, la maladie, des problèmes d'argent, le deuil fournissent au moins une esquisse d'explication. Sylvia Plath, qui s'est suicidée au gaz deux ans auparavant dans un appartement situé à deux rues de celui où est morte Hannah Gavron, souffrait de maladie mentale depuis son adolescence et avait déjà tenté de se tuer – « une année sur dix », comme elle l'écrivait dans son poème *Lady Lazarus*.

Mais le suicide de Hannah, ainsi que le suggérait le coroner, était particulièrement déroutant. Elle avait vingt-neuf ans, quelques mois de moins que Plath, et deux enfants, comme celle-ci, mais elle n'avait pas d'antécédents de dépression ni de pulsions suicidaires. Comme Plath, elle avait des soucis conjugaux, mais tandis que cette dernière était seule avec ses enfants dans un appartement de location froid dans une ville étrangère, Hannah vivait dans une maison neuve de Highgate, aidée par une jeune fille au pair, entourée de voisins avec qui elle entretenait des relations amicales, avec ses parents à quelques minutes de voiture.

Il y avait des choses qu'ignorait le coroner. Lorsque le père de Hannah avait parlé de la « phase difficile » que traversait le mariage de sa fille, ce qu'il n'avait pas dit, c'était qu'elle avait une liaison avec un collègue de l'école d'art où elle enseignait. Si elle avait la clé de l'appartement d'Anne Wicks, c'est parce que c'était là qu'elle retrouvait cet homme. Au cours de ses derniers jours, il semble qu'il y ait eu une dispute.

Mais pour ceux qui connaissaient Hannah, l'idée qu'elle aurait pu se tuer à cause d'une liaison était difficile à accepter. « Inconcevable, écrivit son père dans son journal à l'époque. Oh, ma chérie – pourquoi, pourquoi ? » « Impossible à assimiler ou à comprendre, écrivait dans le sien son amie Phyllis Willmott. Cette énigme terrible posée par son geste. »

Aux yeux de ses amis et de ses collègues, Hannah était un modèle, un exemple de réussite féminine à l'époque précédant la libération de la femme, au milieu des années 1960. « Hannah ne ressemblait à personne, se rappelle son ancienne consœur, la sociologue Bernice Martin. Elle était jeune, séduisante, sûre d'elle, brillante, capable ; avec elle, la vie était plus intense. Pour réussir à cette époque, les femmes devaient renoncer à quelque chose – les enfants, le travail, la féminité –, mais Hannah voulait tout et semblait capable de tout avoir. »

Elle n'était peut-être pas d'une beauté conventionnelle – son visage était trop large, ses cheveux noirs trop raides, sa bouche trop grande –, mais avec ses yeux en amande expressifs et ses lèvres pleines qui se fendaient au moindre prétexte d'un sourire des plus larges, et avec la force vitale qu'elle irradiait, les hommes l'avaient toujours trouvée extrêmement séduisante. Parmi les histoires que l'on racontait sur elle, on disait que lorsqu'elle était élève dans son internat progressiste, elle avait eu une liaison avec le principal.

Intelligente et réfléchie, elle avait, dès son plus jeune âge, rencontré le succès dans tout ce qu'elle entreprenait.

À huit ans, selon une autre histoire, elle avait annoncé qu'elle allait remporter un concours de poésie pour enfants de la BBC, et elle avait bien vite réalisé cette prédiction. À douze, elle était championne de saut d'obstacles dans les courses du sud de l'Angleterre. Elle quitta l'école à seize ans pour suivre des cours de comédie à la Royal Academy of Dramatic Art, où, selon l'anecdote, elle donna la réplique à Albert Finney et Peter O'Toole dans une pièce de Shakespeare. Lorsqu'elle laissa tomber le théâtre et s'inscrivit à l'université de Londres, elle obtint une mention très bien en sociologie et se lança dans un PhD, tout en ayant deux fils.

Alors qu'elle travaillait encore à son doctorat, elle commença à rédiger des critiques de livres pour *The Economist* et *New Society*. Elle se mit également à tenir des chroniques à la radio et à la télévision. Les deux dernières années de sa vie, alors qu'elle finissait sa thèse et attendait sa validation, elle enseigna au Hornsey College of Art, l'un des épicentres du nouveau monde grisant des *Swinging Sixties*, dont elle avait adopté les codes vestimentaires et les attitudes.

« Elle était une bouffée d'air frais dans l'établissement, se souvient David Page, un collègue à Hornsey. Je la vois encore arriver à grands pas dans le couloir : des bottes à hauteur de genoux, des collants foncés et une minijupe en daim, avec une coiffure à la Mary Quant. Elle avait un cheroot à la main, un grand sourire splendide, et bien souvent elle pestait contre quelqu'un ou quelque chose. C'est la première femme que j'ai connue qui regardait les hommes de la façon dont, traditionnellement, les hommes regardent les femmes. Si elle voyait passer un étudiant, elle pouvait dire : "Mmm, il est mignon, celui-là." »

En même temps, c'était une sociologue sérieuse, qui concentrait ses recherches sur la situation des femmes modernes. Au cours de ses derniers mois, elle avait travaillé à adapter sa thèse, une étude sur les conflits dans la vie des jeunes mères de Kentish Town, pour en faire un livre. *L'Épouse captive*[1], ainsi qu'elle l'a intitulé, devait se révéler être l'une des premières expressions du mouvement de libération des femmes, qui allait prendre de l'ampleur dans les années suivantes, et il fit un certain tapage lorsqu'il fut publié quelques mois après sa mort.

Mais ces épouses captives, les jeunes mères malheureuses du nord de Londres, des femmes qui se sentaient si seules et désespérées qu'elles « en auraient hurlé », comme le disait l'un des témoignages qu'elle rapportait, étaient le sujet de Hannah – pas ce qu'elle était elle-même, avec sa maison moderne et élégante à Highgate, sa fille au pair, son travail, son livre, ses bottes qui montaient jusqu'aux genoux et sa coiffure à la Mary Quant.

Hannah Gavron était ma mère. Je suis le fils qu'elle a déposé à la maternelle cet après-midi de 1965. J'avais quatre ans.

Cette impression que ma mère était deux personnes différentes – la belle Hannah, la fille brillante à l'esprit libre qui vivait pleinement sa vie, et la Hannah qui a mystérieusement décidé qu'elle ne pouvait plus vivre – m'a accompagné durant toute mon enfance.

Rien de tout cela ne m'a été rapporté directement. Après sa mort, mon père a décidé qu'il valait mieux que nous ne parlions pas d'elle. Je ne me rappelle guère ces deux premières années qui ont suivi son décès, mais une fois que mon père s'est remarié et que

1. Titre original : *The Captive Wife*. L'ouvrage n'a jamais été traduit en français. *(N.d.É.)*

notre nouvelle famille a commencé à s'élargir, nous avons déménagé ; et bien que j'aie vécu dans notre nouvelle maison jusqu'à l'âge de dix-huit ans, je ne me rappelle pas que Hannah ait jamais été mentionnée sous son toit. Il n'y avait pas non plus de photos d'elle, ni aucun autre souvenir, hormis quelques exemplaires de *L'Épouse captive*, tout en haut d'une étagère, là où d'autres parents auraient pu ranger, par exemple, des ouvrages de Henry Miller ou d'Anaïs Nin.

Mes grands-parents, les parents de Hannah, avaient gardé quelques photos d'elle au mur de leur maison à Primrose Hill (à cent mètres à peine de là où elle est morte, même si je ne l'ai appris que beaucoup plus tard). Ma grand-mère était aussi la seule personne qui me parlait d'elle – ou du moins répétait la même poignée d'anecdotes sur ses facéties et aventures de jeunesse. Elle avait enfermé la femme de ménage dans le poulailler jusqu'à ce que celle-ci promette de ne plus gifler son fils. Elle avait laissé volontairement tomber une pièce d'un penny dans le bus de façon à pouvoir se pencher et regarder sous le kilt d'un Écossais afin de voir la « chose ». Elle voulait épouser mon père à dix-sept ans, mais mes grands-parents l'avaient fait attendre jusqu'à ses dix-huit.

Déjà, mes propres souvenirs d'elle s'étaient évanouis depuis longtemps. C'est en partie à cause de l'âge que j'avais lorsqu'elle est morte – nous ne commençons pas à hiérarchiser les souvenirs autobiographiques avant l'âge de cinq ans environ. Mais je me souviens parfaitement du matin qui a suivi sa mort : mon père nous a demandé, à mon frère et à moi, de nous asseoir au bord de son lit pour nous l'annoncer. Je me souviens de la conscience de son absence, également. Quand, plus grand, j'ai appris l'existence des membres fantômes, qu'un bras ou une jambe amputés peuvent toujours produire des sensations, j'ai compris ce que cela devait faire. Mais lorsque j'essaie de retrouver son image dans ma mémoire, je ne vois que du noir.

Mon père ne m'a parlé d'elle qu'une fois au cours des années où j'ai vécu à la maison. C'était l'été suivant mon seizième anniversaire. Nous étions dans sa voiture – je ne me rappelle pas où nous allions, et peut-être roulions-nous juste pour avoir cette conversation, car, comme nous étions côte à côte, il n'était pas forcé de me regarder. Après sa mort, il nous avait dit, à mon frère et à moi, qu'elle avait succombé à une crise cardiaque, mais ce jour-là il me raconta une autre histoire. Il n'avait jamais cessé de l'aimer, dit-il, mais elle était tombée amoureuse d'un collègue qui s'était avéré homosexuel, et lorsque cet homme l'avait rejetée, elle avait eu le sentiment d'avoir tout gâché et s'était tuée.

Je me souviens que mes yeux se sont brouillés et de m'être demandé si je voulais que mon père voie que je pleurais. À part ça, je ne savais que penser ou éprouver. Je ne me rappelle pas avoir posé la moindre question ou m'être demandé si l'histoire se résumait à ce qu'il m'en disait.

Cette discussion a dû raviver mon intérêt pour elle, car en plus des exemplaires de son livre, dont je connaissais déjà l'existence, j'ai trouvé quelques autres affaires. D'abord, un sac de rosettes et de coupes qu'elle avait dû gagner dans les courses de saut d'obstacles, comme je l'ai compris. J'ai astiqué deux des coupes les plus volumineuses et je les ai posées sur une étagère dans ma chambre.

Ensuite, une boîte de vieilles photos. Je l'ai à côté de moi pendant que j'écris ces mots, et elle contient des photos de Hannah avec moi, mais celle que j'avais choisie alors était un portrait d'elle adolescente – un gros plan de son book, je le réalise maintenant, du temps où elle fréquentait l'école de théâtre. Elle devait avoir dix-sept ou peut-être dix-huit ans, pas beaucoup plus que l'âge que j'avais alors ; mais avec ses cheveux soigneusement coiffés, le foulard en soie noué autour de son cou et ses yeux détournés de l'objectif, elle me paraissait incroyablement sophistiquée et glamour. Dans le coin, en lettres cursives (c'était la première fois que je voyais son écriture), étaient inscrits les mots « ensorcelée, embarrassée et émue, mais toujours à toi », qui, sans doute, étaient destinés à mon père, mais dont je me suis imaginé qu'ils m'étaient adressés, à moi, et pendant un certain temps, j'ai été un peu amoureux de la fille sur cette photo.

Je l'ai installée dans ma chambre à côté des coupes. Je n'avais parlé à personne de ce que m'avait dit mon père, et peut-être espérais-je que lui, mon frère ou ma belle-mère fassent un commentaire sur ces objets, que cela libère la parole sur Hannah, mais autant que je m'en souvienne, personne n'a rien dit.

Bientôt, de toute façon, j'ai quitté la maison pour aller à l'université, et j'ai passé les années suivantes à travailler comme journaliste en Afrique et en Asie, trop absorbé par mon présent pour me soucier beaucoup du passé. Ce n'est que lorsque je suis revenu à Londres à l'âge de vingt-neuf ans – l'âge auquel elle était morte – que mes pensées se sont de nouveau tournées vers elle et que j'en ai appris davantage sur elle et sur sa mort.

Mon grand-père était décédé, et nous avons décidé d'installer ma grand-mère, qui souffrait de démence, dans une maison médicalisée. Tandis que j'aidais ma tante Susie, la sœur de Hannah, à trier les affaires dans la maison de Primrose Hill, j'ai trouvé trois objets.

Le premier était une coupure jaunie de l'article du *Camden & St Pancras Chronicle*. J'y ai appris les circonstances de la mort de Hannah, y compris la date et le lieu de son décès, et le fait qu'elle m'avait déposé à la fête de Noël juste avant.

Le deuxième était sa lettre d'adieu. Personne ne m'avait jamais dit qu'elle avait laissé un mot, mais j'ai compris immédiatement que c'était de cela qu'il s'agissait. Il était écrit en grosses lettres irrégulières sur les deux faces d'une petite enveloppe blanche. Il y avait trente-trois mots en tout – quatre de plus que d'années à sa vie. Plusieurs d'entre eux étaient consacrés à présenter ses excuses à Anne Wicks. Au bas de la première face était noté « TSVP », comme si la personne qui allait trouver la lettre, quelle qu'elle fût, pouvait ne pas penser à tourner la page. En diagonale, en travers du verso, étaient griffonnés les mots : « Dites aux garçons que je les aimais terriblement, je vous en prie ! »

Je me rappelle avoir montré la lettre à Susie, qu'elle a tressailli et s'est détournée. Je me rappelle, également, le troisième objet – le journal de mon grand-père datant des derniers mois de la vie de Hannah. J'ai tourné les pages jusqu'à ce que je trouve le jour de sa mort. Mais lès mots que j'ai commencé à lire étaient trop crus, la douleur sur la page trop à vif – je ne connaissais pas ma mère, mais j'avais connu et aimé mon grand-père –, et j'ai laissé retomber le journal dans la boîte où je l'avais trouvé.

En revanche, j'ai emporté l'article de journal et l'enveloppe – et quelque temps après, j'ai relancé mon père sur la mort de Hannah. Nous marchions sur Hampstead Heath – côte à côte, ça me frappe avec le recul, comme dans la voiture la fois précédente. Je me rappelle qu'il s'est raidi à côté de moi, et le cafard qui m'est tombé dessus quand j'ai compris qu'il n'allait pas m'en dire beaucoup plus qu'il ne m'en avait dit lorsque j'avais seize ans, mais aussi mon soulagement, à la fin de la conversation, de pouvoir de nouveau respirer.

Je n'ai pas parlé de la lettre, mais peut-être ai-je mentionné l'article de journal, et ce qu'Anne Wicks avait dit aux enquêteurs, que Hannah était déprimée, car il m'a révélé qu'elle avait été voir un psychiatre avant sa mort. Ma grand-mère l'avait encouragée dans cette démarche, mais l'« éminent psychiatre » qu'elle avait consulté « lui avait dit qu'elle était parfaitement saine d'esprit ».

Il a aussi parlé, avec une amertume qui m'a choqué, d'Anne Wicks, disant qu'elle avait monté Hannah contre lui, même s'il n'a pas développé davantage et que je n'ai pas demandé plus de détails.

J'avais trente ans, j'étais journaliste depuis six ans, je venais de publier mon premier livre – une enquête sur la mort mystérieuse d'une jeune femme en Afrique. Il y a plusieurs choses que j'aurais pu faire facilement pour en apprendre davantage sur Hannah. J'aurais pu retrouver Anne Wicks et écouter sa version des faits. J'aurais pu réclamer à Susie les cartons contenant les journaux intimes de mon grand-père et les lire. J'aurais pu en parler à mon frère, qui m'avait dit un jour qu'il se souvenait de Hannah, j'aurais pu lui demander quelle perception il avait d'elle, lui son fils, mais je ne l'ai pas fait – de même que je ne lui ai pas montré l'article, que je ne lui ai jamais parlé de la lettre, que je ne lui ai jamais fait part du message qu'elle avait laissé pour nous.

ÉTÉ 1952

Cher[*1] Tash, j'en ai assez du français, c'est tout juste si je ne rêve pas en français, mais pour être honnête je ne pense pas que je vais beaucoup progresser, si les gens parlent lentement je comprends plutôt bien, mais tu serais étonnée de voir comme je suis silencieuse, c'est tout juste si j'ouvre la bouche.

Ce n'est pas du tout une école, et il n'y a pas d'autres enfants ici, juste moi. Au début, je me sentais affreusement seule à l'idée de passer trois semaines sans camarades de mon âge, mais maintenant ça me gêne beaucoup moins, par contre, la compagnie masculine me manque, ça oui, sais-tu que je n'ai pas parlé à un garçon depuis plus de deux semaines, et les jeunes Français sont *super* mignons – c'est *vraiment* rageant.

Monsieur est un drôle de vieux bonhomme – il me fait penser à un morse –, il a une grosse moustache qu'il peigne avec un petit peigne rose ! Il fait des blagues tout le temps – pas terribles, en plus, et je n'en comprends pas la moitié, mais je me contente de rire quand il a fini et ça passe.

1. Tous les mots en italique suivis d'un astérisque sont en français dans le texte. *(N.d.T.)*

20

J'ai une vue sublime de ma fenêtre, qui donne sur la Seine. Je vois la tour Eiffel derrière le bois de Boulogne, et un peu sur la gauche, l'Arc de Triomphe. Le bois de Boulogne est magnifique. *Si* je me marie un jour, je veux y aller en carriole avec mon fiancé et m'y promener avec lui.

Dans l'avion pour venir, j'ai eu une aventure avec un homme d'une trentaine d'années, qui est l'assistant personnel de Lord Beaverbrook, et travaille pour le *Daily Express*. Il m'a offert du cognac, et une tasse de café, et m'a invitée à aller à Saint-Tropez avec lui – j'étais très tentée. Il m'a donné sa carte et m'a dit qu'il était tout le temps à Paris et que je devais l'appeler aux bureaux du *Daily Express* et qu'il m'emmènerait dîner ! Tu sais, je crois bien que je vais le faire !

Madame a froncé les sourcils quand je lui ai dit que je fréquentais un pensionnat mixte, ils me croient quand même un peu innocente – s'ils savaient !

1

C'est le dernier jour de mars 2005, et je suis en route pour la côte du Sussex avec ma femme et mes deux filles âgées de neuf et sept ans. Nous nous dirigeons vers la grange que mon père a achetée quand j'avais moi-même environ neuf ans, peu de temps après la naissance de la deuxième de mes demi-sœurs, afin d'en faire une résidence secondaire pour notre nouvelle famille.

Comme nous quittons la ville, je suis gagné par l'impression familière de laisser derrière moi les problèmes et les responsabilités, par le sentiment que les arbres et les collines ont le pouvoir de me régénérer. En traversant les Downs, j'éprouve une envie irrépressible de m'arrêter pour suivre l'un des panneaux de randonnée qui indiquent un chemin traversant un champ ou s'enfonçant dans un bois ombragé. Mais nous n'avons que trois jours devant nous – il me faut être de retour à Londres la semaine prochaine pour la sortie de mon nouveau roman –, et les filles ont hâte d'arriver à la Grange. J'ai laissé mon téléphone à la maison, et quand nous sommes partis, j'ai suggéré à Judy d'éteindre le sien, elle aussi. Nos séjours à la Grange sont une occasion d'échapper aux sirènes du monde électronique. Pendant les trois jours qui viennent, nous allons aller à la pêche au crabe dans les flaques laissées par la marée sur la plage, et jouer aux charades devant le feu.

En arrivant, nous déchargeons la voiture, et pendant que Judy repart faire des courses au village, les filles et moi ouvrons la remise à vélos. Nous partageons la Grange avec les familles de mon frère et de mes sœurs, et je suis agacé de constater que plusieurs vélos ont les pneus à plat. J'en trouve deux qui feront l'affaire pour Leah et Jemima – avec, elles vont rouler sur le court de tennis – et j'en sors deux autres sur l'herbe pour les réparer.

Le soleil brille, et mon agacement s'estompe vite. Je suis content d'être là – content que les filles soient dehors à faire du vélo, content de faire travailler mes mains plutôt que ma cervelle. Je sors les outils et un seau d'eau, et je libère le premier pneu de sa jante à l'aide du démonte-pneu. Je localise la crevaison, mais lorsque j'ouvre la trousse de réparation, la colle a durci. Je rentre chercher un autre kit. Tandis que je m'apprête à ressortir, je remarque une lumière rouge qui clignote sur le téléphone.

C'est sans doute un vieux message, sans doute qu'il n'a rien à voir avec nous, mais il est difficile à ignorer. Je m'approche, j'appuie sur le bouton et j'entends la voix de mon père – ou plutôt une version étrangement chiffonnée, étrangement affectée, de sa voix.

À l'entendre parler de la sorte, à l'entendre exprimer ses émotions d'une façon si peu naturelle, ma première réaction, c'est la gêne. Mais même en me faisant cette réflexion, je réalise ce qu'il dit : « La pire nouvelle. Appelle-moi. »

Je jette instinctivement un coup d'œil vers le jardin en quête de mes filles. La pire nouvelle, ce serait qu'il leur soit arrivé quelque chose. Je ne les vois pas d'ici, mais j'entends leurs voix joyeuses tandis qu'elles font du vélo sur le court de tennis.

À présent, cependant, je comprends que c'est grave. La pire nouvelle, ça doit vouloir dire… Et même si je ne m'autorise pas à aller jusqu'au bout de cette idée, une roulette tourne dans ma tête tandis que je compose le numéro de mon père.

Logiquement, ça aurait dû être pour lui, qui a plus de soixante-quinze ans et a subi deux pontages cardiaques, que je m'inquiète, mais ce ne peut être lui.

Ou alors, il s'agit de son frère, qui a lui aussi des problèmes de cœur, mais avant que l'idée ait fait son chemin dans ma tête, je sais que ce n'est pas lui.

« Papa ? dis-je lorsqu'il décroche le téléphone.

— Simon », c'est le nom qu'il prononce, sur lequel s'arrête sa voix.

Pas mes filles – son fils. Pas son frère – mon frère.

Une attaque, je l'entends dire – Simon a déjà eu des attaques. Plus tôt dans la matinée, précise-t-il. On a trouvé son corps dans la rue près de chez lui.

Après avoir reposé le téléphone, je reste figé dans l'air aqueux. Combien de temps s'est écoulé depuis que je suis entré chercher la colle ? Une minute ? Deux ?

Ce que je suis conscient d'éprouver en cet instant n'est pas tant le choc du deuil ni même l'incrédulité qu'un manque d'intérêt pour ce que je viens d'entendre. Je ne veux pas connaître cette information. Quel rapport a-t-elle avec notre week-end à la Grange ? Je veux continuer la journée comme nous l'avons prévu, que Judy revienne avec les courses, que nous partions tous à la plage en vélo. Le soleil brille toujours dehors, après tout. Ici, personne n'est mort.

Bien que j'aie dit à mon père que nous allions rentrer à Londres sur-le-champ, je ressors dans le jardin avec la colle. Judy ne sera pas revenue avec la voiture avant un moment, et j'ai un travail à faire, ici, une tâche à accomplir. J'ai marqué l'emplacement de la crevaison. Je retrouve le trou, je le frictionne et j'applique un point de colle dessus.

Je ne me rappelle pas grand-chose du trajet du retour, si ce n'est que j'insiste pour que nous nous arrêtions acheter des sandwichs et pour que tout le monde mange ce qu'il veut, même si ça nécessite de se rendre dans deux boutiques différentes. Je me rappelle aussi Judy, disant à un moment donné, qu'au moins ma famille sait comment faire face à la mort, et le regard stupéfait que je lui jette.

À la maison de mon père, nous apprenons ce qui s'est passé. En jouant au foot le soir précédent, Simon a ressenti ce qu'il a pris pour une indigestion, et comme la douleur était encore là au matin, il est parti courir pour éliminer. Une heure plus tard, une policière a sonné à sa porte. Sa femme a dû rester avec les deux plus petits garçons, et son plus grand fils, Rafi, qui a quinze ans, s'est porté volontaire pour aller identifier son père à l'hôpital.

Je demande si quelqu'un d'autre a vu le corps, et quand ils répondent que non, je déclare que je veux y aller. Je ne sais pas trop pourquoi j'y tiens tant que ça, mais l'excitation me fait presque tourner la tête. Peut-être me dis-je que comme Rafi l'a vu, je dois en faire autant, que je peux ainsi l'alléger du fardeau de ce dont il a été témoin. Peut-être est-ce simplement que j'ai besoin de faire quelque chose, même si par la suite je comprendrai que j'avais besoin de voir Simon par moi-même – besoin de la certitude de voir son corps, la preuve, la vérité.

La femme et les fils de Simon sont venus chez mon père, mais ils sont rentrés, maintenant, et Judy veut aller les voir. Sur le chemin, elle me dépose à l'hôpital. Je connais bien cet endroit – mes deux filles sont nées là, je m'y suis fait faire des points de suture à la tête –, mais le lieu où m'emmène maintenant une infirmière est plus au fond que partout où je m'étais aventuré auparavant, plus au fond que je n'imaginais que le bâtiment s'étendait, derrière des portes avec des panneaux « Défense d'entrer », au bout de couloirs où les patients ne se rendent pas.

J'attends dehors pendant que l'infirmière le prépare. Lorsqu'elle m'invite à entrer, il est étendu sur le lit, les bras croisés sur le ventre. Je suis surpris de le voir vêtu d'une blouse d'hôpital. Je me l'étais imaginé encore en tenue de jogging.

« Vous pouvez le toucher, si vous voulez », dit l'infirmière, levant l'une de ses mains et la laissant retomber pour me montrer comment m'y prendre.

La mort, je l'ai déjà vue. Lorsque j'étais jeune journaliste en Afrique, j'ai traversé un champ de cadavres – une centaine de soldats rebelles abattus par l'armée ougandaise, des jeunes hommes et des jeunes femmes, la peau perforée de balles. Mais ce n'est pas pareil. Ce n'est pas un corps sans nom, pas un sujet. C'est mon frère.

L'infirmière me demande si je veux être seul avec lui. Je fais oui de la tête et elle sort d'un pas énergique. Je m'avance jusqu'au chevet du lit. Je vois bien qu'il est mort, mais en même temps, je n'y crois pas tout à fait. Sa peau est cireuse, sans vie, mais l'un de ses yeux est légèrement entrouvert, et un éclat d'iris bleu regarde vers le haut.

Je ne suis pas habitué à être si près de lui. Quand nous étions petits, si je m'approchais de la sorte, je risquais fort de me prendre une beigne. L'histoire, l'explication, que j'ai entendue, que Simon m'a un jour donnée lui-même, c'est que Hannah était trop jeune lorsqu'elle l'a eu, qu'elle a trouvé plus facile de m'aimer quand je suis arrivé, et que c'est ça qui nous séparait. Je ne sais pas non plus trop si je crois ça vrai, mais d'aussi loin que je m'en souvienne, Simon et moi nous sommes méfiés l'un de l'autre, et même si une fois adultes nous avons fini par trouver une manière d'être en assez bons termes, je n'ai jamais complètement perdu ma peur de lui, de sa force, de sa colère.

Et à présent je me tiens au-dessus de lui, les yeux baissés sur son beau visage. Ses boucles ont glissé en arrière, et je vois jusqu'où son crâne s'était dégarni ; il a dû cultiver ces boucles pour les faire retomber sur son front. Et bien que j'aie toujours peur de lui, je lui prends la main comme l'infirmière me l'a montré.

Tandis que mes sœurs et ma belle-sœur se retrouvent tous les jours pour s'occuper des préparatifs des funérailles et se soutenir moralement, je ne tiens pas en place – je déborde d'énergie, de détermination. Par la suite, je comprendrai qu'il s'agit d'adrénaline, de l'état de vigilance que provoque une crise, même si pour l'instant je me demande si c'est ça ce que ça fait d'être l'aîné, comme je le suis désormais.

Ma conviction la plus pressante est que nous devons sans perdre une minute sauvegarder nos souvenirs de Simon. L'idée me vient de recueillir des mots et des expressions qui le décrivent ou que nous associons à lui, et j'appelle la famille et les amis pour leur demander des suggestions, que je réunis dans un document qui sera distribué lors de la cérémonie. Je me rends à l'école de mes filles pour emprunter deux chevalets afin que les gens puissent écrire davantage de mots et de souvenirs le jour venu. J'envoie des mails pour réclamer de plus longues contributions afin de constituer une banque de mémoire.

Mais quand arrive le jour de l'enterrement lui-même, tandis que mes sœurs, ma belle-mère et plusieurs des amis de Simon font des discours éloquents et émouvants, ce que je dis lorsque je me lève pour parler est à peine cohérent, bien que je sois l'écrivain de la famille, le raconteur d'histoires. C'est en partie parce que mes sentiments à l'égard de Simon sont extrêmement confus. Mais cela vient aussi de la compréhension du fait qu'une fois qu'une vie a été transformée en anecdotes, elle finit par devenir ces anecdotes, et je ne suis pas prêt pour ça.

Dans les semaines qui suivent, mon agitation laisse la place à d'autres humeurs, à d'autres sentiments. Je m'efforce de réconforter les fils de Simon, de passer du temps avec eux, mais il y a une gêne entre nous. Avec le temps, nous deviendrons proches, mais pour l'instant je suis, je crois, à la fois trop et pas assez semblable à Simon – une sorte de bizarre demi-fantôme de leur père.

Maintenant que nous sommes censés reprendre notre vie, l'incrédulité vient. Enfant, je rêvais que ma mère n'était pas vraiment morte, qu'elle finirait par revenir, et à présent, en marchant dans la rue, en faisant la queue, je vois Simon devant moi et je dois résister à la tentation de l'appeler par son nom. Le matin suivant sa mort, j'ai allumé mon ordinateur et il y avait un mail de lui, un message d'outre-tombe, et à présent, je vois des messages codés le concernant dans les plaques d'immatriculation, dans les panneaux publicitaires. Tout me fait penser à lui.

Il y a des épisodes de bonheur, d'euphorie – des compensations chimiques du cerveau, peut-être –, même si je nourris une certaine culpabilité, également, que je n'avoue à personne, à l'idée que j'ai gagné, qu'en survivant à Simon je suis devenu le frère vainqueur dans une compétition qui remonte à notre enfance.

De plus en plus, toutefois, ce qui s'impose à moi est un chagrin abominable, une tristesse qui me rattrape cinq, dix fois par jour et me précipite dans des crises de sanglots désespérés.

Deux semaines après les funérailles, toute la famille va voir Benji, le fils cadet de Simon, disputer la finale d'un tournoi de foot. Lorsque son équipe l'emporte, lorsqu'ils reçoivent la coupe, les autres applaudissent gaiement, mais je ne peux pas regarder, je me tourne vers le mur, je suis pris de hoquets, aveuglé par les larmes.

C'est une chance, me dis-je, une chance que, malgré toutes mes pensées coupables, ma confusion, je parvienne à pleurer Simon, même si je suis également désarçonné par la violence de ces émotions. Je suis un sceptique-né, je me méfie de ce que je ne peux pas voir de mes yeux, mais face à un tel flot de sentiments, je suis entraîné en territoire inconnu. Je ne doute pas que je pleure la disparition de Simon, le sort de ses fils, toutes les choses que je ne lui ai pas dites, que je ne dirai jamais, désormais. Mais ces montées de chagrin me paraissent si primitives, elles semblent issues d'un lieu si profondément enfoui en moi que j'en viens à me demander si la mort de Simon n'a pas du même coup débloqué en moi un deuil plus ancien, de la même façon qu'un séisme peut mettre au jour des décombres depuis longtemps enfouis en ouvrant une faille dans la terre.

Il s'avère, une fois l'autopsie réalisée, que Simon est sans doute mort d'une crise cardiaque, que l'attaque était un contrecoup d'un accident coronarien. L'inconfort qu'il a ressenti en jouant au foot était une douleur thoracique. Au départ, j'étais censé participer à ce match – une des rares choses que nous faisions ensemble, Simon et moi. Mais au lieu de ça, je donnais une interview à un journaliste au sujet de mon roman, et rétrospectivement je suis hanté par l'idée que si j'avais été au match, j'aurais soupçonné que la douleur pouvait venir de son cœur, j'aurais insisté pour qu'il aille à l'hôpital.

Pendant longtemps, je ne peux pas écrire. J'ai même du mal à lire. Les mots me semblent des choses auxquelles on ne peut pas se fier ; toutes les histoires me semblent conduire vers la même fin.

En famille, nous n'effaçons pas Simon de nos vies comme nous l'avons fait pour Hannah. Nous parlons de lui à ses fils. Nous accrochons des photos de lui à nos murs et nous faisons poser une pierre pour lui au cimetière de Highgate, gravée de certains des mots et des expressions que nous avons recueillis pour son enterrement. Nous nous réunissons chaque année à l'anniversaire de sa mort. La première année, le mari de ma tante Susie, le seul d'entre nous qui connaisse la moindre prière, dit le kaddish, la prière juive pour les morts. Mais il ne le refera jamais, et d'année en année, nous parlons moins de Simon, nous sommes moins enclins à partager des souvenirs de lui. C'est plus facile de ne pas penser, de verrouiller son esprit et de tourner la page. À la même époque, ce qui a été dévoilé en moi concernant Hannah reste à nu. Elle a toujours été présente dans un coin de mon esprit ; mais, à partir de la naissance de mes filles, les premières à naître dans la famille depuis sa mort, j'ai davantage pensé à elle. Quand Leah avait quatre ans, sa ressemblance avec une photo de Hannah que j'avais trouvée dans la maison de mes grands-parents était troublante ; j'ai installé la photo dans notre cuisine et j'étais ravi lorsque des gens croyaient y voir Leah. Mais j'avais encore des difficultés à parler de Hannah, de sa mort. Lorsque, il y a un ou deux ans, Leah a demandé de quoi elle était morte, j'ai paniqué. Je ne voulais pas lui mentir, mais je ne voulais pas non plus l'encombrer avec la vérité. J'ai repoussé le moment pendant plusieurs mois, mais quand je lui ai finalement expliqué, elle a dit : « Ah, je croyais qu'elle avait été assassinée », et elle est repartie jouer.

À présent, bien que je ne le fasse pas avec ma famille, il m'arrive de me surprendre à parler de son suicide à des gens que je connais à peine, à coincer des inconnus, tel le vieux marin ou le Marlow de Conrad, pour leur rebattre les oreilles avec mon histoire peu convaincante.

J'ai exactement l'âge qu'avait Simon quand il est mort, je participe aux mêmes matchs de foot hebdomadaires, quand j'ai un accident cardiaque à mon tour. Comme Simon, je commence à éprouver un malaise pendant le match. J'ai une légère infection à l'oreille, et je me dis que ça vient de là, que j'irai chez le médecin demain pour me faire prescrire des antibiotiques, et je continue à jouer. Mais à la fin du match, j'ai toujours une sensation d'oppression dans la poitrine, et je me rends à l'hôpital. C'est une crise cardiaque, mais prise tôt, et heureusement elle n'est pas très sérieuse. Le cardiologue implante trois stents dans mes artères, et en quelques semaines je reprends la course à pied et le football.

La symétrie de ce qui s'est produit ne m'échappe pas. Si j'ai survécu, c'est en partie grâce à ce qui est arrivé à Simon. S'il n'était pas mort, je ne serais sans doute pas allé à l'hôpital. J'aurais pu me réveiller le lendemain matin, sortir faire un tour ou un jogging, comme lui, et finir dans un autre secteur du bâtiment.

Il est courant, après une crise cardiaque, d'être déprimé, mais je me sens revigoré, avec un engagement renouvelé dans la vie. Nous donnons une fête. Je prends un grand plaisir à raconter aux invités ce qu'il s'est passé : j'ai vaincu la malédiction familiale, je ne suis pas mort.

En l'espace de quelques mois, j'achève mon premier texte digne de ce nom depuis la mort de Simon, et je commence à travailler sur un nouveau roman, reprenant une idée autour d'une mort inexpliquée qui me trotte dans la tête depuis longtemps, même si pour l'instant je la vois du point de vue d'un journaliste qui enquête sur l'affaire. Mais j'ai beau savoir le ton à donner à cette histoire – mi-conte de fées, mi-roman policier, un mélange de magique et d'ordinaire –, je n'arrive pas à restituer cette impression sur la page, comme s'il y avait encore une fracture entre mes émotions et mon intellect, mon cœur et ma tête.

Six mois après ma crise cardiaque, en feuilletant un journal, je tombe sur un article au sujet du suicide récent de Nicholas Hughes, le fils de Ted Hughes et de Sylvia Plath. Je sais depuis longtemps qu'il y a des similitudes entre la mort de Plath et celle de ma mère, mais l'effet miroir dans ce que je lis maintenant est tel qu'un frisson me parcourt. Ce n'est pas seulement la proximité des deux appartements, l'âge des deux femmes, la gazinière. Nicholas Hughes avait quarante-sept ans, comme moi. Comme mon père, Ted Hughes a visiblement essayé de cacher la vérité à ses enfants jusqu'à ce qu'ils grandissent. Comme moi, à en juger par l'article, Nicholas Hughes a été profondément affecté par un second décès – dans son cas, celui de son père.

Avant d'avoir terminé ma lecture, je sais que je vais écrire quelque chose sur Hannah. J'appelle le *Guardian*, et je supplie quasiment l'éditeur à qui je parle de passer commande de l'article, que je rédige dans un état d'exaltation et de nervosité ; les mots coulent sous mes doigts, et j'archive immédiatement le tout sans me relire, de façon à ne pas pouvoir changer d'avis.

ÉTÉ / AUTOMNE 1953

Chère Tash, je suis affreusement jalouse, tu as l'air de t'amuser comme une folle et tu dois être toute bronzée. Je suis bénévole dans un club de théâtre sur Shaftsbury Avenue. Pour tout dire, ce n'est pas à moitié aussi passionnant que ça pourrait le sembler, parce qu'ils viennent juste de s'installer et la scène n'est pas encore montée, donc ils ne peuvent pas donner de représentations. Je les aide à s'organiser, et j'ai aussi servi derrière le bar !

Je fais des tonnes de tennis avec un jeune Israélien vraiment adorable qui s'appelle Mike. La seule difficulté, c'est de le maintenir à bonne distance. Je suis aussi allée passer quelques jours avec lui à la mer dans le Kent avec des parents de Shirley, c'était charmant, on a foncé comme des dingues dans un vieux tacot. Je vais sans doute y repartir demain pour trois jours. Maman et papa s'en vont demain et ils refusent de me laisser toute seule à la maison.

Sais-tu que K. est passé me voir il y a une quinzaine de jours – il est entré sans prévenir, ça m'a fait un sacré choc – et il est resté déjeuner, en plus ! Cher K. je me demande ce qu'ont pensé maman et papa. Sa lettre est arrivée pendant que j'étais à la mer & maman m'a appelée pour demander si elle devait l'ouvrir parce que c'était certainement mes résultats. J'ai bien sûr dit NON.

Chère Tash, tu m'interroges sur la soirée. Eh bien personnellement, les soirées, ce n'est pas mon truc, même si celle-ci était mieux que la plupart, c'est certain ! Sonia était magnifique et je me suis loué un très joli costume. Je suis devenue très copine avec un garçon en costume espagnol qui était ravissant et qui, je l'ai découvert, allait aussi monter sur scène. Mais quand il a ôté son masque, il avait un visage très ordinaire & j'ai vu dans ses yeux qu'il n'avait qu'une chose en tête – me peloter – alors je me suis mise à l'ignorer.

Essaie d'aller voir mes notes quand tu pourras & veille sur K. En vacances, il est beaucoup plus gentil qu'on ne l'imagine. J'ai reçu une gentille lettre de Mike – il me manque, de temps en temps, disons que j'aimerais bien qu'il soit là mais que ça ne me rend pas triste qu'il ne soit pas là.

Chère Tash, j'ai enfin trouvé une fille dans ma classe qui est vraiment sympa. C'est un tel soulagement de trouver quelqu'un qui sait que la raison pour laquelle l'homme qui s'occupe de nos maquillages est tellement charmant et pétillant d'humour, c'est parce qu'il est « pédé » comme un phoque !

Chère Tash, comment ça s'est passé avec C. ? – honnêtement, Tash, je sais que ce n'est pas mes affaires, mais à ta place, j'éviterais de le voir trop souvent – vous feriez mieux d'apprendre à vous passer l'un de l'autre pendant d'assez longues périodes – oh zut c'est ta vie pas la mienne, je ne sais sans doute pas de quoi je parle !

J'ai écrit à K., et je lui ai dit de penser à moi de temps en temps quand il travaille dans son bureau avec la porte ouverte – je me demande s'il le fait. C'est hautement improbable !! Il me manque affreusement parfois, et si tu vois ce que je veux dire, je suis consciente de sa présence dans presque tout ce que je fais.

2

Mon texte pour le *Guardian* touche autant à ce que je ne sais pas qu'à ce que je sais, il porte autant sur le fait de vivre dans l'ombre du suicide que sur Hannah elle-même, mais en attendant la parution de l'article, je suis plus anxieux que je ne l'ai jamais été pour un livre. Avec un livre, mes angoisses portent sur les critiques et les ventes – est-ce que les lecteurs vont l'aimer ? –, pas sur la possibilité que le ciel me tombe sur la tête, que ce que j'ai écrit achève mon père.

Je lui en ai parlé pendant que je l'écrivais, et même s'il m'a dit qu'il fallait que je fasse ce que j'éprouvais le besoin de faire, je l'imaginais bien se raidir par la suite, comme il l'avait fait lors de notre promenade sur Hampstead Heath une douzaine d'années auparavant. S'il y a deux Hannah, mon père, lui aussi, est double : il y a le patriarche autoritaire, sûr de lui, qu'il est en général, et l'homme hésitant, presque mutique, qu'il devient lorsqu'on évoque Hannah.

Même dans mes premiers souvenirs, mon père ne se débarrassait jamais de son côté P-DG, mais il n'était pas distant avec Simon et moi. Il se mettait à quatre pattes sur la moquette dans sa chambre pour jouer avec nous. Au coucher, il me lisait des livres tels que *Le Vent dans les saules*, ou me racontait des histoires qu'il inventait.

Quand j'ai été plus grand, il est venu me voir jouer dans l'équipe de mon école, debout sur la ligne de touche par des après-midi froids et humides. Pendant des années, il m'a emmené me promener chaque dimanche matin sur Hampstead Heath. Je ne me rappelle pas de conversations précises, mais je nous vois toujours en imagination : mon père m'interrogeait sur l'école, les livres que je lisais, mes équipes de sport préférées, ou tentait de m'intéresser à son univers.

Notre maison n'était pas non plus un endroit compassé ou malheureux, pas en tout cas avant que son mariage avec ma belle-mère ne commence à se désagréger une décennie plus tard. Une vie neuve y a vite été insufflée sous les traits de mes demi-sœurs, et ma belle-mère, jeune et un peu hippie, s'est dévouée à nous. Plus de vingt ans après leur divorce, elle aime encore raconter comment mon père lui a fait la cour. Il voulait être rentré le soir pour nous mettre au lit, Simon et moi, alors il l'emmenait prendre le thé au Ritz. Il avait acheté une affaire au cours des deux dernières années de la vie de Hannah, s'était lancé en solo et avait fait des dettes, et il n'était pas sûr que le cœur y était, disait-il. Il parlait de revendre, de s'acheter un bateau, de faire le tour du monde, de commencer une nouvelle vie.

C'était en partie pour cela qu'elle l'avait épousé, même s'il n'avait jamais acheté ce bateau. Au lieu de ça, il avait persisté dans son entreprise, dont il avait fait une réussite, tandis que nous poursuivions notre vie de famille, nous tenant sur la même trajectoire qu'avant la mort de Hannah, seulement avec une autre mère, sans jamais mentionner l'ancienne, presque comme si elle n'avait jamais existé.

La nuit précédant la parution de l'article, je ne peux pas dormir, et je me lève tôt pour foncer chez le marchand de journaux. Alors que j'ouvre le *Guardian* dans la rue pour voir la manchette, une photo de Hannah qui me tient dans ses bras, mes mains se mettent à trembler, et je regarde autour de moi, mais la rue est vide : personne ne m'observe.

Au cours de la matinée, le téléphone sonne, les mails commencent à affluer – personne ne laisse entendre que j'ai fait une chose terrible. Ma tante Susie appelle, jurant d'essayer de briser le « vieux cycle du silence ». La femme de Simon m'envoie un mail, un souvenir de lui : il lui a parlé de Hannah dès leur première rencontre, l'avertissant qu'elle n'avait pas misé sur le bon cheval. Il aurait apprécié l'article, écrit-elle, même si je ne suis pas certain que j'aurais pu l'écrire s'il était encore en vie. Mon père me téléphone pour me dire que plusieurs personnes lui ont parlé en bien de l'article. Sa voix est un peu plus détendue, et je me demande si un poids ancien n'a pas été un peu enlevé de ses épaules, à lui aussi.

Des lettres arrivent, également, d'amis de la famille, d'inconnus qui écrivent qu'ils ont connu Hannah. L'une vient d'une femme qui se rappelle que Hannah est venue au bal costumé de sa sœur déguisée en « ravissante Carmen (avec une grosse fleur dans les cheveux) à l'âge de, oh, peut-être dix-sept ou dix-huit ans. Je me rappelle qu'elle était pleine de vivacité, et très belle ». C'est dans une autre de ces lettres que David Page, le collègue de Hannah au Hornsey College of Art, raconte qu'elle déambulait à grands pas dans les couloirs et qu'elle avait un faible pour les étudiants. « C'était une femme formidable, pleine de vie, le genre de personne que l'on n'oublie jamais. Je suis vraiment navré que vous n'ayez pas eu l'opportunité de la connaître adulte, comme nous la connaissions. »

Cette lettre me fait sourire, et je la laisse sortie pour la montrer aux gens, la lire et la relire. J'écris à David pour le remercier, et ce n'est pas avant que plusieurs semaines se soient écoulées que je réalise que je pourrais lui demander s'il a d'autres souvenirs d'elle. C'est une idée évidente – mais moi, elle me frappe comme la foudre. La règle qui veut que nous ne parlions pas de Hannah dans ma famille est enracinée en moi. Cependant, David Page n'est pas de ma famille.

Je lui envoie un mail, mais il répond qu'il ne pense pas avoir grand-chose de plus à me raconter. J'essaie avec la femme qui m'a écrit au sujet de Hannah en Carmen, mais elle ne l'a rencontrée qu'en cette seule occasion. Je suis déçu, mais quelque chose a bougé dans mon esprit, et je réfléchis : qui d'autre pourrais-je tenter d'interroger ?

Les candidates les plus évidentes sont deux sœurs, Sonia et Tasha Edelman, amies d'enfance de Hannah, qui figurent dans les anecdotes racontées par ma grand-mère. J'ai déjà rencontré Tasha, et j'ai une raison supplémentaire de vouloir la voir. Il y a quelques années, j'ai appris par Susie que Tasha possédait des lettres de Hannah, même si, lorsque je l'ai appelée, elle m'a dit les avoir perdues. Mais Susie m'apprend maintenant que l'état de santé de Tasha, qui n'était pas bon depuis un certain temps déjà, a empiré. Elle a eu un AVC et peut à peine parler. Elle me suggère d'écrire plutôt à Sonia.

En attendant sa réponse, j'envoie un mail à une ancienne voisine à nous du temps de Hannah. Deborah Van der Beek – Kartun, à l'époque – n'a que quelques années de plus que moi, mais j'espère qu'elle pourra être en mesure de me donner une idée de la vision qu'un enfant pouvait avoir de Hannah, ce que Simon ne m'a jamais donné et que j'ai perdu en moi-même.

Deborah répond immédiatement et, deux jours plus tard, je me rends dans le Wiltshire en voiture pour la voir, ainsi que sa mère, qui vit non loin. Deborah est artiste, et elle habite dans un presbytère Queen Anne magnifiquement restauré, avec un jardin clos plein de ses sculptures ; mais tandis qu'elle me fait faire la visite, j'ai du mal à enregistrer quoi que ce soit, et c'est un soulagement lorsque nous nous asseyons pour parler de Hannah.

La famille de Deborah a été la première à s'installer dans la cité moderne de Highgate, où nous vivions dans la maison voisine, me dit-elle, et nous avons été les deuxièmes. Ses parents étaient nettement plus âgés que les miens, mais ils sont vite devenus assez bons amis pour partir en vacances ensemble. Deborah parle d'un séjour au parc national New Forest, où Hannah l'avait emmenée faire du vélo dans le givre, et d'un autre dans le sud de la France, où elle se souvient de mes parents en train de s'habiller pour aller danser à Saint-Tropez. Hannah portait un « pantalon fuseau ajusté, elle avait une allure très glamour et elle riait », et mon père était « terriblement fier, ça crevait les yeux, de sa beauté et de son énergie ».

Hannah était presque assez jeune pour être la grande sœur de Deborah, et elle sautait à la corde et faisait du hula hoop avec elle dans le jardin. Deborah était fascinée par Hannah, dit-elle, « si jolie et vivante », par sa façon d'être « féminine, mais aussi un peu garçon manqué ». Les familles emmenaient parfois leurs enfants respectifs à l'école, et Deborah raconte ses trajets dans la voiture de Hannah, une petite

Fiat, lorsqu'elle montait sur le trottoir pour éviter les bouchons – une des anecdotes de ma grand-mère.

Plus tard, nous nous rendons en voiture au village voisin pour voir sa mère. Gwen commence par dire qu'elle se rappelle parfaitement Hannah, « son sens de l'humour extraordinaire » : elle était séduisante et franche, « les pieds sur terre, pas du tout bêcheuse ». Mais lorsque j'insiste pour avoir davantage de détails, ses yeux s'embrument. Elle a près de quatre-vingt-dix ans, et les faits dont nous parlons se sont produits il y a un demi-siècle.

Le seul souvenir précis qu'elle parvient à retrouver est celui du week-end précédant la mort de Hannah. Elle et son mari étaient partis en voyage à Paris, laissant Deborah et sa sœur avec la jeune fille au pair, mais le soir où leur retour était prévu, il y avait du brouillard à l'aéroport d'Orly, et leur avion avait été immobilisé.

Lorsque Gwen a appelé à la maison pour annoncer qu'ils allaient devoir passer une nuit supplémentaire à Paris, la fille au pair lui a dit que Mme Gavron avait téléphoné. Si elle avait su, si elle avait eu la moindre idée de ce qui se tramait, elle aurait rappelé Hannah immédiatement, dit-elle. Mais elle ne savait pas, comment aurait-elle pu savoir ? – elle ne savait même pas que le mariage de mes parents connaissait des difficultés. Un an ou deux auparavant, nous avions déménagé dans une autre maison, un peu plus grande, dans le même quartier, et bien que celle-ci ne fût qu'à une rue de là, Gwen n'avait plus vu autant Hannah.

« Je ne savais pas qu'elle était dépressive, dit-elle.

— Elle était dépressive ?

— Eh bien, elle devait l'être, non ? Pour faire une chose pareille. »

Deux jours plus tard, je prends le train pour Bristol afin de rendre visite à Sonia Edelman, ou Jackson, comme elle s'appelle désormais. En regardant par la fenêtre du train, je suis excité, nerveux, comme si j'étais en mission. Les Kartun étaient des amis, des voisins, mais Sonia était l'amie intime de Hannah dans son enfance – elle détient, certainement, quelque connaissance plus profonde.

Sonia a proposé de me retrouver à la gare, et lorsque je descends, la première chose qu'elle me dit, c'est : « Vous ressemblez à Hannah. » Je me sens rougir. C'est la première fois que quelqu'un me dit que je ressemble à ma mère.

Sonia elle-même a belle allure, ses cheveux sont toujours blonds, même si je suis déconcerté par son grand âge. Je vois toujours Hannah jeune, jamais plus de vingt-neuf ans, mais Sonia a soixante-dix ans passés. La regarder à la dérobée tandis qu'elle se dirige vers la voiture, essayer de se représenter Hannah à cet âge, c'est comme d'essayer d'imaginer une princesse de conte de fées en grand-mère.

Dans la voiture, Sonia s'empresse de parler de Hannah, de leur enfance dans la campagne du Buckinghamshire, de sa propre famille. « Mais vous savez tout ça », ne cesse-t-elle de dire, et je dois lui répéter que non, je ne le sais pas, que tout ce que je sais, c'est que pendant la guerre Hannah vivait dans un cottage à la sortie d'Amersham, que c'est là qu'elle a enfermé la gouvernante dans le poulailler.

Hannah et mes grands-parents sont allés s'installer à Amersham en 1942, pense Sonia, lorsque Hannah avait six ans. Les Edelman vivaient déjà dans une grande maison dotée d'un court de tennis à trois ou quatre kilomètres, à Chesham Bois, un hameau plus chic – le père de Sonia, Maurice Edelman, était un romancier et un membre travailliste du Parlement.

Hannah venait souvent passer la nuit chez eux. Elles avaient un groupe d'amis qui habitaient dans les environs de Chesham Bois, avec qui elles allaient faire du cheval. Il y avait encore un propriétaire terrien à Amersham dans ce temps-là, sa femme s'était prise d'un intérêt tout particulier pour Hannah et la laissait garder son poney dans leurs étables. Je demande pourquoi, et Sonia me regarde comme si je faisais exprès de me montrer obtus. « Parce que Hannah était très charmante, très belle, bien sûr, dit-elle. Elle était hors du commun. Et elle montait superbement. »

Sonia et Tasha participaient également aux courses du poney-club local, mais c'était Hannah qui « raflait toutes les coupes », même si lors des rares occasions où elle perdait, il y avait des « torrents de larmes », et qu'elle avait besoin de « beaucoup de réconfort pour se calmer ».

Sonia était la plus âgée, mais le leader, c'était Hannah. Elle évoque un séjour à Bexhill. Hannah avait pris une barque et l'avait dirigée à la perfection, mais lorsque Sonia et Tasha avaient sorti un bateau, elles avaient dérivé vers la mer et il avait fallu leur porter secours.

Quand Hannah était partie au pensionnat à Frensham Heights, dans le Surrey, Tasha avait insisté pour la suivre. Sonia était déjà dans une autre école, mais elle se souvient d'être allée à Frensham avec ses parents et d'avoir vu Hannah dans une mise en scène de *La Duchesse d'Amalfi*, dans laquelle elle était « brillante, naturellement ».

Elle parle d'une autre expédition de vacances en bateau, lorsqu'elles avaient quinze ou seize ans, en Suède, sous la férule d'un homme qui avait navigué

44

avec Shackleton. Elle et Tasha s'étaient rendues en Hollande avec le même groupe un an plus tôt, et Hannah était la nouvelle, mais elle était devenue le point de mire du séjour « en jetant son dévolu sur un garçon tout ce qu'il y a de plus ordinaire et en décidant de vivre avec lui une histoire d'amour passionnée ».

« Il fallait toujours que Hannah soit amoureuse d'un garçon ou d'un autre, c'était connu. » Elle « créait toujours une atmosphère d'intrigue autour d'elle ».

Elle parle de Hannah et de mon père, qui se sont rencontrés lorsqu'elle avait dix-sept ans et lui vingt-trois : « Ils étaient complètement fous l'un de l'autre. »

Elle a moins vu Hannah après son mariage. La dernière fois qu'elles se sont croisées, c'était au moment où celle-ci interviewait des femmes pour *L'Épouse captive*, sans doute deux ou trois ans avant sa mort.

Je l'interroge sur son suicide ; elle a toujours pensé que c'était un « geste théâtral », qu'elle n'avait pas vraiment l'intention de se donner la mort. Quelqu'un lui avait dit qu'elle attendait le retour de la femme dont c'était l'appartement. Mais elle ajoute tout de même qu'elle ne pense pas que « Hannah aurait aimé vieillir. Je ne l'imagine pas mener une vie heureuse ».

Hannah n'était pas « encline à la dépression », dit-elle, mais elle avait « des crises de désespoir lorsque les choses ne se passaient pas comme elle le désirait ». Elle n'aimait pas « être forcée de faire des compromis ».

« Ce qu'il y avait, avec Hannah, raconte-t-elle, c'est qu'elle était toujours passionnante. On ne s'ennuyait jamais, avec elle. »

Plus tard, chez moi, je me place devant le miroir. J'ai toujours été fier de la ressemblance de ma fille avec Hannah, mais ce n'est que maintenant, après les mots de Sonia à la gare, qu'il me vient à l'esprit de chercher les traits de ma mère dans mon propre visage, de palper ma large mâchoire, de passer le doigt le long de mes lèvres pleines.

Ces entrevues avec les Kartun et Sonia m'ont laissé dans un état d'incertitude. Cela ne fait que deux semaines que m'est venue l'idée d'écrire à David Page dans l'espoir d'entendre davantage d'anecdotes charmantes au sujet de Hannah, mais pendant ce laps de temps, mes attentes ont été à la fois galvanisées et refroidies.

Quand Sonia parlait de Hannah, j'ai bien senti qu'elle la voyait très nettement dans son esprit, qu'elle se rappelait tout un monde ; mais comme je ne dispose pas pour ma part de souvenirs d'elle, ses évocations ne sont pour moi que des mots, des histoires.

En outre, je ne suis pas certain d'apprécier tellement certaines des choses qu'elle m'a dites : le fait que Hannah était une mauvaise perdante, qu'elle avait un besoin constant d'être au centre de toutes les attentions, qu'elle était réputée pour être systématiquement amoureuse de l'un ou l'autre. Si Hannah n'était pas toujours un personnage si magique que ça, est-ce que je veux vraiment le savoir ?

La remarque de Sonia selon laquelle Hannah n'aurait pas voulu vieillir me tracasse. « Et Simon et moi ? » ai-je envie de lui demander. N'aurait-elle pas voulu nous voir grandir ? Mais est-ce que je veux vraiment connaître la réponse ? Je suis assez âgé pour être le père de ma mère, mais je suis son fils, et les enfants ne cessent jamais de vouloir être aimés par leurs parents, ils ne perdent jamais leur capacité à être blessés par eux.

Je suis encore en train de retourner tout ça dans ma tête lorsque je vais déjeuner chez mon père. Je mets un point d'honneur à lui dire ce que je suis en train de faire, les personnes que j'ai rencontrées, mais il ne m'interroge pas sur ces entrevues et parle, au lieu de ça, du père de Deborah, qui est mort, et du fait que tant de ses amis sont morts.

Plus tard, toutefois, à ma grande surprise, il fait une suggestion. Je m'apprête à me rendre avec ma femme et mes filles en Israël pour voir ma sœur, dont le mari a été nommé là par la BBC, et sa famille. Pendant que je suis là-bas, dit-il, je devrais essayer de contacter sa cousine Shirley, qui était amie avec Hannah, qui était avec elle à Frensham Heights. C'est peut-être même par l'entremise de Shirley, maintenant qu'il y pense, qu'il a fait la connaissance de Hannah.

Pour ma part, je n'ai pas vu Shirley depuis mon enfance, mais je lui écris et, une semaine plus tard, nous sommes assis au soleil dans le jardin de ma sœur à Jérusalem.

En écoutant Shirley, je regarde les photos qu'elle a apportées. Celles de Hannah que j'ai vues auparavant étaient soit des photos d'enfance, soit des photos d'après sa rencontre avec mon père. Mais celles-ci datent de l'époque de Hannah au pensionnat et montrent une adolescente pétulante. Sur l'une d'entre elles, elle est assise sur une moto, dans une jupe ample ; sur une autre, elle se tient debout, jambes écartées, dans la neige ; sur une troisième, elle est postée derrière une boîte à lettres. Sur les trois, elle arbore un large sourire.

« Han », l'appelle Shirley – un diminutif que je n'ai jamais entendu auparavant. « Quand un autre enfant déploie autant de charisme que Han, on peut lui en vouloir, dit Shirley. Mais je ne lui en ai jamais voulu. Elle était si terriblement séduisante, si pleine de vie, avec ce grand sourire qui lui fendait tout le visage, comme le chat du Cheshire. »

Elle a un souvenir très net de Hannah lors d'un bal de l'école. Hannah avait un petit ami – « Robert, avec un nom étranger ». Elle le revoit arriver derrière Hannah et l'entourer de ses bras. Elle portait une robe jaune années 1950 serrée à la taille et évasée en bas, et Shirley revoit encore le tissu se gonfler lorsque ce garçon a placé ses bras autour d'elle.

« C'est cette robe, là », dit-elle, désignant une autre photo. On y voit un groupe de jeunes gens assis autour d'une table, sur leur trente et un. Shirley est présente, ainsi que mon père, incroyablement jeune, et Hannah est au centre de l'image. Elle s'est tournée sur sa chaise pour regarder le photographe. Son visage est lisse et rond, elle n'a que dix-sept ans, mais son expression, un mélange d'innocence et de malice, m'attire et suscite en moi une nouvelle curiosité que je n'ai jamais ressentie de cette façon à son égard.

Shirley raconte qu'un soir elle a passé la nuit chez les parents de mon père avec Hannah et lui, et qu'il y a eu des manigances avec les chambres, mais je ne l'écoute qu'à moitié. Ces photos, cette évocation de Frensham Heights, ce regard sur le visage de Hannah ont éveillé autre chose dans mon esprit – l'histoire de sa « liaison » avec le principal.

Je ne me suis jamais véritablement interrogé sur ce mot auparavant, j'ai toujours imaginé une Hannah de quinze ans, précoce, séduisant un homme mûr et empoté. J'ai entendu quelque part qu'il avait perdu son travail, et j'ai toujours eu une vague peine pour lui, comme s'il était une victime supplémentaire de l'impétuosité de Hannah, de même que la gouvernante dans le poulailler. Mais maintenant, tout à coup, je veux en savoir plus.

Lorsque je pose la question, le sourire de Shirley s'aigrit. « K. », dit-elle, crachant presque le nom.

Hannah ne l'a pas séduit, continue-t-elle – c'est lui qui l'a séduite. Il lui a écrit des lettres, l'a poursuivie jusqu'à Londres. À un moment donné, mon père a trouvé les lettres et les a montrées à mes grands-parents ; ils les ont apportées à l'école et il a été congédié. « Apparemment, dit-elle, il avait déjà fait le coup. »

AUTOMNE 1953

Chère Tash, je suis navrée d'apprendre que tu es malade. Ça doit être pour ça que tu paraissais tellement sinistre dimanche. Je dois avouer que je m'inquiétais beaucoup pour toi, tu avais l'air d'en avoir marre de tout.

K. – il est trop chou, j'ai peur qu'il ait été bien triste que je l'aie à peine vu. Il voulait que je vienne le trouver dans son bureau, mais le courage m'a manqué. J'ai inventé une excuse et je me suis enfuie. Il y a tant de choses que je voudrais lui dire, mais la timidité a eu raison de moi, et je crois rudement bien que je ne lui écrirai plus jamais. Quand tu seras rétablie et que tu retourneras dans le monde, transmets-lui mes amitiés et dis-lui que je suis navrée de n'avoir pas vraiment eu le temps de le voir bien longtemps.

Je suis terriblement occupée, mais c'est drôle, quand on est dans une foule ou pris dans une activité frénétique, on peut se sentir très seul. K. et toi me manquez affreusement parfois. K. m'idéalisait complètement, mais c'est certain que c'était réconfortant de le voir croire si profondément en moi. Il y a des jours où je donnerais n'importe quoi pour lui parler.

Nous préparons un spectacle pour enfants que nous allons monter dans quatre écoles différentes. La distribution est faite et je suis un renard, une souris aveugle, un mouton, une grenouille, un nain (Grincheux !) et le Griffon (d'Alice). On s'amuse vraiment beaucoup. On a eu une discussion idiote en Voice Prod, sur le fait de se connaître soi-même, et ça a pris un tour affreusement religieux, alors je me suis levée et j'ai dit fermement que je ne croyais pas en Dieu, il y a eu un silence choqué puis quelqu'un a dit : « Alors tu crois en quoi ? », et j'ai répondu : « Les gens », et les relations personnelles. Et je leur ai asséné un concentré de Macmurray non édulcoré, sur l'émotion vraie à analyser ses sentiments et ses relations personnelles. Tu sais quoi, je croyais presque tout de ce que je disais et tout le monde a été très impressionné. Ne manque pas de dire à K. que je porte le flambeau et que je prêche Macmurray dans le monde dissolu de la comédie.

Tout le monde dit que tu travailles trop dur, franchement, Tash, trop, c'est trop, et l'effet sera dévastateur, parce que ton travail va en pâtir au lieu de s'améliorer. Heu, peut-être que j'y vais trop fort.

3

Une douce journée de juin à Wandsworth, dans le sud de Londres. Je suis venu voir Susan Downes, une autre ancienne de Frensham suggérée par Shirley. J'attache ma bicyclette devant sa maison lorsque la porte s'ouvre. Une femme d'à peu près mon âge sort. « Vous devez être Jeremy, dit-elle en souriant. Je suis Hannah, la fille de Susan. »

Je suis tellement surpris que j'ai du mal à serrer la main qu'elle me tend. Avant que je puisse aligner deux mots, elle s'excuse de ne pouvoir rester et s'éloigne sur le trottoir.

Mais je réalise qu'une autre personne se tient sur le pas de la porte – une femme plus âgée, avec une crinière blanche. Elle me suggère de rentrer mon vélo dans la maison, et je le porte sur le perron.

« Le nom de votre fille, je demande en appuyant le vélo contre le mur, ça n'a pas de rapport avec...

— Bien sûr que si. » Elle me dit ça comme si c'était la chose la plus normale du monde, comme s'il y avait sans doute des dizaines de Hannah baptisées en hommage à ma mère éparpillées dans Londres.

Ma surprise doit se lire sur mon visage, car elle ajoute :

« J'ai demandé à Hannah si ça ne la dérangeait pas.

— Qu'est-ce qu'elle a dit ?

— "Quelle drôle d'idée !" C'est tout elle, n'est-ce pas ? »

Je voudrais lui demander ce qu'elle entend par là, mais elle est déjà en train de me raconter autre chose – nous nous sommes déjà rencontrés, dit-elle. Susan et Hannah se sont éloignées après le lycée, mais elles ont recommencé à se voir dans les dernières années de la vie de Hannah, et Susan se rappelle être venue dans notre maison à Highgate lorsque j'avais deux ou trois ans.

Elle me fait entrer dans le salon, elle apporte des boissons, puis elle m'explique qu'elle a commencé à fréquenter Frensham Heights plusieurs années avant Hannah. Elle avait perdu son père, et le principal de l'époque, Paul Roberts, « qui était un homme merveilleux », les avait inscrits gratuitement, elle et ses deux frères.

C'était un « établissement très progressiste », qui accueillait beaucoup d'enfants abandonnés ou de cas sociaux. Susan était quaker, mais il y avait aussi des réfugiés juifs, notamment un garçon qui avait été à Belsen. Même si Hannah n'avait rien d'une enfant abandonnée ou d'un cas social. Elle était arrivée lorsque Susan avait à peu près treize ans. Hannah avait deux ans de moins, mais elle « possédait une sophistication qu'aucun d'entre nous ne possédait », et parce que Shirley la connaissait, elle et Susan l'avaient « adoptée ».

Je lui demande de m'en dire plus long sur Hannah. Elle possédait « une intelligence innée », d'après elle, et elle avait donné à Susan l'envie d'être intelligente – elle l'avait fait travailler davantage. Elle « savait faire des choses, tout ce qu'elle faisait, elle le faisait avec passion, et il fallait qu'elle le fasse bien ».

Mais aussi, « elle s'ennuyait facilement ». Elle se rappelle que Hannah était venue passer quelque temps chez elle, dans le Dorset ; au bout de deux ou trois jours, elle avait déclaré qu'elle en avait assez de la campagne et qu'elle voulait rentrer chez elle.

« Avec Hannah, il fallait que tout soit exaltant, intense.

— Et c'était comme ça avec le principal ? »

Cette question semble sortir par sa propre volonté. Je n'avais pas l'intention de mentionner le principal si tôt – je n'étais pas certain que j'en parlerais du tout –, même si maintenant que je l'ai fait, je réalise qu'il est la raison, du moins en grande partie, de ma venue. Je jette un coup d'œil nerveux à Susan, mais elle n'a pas l'air de trouver ma question déplacée.

« Je pense qu'elle était fascinée par K., dit-elle, l'appelant par son prénom, comme l'a fait Shirley, mais ça a dû être troublant pour elle aussi. » Elle se penche en avant comme une conspiratrice, lisse ses cheveux blancs. « Vous avez écrit dans votre article qu'elle avait quinze ans, mais je crois qu'elle en avait plutôt quatorze quand ça a commencé. »

Quatorze ans ? Quinze ans, c'est presque seize, presque l'âge du consentement légal. Mais quatorze ans, c'est celui d'une enfant. Quatorze ans, c'est l'âge que ma fille, Leah, a eu il y a quelques jours seulement.

« Qu'est-ce qui vous fait dire ça ?

— J'ai essayé de reconstituer la chronologie des événements. Lors de ma dernière année à Frensham, nous sommes allées au ski en Autriche. Hannah avait commencé à se confier à moi. Je me rappelle être allée dans sa chambre à l'hôtel, et Hannah m'a raconté que K. était venu aussi, qu'il lui avait fait des avances sexuelles. J'ai dû éprouver un sentiment protecteur à son égard, parce qu'un après-midi il a proposé de l'emmener en montagne, et j'ai dit que j'allais les accompagner. Il était déjà assez tard lorsque nous nous sommes mis en route, et lorsque nous avons fait demi-tour, le jour tombait. Hannah a paniqué. J'avais déjà fait du ski, mais c'était sa première fois. Elle a verdi, et elle s'est mise à trembler et à dire qu'elle n'allait pas y arriver.

— Que s'est-il passé ?

— K. a réussi à la calmer, mais ça a été long. »

J'essaie d'assimiler ce qu'elle me dit. Le principal empoté de mon imagination n'était pas un skieur.

« Comment était-il ? je demande finalement.

— Grand, avec de mauvaises dents. Je n'avais pas beaucoup d'estime pour lui. Je le trouvais distant et assez froid.

— Quel âge avait-il ?

— La quarantaine. »

De fait, je l'imaginais plus vieux, mais je suis quand même choqué de l'entendre. La quarantaine, c'est mon âge – l'âge du père d'une fille de quatorze ans.

« Sa femme était très belle, continue Susan. On faisait de la couture avec elle dans leur appartement, qui était à l'autre bout du couloir où se trouvaient les dortoirs. Le bureau de K. était à l'extérieur de l'appartement. C'était là que Hannah allait le retrouver. Elle prenait le couloir en pleine nuit pour aller le voir. »

Intérieurement, je vois une silhouette qui pourrait être Hannah, ou Leah, suivre un long couloir obscur.

« Est-ce qu'elle a jamais parlé de… ?

— Quand j'ai quitté l'école, dit-elle d'une voix ferme, ça durait encore.

— Ça a duré combien de temps ?

— Deux ans. Ou peut-être un an. Mais longtemps, en tout cas.

— Deux ans. J'avais imaginé quelques semaines – un mois ou deux au maximum.

56

— Je ne sais pas exactement à quel moment cette histoire a pris fin. Tout ce que j'ai entendu dire, c'est que quelque chose s'était passé – K. a pris peur, peut-être que les risques étaient trop grands, et il s'est mis à la battre froid. Elle est allée dans son bureau un jour où il ne l'avait pas convoquée, et il l'a traitée très cruellement. Elle a été affreusement bouleversée. Je crois que c'est pour ça que j'ai perdu Hannah de vue. Je trouvais toute l'affaire très dérangeante. »

Elle se tait, et nous restons assis en silence.

« K. avait un autre gros scandale à son actif, reprend-elle au bout d'un moment. Avant Frensham, il enseignait à Bedales, et pendant qu'il s'y trouvait, il a emmené un groupe d'écoliers dans la Forêt-Noire et il a perdu un petit garçon.

— Comment ça, perdu un petit garçon ?

— Je ne sais pas, dit-elle, la voix soudain lasse. Je ne crois pas que j'aie jamais connu le fin mot de l'histoire. »

D'après mes notes, je sais que nous avons abordé d'autres sujets – la mise en scène de *La Duchesse d'Amalfi* à Frensham qu'avait évoquée Sonia, dans laquelle Susan jouait la duchesse et Hannah la maîtresse du cardinal ; le parfum des glycines à l'école au printemps ; la carrière de Susan comme professeur d'art dramatique – mais je ne me rappelle rien de tout cela. Ce que je me rappelle, c'est ma surprise qu'il fasse encore jour lorsque je m'en vais, et le battement dans ma tête lorsque je repars à bicyclette. C'était comme si quelqu'un avait jeté une pierre dans l'air humide et que les ondulations se répercutaient à l'intérieur de moi.

Une fois rentré, je m'installe à mon ordinateur et fais une recherche sur Internet. J'entre le nom du principal, Frensham Heights, Bedales, garçon perdu, la Forêt-Noire, mais je ne trouve pas mention d'une disparition, et, au nom du principal, je ne tombe que sur des comptes Facebook ou des capitaines d'équipes de base-ball de troisième zone.

Dans la matinée, je me rends à vélo à la British Library et commande les rares documents portant sur Frensham Heights ou Bedales au catalogue. Il y a une histoire de Frensham, mais elle s'achève à la retraite de Paul Roberts, et il n'y figure que deux brèves mentions de son successeur au poste de principal.

Il n'y a pas grand-chose sur lui non plus dans l'histoire de Bedales, une sorte d'école progressiste ayant servi de modèle à Frensham, sinon pour dire qu'il y a enseigné l'allemand de 1939 à 1949 (date à laquelle il est vraisemblablement parti pour Frensham Heights).

Dans les registres de Bedales, néanmoins, je trouve quelque chose. C'est un *Who's Who* des anciens élèves, et s'il n'y a pas de rubrique sur le principal (qui était un enseignant, non un élève), en cherchant son nom, j'en trouve une sur sa femme. Je la lis à deux reprises – elle était chargée de la discipline, capitaine de l'équipe de lacrosse, et elle aimait la couture et le jardinage – avant que le sens m'apparaisse : elle devait être une élève, et lui l'un de ses professeurs, lorsqu'ils se sont rencontrés.

L'un des amis de mon frère, cela me revient, a fréquenté Bedales. Je l'appelle dans la soirée. Quand Richard est entré dans cette école, le principal devait l'avoir quittée depuis vingt ans, et tout ce que j'espère, c'est qu'il puisse me suggérer quelqu'un à qui je pourrais parler de lui. Mais lorsque je cite le nom du principal, il rit. « J'ai connu K. », dit-il. Le principal était membre du club de cricket des anciens de Bedales, et quand il était petit, Richard assistait à la semaine estivale du cricket à l'école avec ses parents, qui avaient tous deux fréquenté Bedales en leur temps.

Richard n'est pas certain de lui avoir jamais adressé la parole, mais il se rappelle qu'« il débarquait au volant d'une Rolls ancienne, un type grand, assez imposant, avec un blazer, un pantalon en flanelle amidonné et une cravate, qui faisait la moue s'il repérait la moindre tache d'herbe sur votre pantalon ».

Mais comment se fait-il que je pose des questions sur K. ? Je ne sais pas quoi dire. Je ne m'attendais pas à ce que Richard me renvoie ma question. C'est une chose d'en parler avec Shirley et Susan, qui étaient les amies de Hannah, mais c'en est une autre d'expliquer mon intérêt à Richard, qui ne l'a jamais connue, et qui a un côté un peu guindé.

Je commence à bégayer que je m'intéresse à la vie de Hannah, à l'influence que le principal a pu avoir sur elle, mais en écoutant mes faux-fuyants, je me mets en rage contre moi-même. C'est ma mère, après tout. Pourquoi devrais-je être gêné de vouloir en savoir plus sur elle, avoir honte de ce qui lui a été fait ? Alors, je lâche tout : la « liaison », le long couloir, Hannah qui avait quatorze ans, le garçon perdu.

Il y a un silence à l'autre bout du fil, puis une toux. C'est la première fois que Richard entend parler de tout ça. Il n'est pas non plus au courant de l'incident dans la Forêt-Noire, et il imagine qu'il en aurait eu vent par ses parents.

J'entends parfaitement le doute dans sa voix. Dans ma famille, malgré tout ce que j'ai gardé par-devers moi, on a toujours considéré que je parlais trop, que j'étais trop impétueux. C'était l'opinion de Simon, je le sais, et je ne serais pas surpris qu'il en ait touché un mot à Richard.

Les gens à qui il faut que je m'adresse, en fait, ce sont ses parents, dit enfin Richard. Le principal a été leur professeur à tous les deux. Il a eu une certaine influence sur eux – son père est même devenu professeur d'allemand à son tour.

Il se rappelle que son père lui racontait, poursuit-il d'une voix rêveuse comme s'il s'accrochait à une vision que mes mots mettent en danger, que le principal utilisait toujours un coupe-chou pour se raser, et qu'il avait toujours des chaussures faites main.

Il promet d'en parler à ses parents et de me rappeler dans quelques jours, mais dès le lendemain matin, on sonne à la porte. C'est Richard, qui m'offre une grande enveloppe marron. « K. est l'homme sur la droite, avec les mains dans les poches », dit-il.

Après son départ, je m'installe dans la cuisine et j'ouvre l'enveloppe. Mon cœur bat la chamade, mais la photographie pourrait difficilement être plus innocente : une équipe scolaire de cricket devant un pavillon au toit de chaume. Sur une ardoise posée à leurs pieds est inscrit : « Bedales, 1er XI 1946 ».

Il y a onze garçons en tenue blanche et deux maîtres, un de chaque côté, en vestes d'arbitre, et c'est par celui de droite que mes yeux sont attirés. Il est grand, comme l'a dit Susan, avec un long nez et un visage mince. Ses cheveux sont lissés en arrière.

La photo est granuleuse, le visage de l'homme est assez petit pour être recouvert par une pièce de cinq pence, et je me penche pour le regarder de plus près. Est-ce un menton fuyant ? Et ses oreilles – est-ce qu'elles dépassent ? Est-ce de la gomina Brylcreem dans ses cheveux ?

D'après la description de Richard, j'avais imaginé un homme un peu raide, « imposant », mais lorsque je me recule de nouveau, je vois que c'est l'autre professeur qui a un maintien militaire, avec ses mains derrière son dos, tandis que le futur principal se tient presque voûté. Non, il a les mains dans les poches, mais elles semblent fourrées là avec nonchalance.

Qu'est-ce que cela m'apprend ? Comme Shirley et Susan, Richard l'appelait par son prénom. Est-ce que cela signifie qu'il était aimable, sympathique ? Mais ce n'est pas l'impression que m'a donnée Richard – et Susan non plus.

Je regarde une nouvelle fois, m'efforçant de l'imaginer à travers les yeux de Hannah, mais tout ce que je vois, c'est un petit rôle dans une vieille comédie des studios Ealing – un boutiquier, un policier ou un professeur.

La seule personne que j'ai tenté d'interroger au sujet de Hannah au fil des années passées, c'est Susie, sa sœur. J'ai toujours été proche de Susie. Il est facile de lui parler, elle est thérapeute familiale – son travail consiste à faire parler des familles de leurs problèmes. Mais comme mon père, à la minute où j'évoque Hannah, Susie change ; elle devient silencieuse, nerveuse. De sept ans plus jeune que sa sœur, dit-elle, elle n'avait que quatre ans lorsque Hannah est partie pour le pensionnat ; elle ne se souvient pas bien d'elle, et on lui a appris, à elle aussi, à oublier.

Mais depuis que mon article est sorti, Susie m'envoie des souvenirs de Hannah par mail. Le plus souvent, ce ne sont que des bribes. La fois où Hannah et elle ont partagé un lit lors de vacances en famille, Hannah a disposé entre elles un oreiller, et elle a déclaré que c'était l'épée de Damoclès. La fois où elles sont allées faire les boutiques, et où Hannah a oublié les vêtements qu'elles avaient achetés dans le bus.

Dans l'un de ses mails d'Édimbourg, où elle habite, elle raconte qu'elle a rencontré un homme qui était dans la classe de Hannah à l'école. Shirley et Susan avaient un an d'avance sur elle, et elles ne se rappelaient pas ses camarades de cours. J'écris à Susie pour lui demander d'expliquer mon intérêt à Michael Hutchings et, quelques jours plus tard, je reçois un mail de lui.

Il n'a appris la mort de Hannah qu'il y a quelques années, lorsqu'il a repris contact avec l'école et que, remarquant que son nom manquait dans la liste des anciens élèves, il a fait la « démarche de se renseigner à son sujet ». Il ne l'aurait fait pour personne d'autre, écrit-il, mais « elle était de loin la personne la plus intéressante de ma classe ».

Visiblement, ce n'était pas tant qu'il l'appréciait, mais il la trouvait intéressante. Il se souvient surtout des critiques qu'elle émettait au sujet de ses talents de joueur de hockey, qu'elle insistait pour qu'ils étudient John Donne alors qu'il avait suggéré Milton, ou que lorsqu'il avait monté la pièce de Thurber *The 13 Clocks*, il ne l'avait pas sélectionnée pour le rôle de la princesse même si cela aurait semblé « aller de soi », parce que s'il l'avait fait, « elle aurait immanquablement tiré la couverture à elle ».

Son souvenir le plus « saisissant », c'est qu'elle « s'est levée en plein cours d'arts plastiques – quand elle avait dans les quatorze ans, peut-être – pour lancer aux garçons : "Vous, les garçons, vous êtes tous fous de moi." Personne ne l'a contredite, mais à mon humble avis, ça n'a pas dû la rendre très populaire chez les filles ».

Je relis ces mots, essayant de déterminer ce que j'en pense. Quelque chose a changé en moi dans les semaines qui se sont écoulées depuis que j'ai vu Sonia : les critiques vis-à-vis de Hannah ne me perturbent plus ; au contraire, je suis curieux.

Dans son mail, Michael m'invite à l'appeler si j'ai la moindre question. Lorsque je le fais, il est surpris de voir que je pense qu'il a des « sentiments négatifs » à l'égard de Hannah – même si, au fil de la conversation, il admet que ses sentiments étaient « peut-être ambivalents ». C'était une « très forte personnalité », explique-t-il.

Je l'interroge sur l'incident dans la salle d'arts plastiques : est-ce que quelque chose s'était produit qui aurait pu l'inciter à dire une chose pareille ? Mais non, elle « s'est levée, sans raison, pour nous interpeller ». Je lui demande s'il pense que ça pourrait avoir un rapport avec le principal, si, peut-être, ce qui se passait avec lui la poussait à faire de la provocation, mais il a plutôt l'impression qu'elle exprimait juste son mépris des garçons.

Il se rappelle en revanche un autre incident : Hannah avait décrit un rêve à caractère sexuel alors qu'elle était assise à la table du principal au déjeuner, et cet épisode pouvait être lié à sa relation avec « M. K. », comme il l'appelle, bien qu'il n'en ait rien su à l'époque. Il a passé une scolarité heureuse, souligne-t-il. L'ambiance à Frensham était bonne.

Il offre de m'envoyer les coordonnées d'autres membres de la classe. Lorsque je les reçois, j'envoie des mails auxquels je joins mon article sur Hannah et, quelques minutes plus tard, j'ai une réponse d'un autre homme, Chris Harrison.

« Sacré retour en arrière !!! écrit-il. J'ai eu le plaisir de très bien connaître votre mère à Frensham. Comme nous nous sommes perdus de vue après l'école, je me suis souvent demandé ce qu'elle était devenue. Bien sûr, je suis navré d'apprendre qu'elle est morte si jeune. Je vais fouiller dans mes banques de mémoire pour voir si je retrouve quelque chose. »

Mais le ton du mail qu'il envoie le lendemain est très différent :

« J'ai lu, avec tristesse, votre récit sur Hannah. Malheureusement, me voilà maintenant confronté à une sorte de dilemme. Lorsque j'ai connu votre mère, j'étais un adolescent innocent et gauche qui s'est retrouvé malencontreusement impliqué dans la relation entre elle et le principal, ce qui a manqué provoquer mon expulsion de Frensham. Avant de vous en dire davantage, j'ai vraiment besoin de savoir à quelle fin vous comptez utiliser toute information que je pourrais vous confier, car cet épisode a sans nul doute influencé durablement le cours de ma vie. »

Il me donne son numéro de téléphone, et je l'appelle sur-le-champ, mais sa femme me dit qu'il est sorti jouer au golf. En attendant le passage des heures, je fais les cent pas dans la cuisine. Quand je m'arrête, je remarque que j'ai les jambes qui tremblent.

Lorsque je rappelle, je m'efforce de paraître calme de peur qu'il ne refuse de me parler, mais il semble avoir oublié ses réserves.

Il aimait beaucoup Hannah, et pendant un certain temps ils ont été « ensemble ». C'était « très innocent, on allait main dans la main au pavillon du terrain de cricket, on se roulait quelques galoches ». Mais un jour, son maître d'internat était venu le trouver, l'air grave. « Il m'a dit que je devais me présenter au bureau de K. – il n'a pas voulu dire pourquoi. On m'a emmené voir K., et il m'a accusé d'avoir violé Hannah. Il m'a dit qu'il avait des preuves, et que j'allais avoir de graves ennuis. »

La preuve, c'était une lettre que Hannah lui avait manifestement écrite de l'infirmerie, qui contenait des descriptions sexuelles explicites. Elle avait demandé à une autre fille de la lui porter, mais l'infirmière en chef l'avait interceptée. Chris avait été expulsé, mais après que ses parents – et aussi ceux de Hannah, lui semble-t-il – eurent été convoqués, Hannah avait avoué qu'elle avait inventé ce qu'elle racontait dans la lettre, et son expulsion avait été annulée.

Je lui demande s'il l'a lue, cette lettre, mais non, il ne l'a jamais vue, et s'il en a parlé à Hannah, il ne se rappelle pas ce qu'elle a répondu. Il ne peut pas dire si sa liaison avec le principal avait débuté à cette époque ; il n'en a rien su alors.

Le plus comique, poursuit-il, c'est que le principal l'a plus tard nommé président des élèves, mais il ne s'est plus jamais senti à l'aise à Frensham. Il projetait de faire une carrière scientifique, mais il s'est désintéressé de ses études et n'a obtenu que deux ou trois *O-Levels*[1] et un *A-Level*. Sa vie a pris un tour différent, m'explique-t-il, et il est rentré dans l'affaire de son père comme dessinateur publicitaire. Mais il ne cesse de revenir à l'incident avec Hannah, le principal et la lettre, comme s'il essayait toujours de comprendre ce qu'il avait bien pu se passer en réalité.

Moi aussi, je ne cesse de revenir au principal. C'est un peu comme la fascination provoquée par un serpent ; en outre, il y a dans cette histoire une impression de réalité que n'ont pas les autres anecdotes que

1. *O-levels :* système d'examen en fin de secondaire. Les *O-levels* étaient considérés comme inférieurs aux *A-levels*, dont un certain nombre était requis pour entrer dans les universités. *(N.d.T.)*

j'ai entendues au sujet de Hannah, et c'est une chose que je découvre, que je déterre, moi-même.

Mais il y a plus. Pendant toutes les années où j'ai vécu en sachant que ma mère s'était tuée, j'ai supposé que sa mort était une conséquence de son impétuosité, d'une certaine imprudence en elle. Mon père m'a raconté un jour, peut-être lors de cette promenade sur Hampstead Heath, que ma grand-mère lui avait dit que Hannah avait coutume de se prendre de passion pour telle ou telle chose ou activité puis de la laisser tomber brusquement. Dans mon article, j'avais proposé l'explication que, « toute sa vie, elle s'était lancée dans des choses pour les rejeter ensuite – les chevaux, la comédie, mon père et, finalement, la vie ».

Ce que je n'avais pas ajouté à la liste, c'était mon frère et moi. Qu'avait-elle en tête lorsqu'elle m'a laissé à l'école maternelle cet après-midi-là ? Comment comprendre une mère capable de faire ce qu'elle a fait ?

Mais la figure du principal permet une autre interprétation. Que ce n'était pas que Hannah ne nous aimait pas, qu'elle n'était pas une bonne mère, qu'elle se fichait de tout, mais qu'elle avait été abîmée par cet homme. Qu'elle n'était pas la séductrice, mais la proie – pas l'instrument de sa mort, mais la victime.

Je suis un fils possédé. Je me rends en vélo à Paddington pour rencontrer Carol Cutner, une autre ancienne de Frensham qui partageait une chambre avec Hannah, et elle me raconte comment celle-ci revenait de ses « cours de soutien en allemand » et se laissait tomber, en pâmoison, sur son lit en disant : « Bon sang, je le trouve merveilleux, qu'est-ce que j'aime cet homme. »

Je prends le train pour Chichester afin de rendre visite à Bill Wills, un ancien professeur de menuiserie à Frensham, qui a plus de quatre-vingt-dix ans aujourd'hui. Il se souvient de Hannah, se souvient avant que je n'en parle que quelque chose s'est passé entre elle et le principal et laisse entendre, comme l'a fait Shirley, que « ce n'était pas la seule ». Il revoit le principal entrer dans la salle commune pour annoncer à l'équipe enseignante que le conseil d'administration voulait qu'il prenne sa retraite, et qu'il n'allait pas céder, même s'il l'a fait par la suite.

Je m'entretiens par téléphone avec la mère de Richard, qui ne sait rien sur Hannah, mais dit que le principal devait « avoir un faible pour les très jeunes filles », car il était tombé « raide dingue » de sa femme. Elle le décrit comme à la fois « exagérément amical » et « impossible à connaître ». Il « se confiait aux premières et aux terminales d'une manière qui n'était pas tout à fait appropriée, se plaignant que sa vie était un échec ». Venu d'un « milieu modeste », il avait réussi à entrer à Cambridge, mais elle avait le sentiment qu'il avait toujours « vraiment voulu travailler dans le public ».

« Ce qu'il y avait avec K., c'est que rien ne marchait jamais tout à fait, avec lui. Il était toujours splendide quand il jouait au cricket. Il avait un *late cut* formidable, mais c'était l'un de ces coups qui ne réussissent qu'une fois sur cinquante. »

Je reçois un autre mail de Chris Harrison, avec des scans de photos de classe. L'une d'entre elles représente le principal avec sa femme – effectivement, elle est très belle, comme l'a dit Susan Downes ; on dirait une star de cinéma des années 1950. Le principal est plus à son avantage, lui aussi : il est bel homme, l'air distingué, mais paraît aussi plus cruel – ou est-ce une projection de ma part ?

Michael Hutchings envoie aussi des scans de photos du magazine de l'école. L'une représente l'atelier dans lequel Hannah s'est levée pour haranguer les garçons. Une autre montre *La Duchesse d'Amalfi* avec Hannah, dans le rôle de Julia, à genoux devant le cardinal, interprété par un professeur.

Avec sa perruque blonde et sa robe antique, Hannah me semble d'une beauté sublime, comme sur la photo de son book, mais sur celle-ci, il y a dans son visage une mélancolie, une distance qui me fend le cœur. Elle est en train de jouer, bien sûr. *La Duchesse d'Amalfi* est une tragédie, et on m'a dit qu'elle était excellente dans cette pièce – mais ce que je vois, ou ce que j'ai l'impression de voir, réveille le père en moi et me donne envie d'entrer dans la photo pour la secourir.

Je n'ai jamais lu ni vu *La Duchesse d'Amalfi*, mais je vais maintenant en emprunter un exemplaire à la bibliothèque. Dans l'intrigue principale, une duchesse se marie au-dessous de son rang et encourt la fureur de ses deux frères, mais c'est l'histoire secondaire, celle du cardinal et de sa maîtresse, qui retient davantage mon attention. Julia est jeune, séduisante, passionnée. Le cardinal est puissant et froid. Il porte l'habit d'un homme d'Église, mais son comportement est loin d'être celui d'un saint. Il a un passé trouble, on raconte qu'il a été responsable de la mort d'un homme.

La première fois que nous voyons les deux personnages, ils sont en train de se disputer. Julia dit que le cardinal lui a fait la cour en lui racontant des boniments sur sa « pitoyable blessure au cœur », de même que la mère de Richard m'a dit que le principal se confiait exagérément à ses élèves, et qu'elle s'était laissé charmer en dépit de toutes ses convictions, de même que Shirley m'a révélé que le principal écrivait des lettres à Hannah et l'avait suivie jusqu'à Londres. Lorsque le cardinal renvoie Julia, elle se donne en spectacle de manière inconvenante devant Bosola, un serviteur, qu'elle accuse d'avoir versé un philtre d'amour dans son verre, de même que Hannah a écrit sa lettre sexuelle à Chris Harrison.

La pièce montre tour à tour Julia comme admirable, en avance sur son temps, une « grande femme de plaisir », et une créature pitoyable, déroutée par ses émois sexuels.

Elle a été jouée, écrit Michael, au printemps 1952, lorsque Hannah avait quinze ans – sans doute au beau milieu de sa liaison avec le principal. Hannah était-elle consciente de ces parallèles ? Voyait-elle la pièce, et son rôle, comme un commentaire de sa propre vie ? Est-ce là ce que je lis sur son visage ?

Je suis conscient que ce que je suis en train de faire n'est pas tout à fait rationnel, mais je ne peux plus m'arrêter. Lors d'une nouvelle recherche sur Internet, je trouve une mention de la mort du principal, d'un cancer, à soixante ans et quelques. En consultant sa fiche dans le recensement de 1911, j'apprends que son père travaillait au tri postal et que son grand-père était un pasteur baptiste. La famille vivait à Merton, dans le sud de Londres ; je jette un œil à l'image satellite de la rue et j'envisage d'aller voir la maison, mais je ne le fais pas.

En revanche, je prends mon vélo pour me rendre aux archives de l'Institute of Education afin de lire quelques lettres qu'il a écrites à l'une de ses amies. Elles datent d'entre la fin des années 1930 et le début des années 1940, longtemps avant sa rencontre avec Hannah, et je ne m'attends pas à en apprendre grand-chose, mais je suis surpris de constater à quel point je suis fébrile en ouvrant le dossier qu'on m'apporte, en touchant ces lettres, en voyant son écriture à l'encre bleue pencher proprement en travers des pages.

Dès la deuxième lettre, cependant, envoyée au cours de son second semestre à Bedales, il écrit qu'il est « tombé complètement amoureux de deux ou trois élèves, et surtout d'une jeune Viennoise d'une quinzaine d'années tout à fait charmante ». Il entretient une espèce de relation amoureuse avec sa correspondante, et je comprends qu'il a écrit ça en matière de plaisanterie. Mais quelques missives plus tard, il raconte qu'on lui a interdit d'inviter des élèves dans ses appartements à cause d'une « assez belle fille » qui « aime bien venir [lui] parler » ; les autres professeurs, dit-il, épient « le moindre de [ses] gestes », et le soupçonnent d'être un « don juan ».

Tout cela ne m'en apprend pas beaucoup plus que ce que j'ai déjà entendu dire – la « belle fille » était sans doute sa future femme –, mais je note tout, avec d'autres éléments potentiellement incriminants. Sa passion pour tout ce qui est allemand. Un côté récriminateur, une arrogance qui émergent par instants (un autre professeur est un « imposteur maléfique »); même si je dois avouer qu'il peut aussi se montrer charmant, attachant. Lorsqu'on lit les confidences d'un inconnu, il est difficile de ne pas se ranger malgré nous à son point de vue.

Seule référence possible à l'élève perdu, il se plaint de s'être vu interdire d'emmener les garçons en colonie de vacances. Mais dans une brève notule autobiographique accompagnant les lettres, je trouve autre chose : « Il emmena une classe d'écoliers ? 1935 ou 1936 en Allemagne & mort tragique du groupe ? plusieurs dans une tempête de neige à ? dans une forêt en montagne. » La date explique pourquoi je n'ai rien pu trouver à ce sujet dans les archives de Bedales, pourquoi Richard n'en avait pas entendu parler – c'était avant que le principal n'y enseigne. Mais que peuvent vouloir dire les mots « mort tragique du groupe ? plusieurs » ? Se peut-il qu'il y ait eu plus d'un garçon perdu ?

C'est une histoire fascinante en soi – le garçon perdu, ou même les garçons perdus dans la forêt –, mais c'est davantage que cela. C'est l'homme qui a abusé de ma mère, qui l'a transformée en une fille perdue qui traversait un couloir en pleine nuit. J'ai besoin de savoir ce dont il était capable.

Fort de cette nouvelle information, je fouille les archives en ligne du *Times* et, quelques instants plus tard, j'ai devant moi un gros titre du 19 avril 1936 : « Pris dans le blizzard – mort de cinq garçons londoniens ».

Je suis obligé de payer pour en lire davantage, et j'entre le numéro de ma carte de crédit. L'article qui s'affiche parle d'un groupe de vingt-sept garçons de la Strand School à Brixton en randonnée dans la Forêt-Noire, sous la supervision d'un seul professeur âgé de vingt-huit ans. Après avoir passé leur première nuit dans une auberge, ils étaient partis au matin pour escalader la montagne Schauinsland. Il tombait un léger grésil lorsqu'ils s'étaient mis en route, indique le journal, mais au milieu de l'après-midi il neigeait fortement :

« Au cours des heures qui suivirent, plusieurs des garçons s'affaiblirent et finirent par s'effondrer. Les plus âgés portèrent leurs sacs et les aidèrent à avancer jusqu'à ce que leurs forces les abandonnent à leur tour. Le professeur, qui portait le plus jeune garçon du groupe depuis environ un mile, décida finalement de rester en arrière avec quatre des garçons épuisés et envoya les plus vigoureux essayer de retrouver le chemin du village. Ils atteignirent le village vers vingt heures. Les villageois formèrent immédiatement des équipes de recherche, et dans des conditions extrêmement difficiles, au péril de leur propre vie, montèrent chercher les garçons épuisés avec des traîneaux. Ce ne fut pas avant vingt-trois heures trente que le dernier d'entre eux, avec le professeur, fut ramené à la sécurité de l'auberge du village, où six garçons inconscients avaient été mis sous respiration artificielle. »

Penché sur l'ordinateur, je suis le récit le long des pages du *Times*. Les survivants ont été sauvés par la cloche du village, dont le son les a guidés. Les corps ont été rapatriés dans des « cercueils en bois noir, faits des branches des arbres parmi lesquels ils sont morts ». « Herr Hitler » a envoyé des « couronnes d'arums et de sapin, liées avec de la soie blanche et drapées de swastikas ».

Une enquête a exonéré le principal de toute responsabilité. La tempête, exceptionnelle pour la saison, était « catastrophique et bien au-delà de toute prévision ». Le principal, concluait l'enquête, avait fait preuve « de courage et de force d'âme ». Mais un point me turlupine. Je relis les articles et vérifie que, même après qu'un des garçons « eut montré des signes d'épuisement », le principal n'a pas renoncé à son projet d'escalade.

Il y a quelque chose de familier là-dedans, aussi j'appelle Susan Downes et l'interroge de nouveau sur leur séjour à la montagne avec K. Il n'y avait que deux remonte-pentes, dit-elle, donc on leur avait appris à mettre des peaux sur leurs skis et à remonter à pied jusqu'au sommet. C'était pénible, mais le principal avait insisté pour qu'ils continuent d'avancer jusqu'à ce qu'ils aient atteint une hutte qu'il leur avait désignée comme objectif, bien qu'il fasse déjà dangereusement sombre.

Je me rends à la bibliothèque des périodiques à Colindale et demande d'autres quotidiens. Dans le *Daily Telegraph*, je lis que certains des garçons « n'en pouvaient déjà visiblement plus » lorsqu'ils avaient croisé un groupe de bûcherons qui les avait guidés en haut de la colline.

Pourquoi le directeur n'avait-il pas demandé de l'aide à ces bûcherons ? Pourquoi ne leur avait-il pas demandé de ramener les garçons plus bas, au village ou dans une auberge ? Pourquoi avait-il continué son escalade dans la tempête alors qu'il aurait pu descendre ?

Je me rends aux archives de la police de Londres pour consulter le rapport d'enquête. J'y apprends qu'avant d'y enseigner le principal avait été un élève vedette de la Strand School ; il avait été président des élèves, capitaine de l'équipe de football, de l'équipe de cricket. J'y apprends aussi que, pendant ses études à Cambridge, il passait ses vacances à escorter des groupes scolaires qui partaient en excursion dans les Alpes suisses. Après l'université, il a travaillé dans les Alpes germaniques : il faisait le guide pour des clubs de ski et d'escalade.

Si on s'en tient aux articles de journaux, il y a des contradictions et des incohérences dans le témoignage du principal. Mais ici, dans son intégralité, son récit paraît plus logique. Dans cette version, la neige n'était pas encore trop épaisse ni trop drue lorsqu'ils avaient croisé les bûcherons, et il ne cherchait pas tant à atteindre le sommet de la montagne qu'une auberge qu'il croyait se trouver sur l'autre versant.

J'ai toujours mes soupçons – son expérience des montagnes l'avait-elle fait pécher par excès de confiance en lui ? –, mais je suis le seul, apparemment. « Je peux dire en toute conscience que l'enseignant responsable des garçons s'est comporté en homme, avec beaucoup de courage, témoignait l'un des villageois qui avaient aidé à faire descendre les garçons. Il a été le dernier à descendre des pentes de la montagne où il a tout fait pour réconforter les enfants et les aider. »

La tragédie, conclut l'enquête, était due à une aberration météorologique, non à une erreur humaine.

Le principal, arrivant à Fribourg deux jours plus tard, y trouva « un ciel clair et un soleil chaud – comparables à une chaude journée de juin en Angleterre ».

Ici, à Londres, l'été se traîne en longueur, les jours raccourcissent. Je suis épuisé par les dernières semaines, par mon obsession pour Hannah et le principal. Mais il me reste une chose à faire – me rendre à Oxford pour voir Tasha Edelman.

Comme elle ne se sert pas du téléphone, j'ai planifié ma visite avec sa nièce, la fille de Sonia, Becky, qui habite aussi à Oxford.

Avant d'aller chez Tasha, je vais lui rendre visite. Elle me parle de la santé de sa tante. Après un accident de voiture qui a provoqué une attaque, elle a récupéré et repris son travail de psychiatre. Mais par la suite, d'autres attaques l'ont diminuée.

Nous parlons aussi des problèmes de Tasha avec son fils et sa fille de son premier mariage. Quand ceux-ci étaient petits, elle a quitté son mari pour un autre homme et a perdu la garde de ses enfants, et une fois grands, ils ont refusé de la voir. Tasha leur dépose des cadeaux de Noël et d'anniversaire sur le pas de leur porte, mais elle n'a jamais le moindre retour, m'explique Becky. Elle s'est remariée et a eu une autre fille, mais elle n'a pas vu ses premiers enfants depuis des années.

C'est difficile à comprendre, pour moi : chercher une mère qui est pour toujours hors d'atteinte, et entendre parler de ces enfants qui ont une mère et qui refusent de la voir.

Becky me dépose chez Tasha, et je la suis dans une pièce où s'empilent livres et magazines. Les rideaux sont tirés, mais le tissu est si fin qu'il laisse filtrer la lumière du soleil et je vois la poussière qui flotte.

Tasha elle-même est pareille à un fantôme. La dernière fois que je l'ai vue, il y a plus d'une décennie, elle était en surpoids, mais à présent ses vêtements flottent sur son corps frêle. Elle a les cheveux longs et gris et porte de grosses lunettes rondes. Elle se déplace et s'exprime avec une immense lenteur, marquant de longues pauses pour réfléchir ou chercher le mot juste.

Je lui demande comment il se fait qu'elle ait suivi Hannah à Frensham.

« Je serais allée n'importe où pour être avec elle, dit-elle.

— Pourquoi ? »

Elle sourit. « Elle était tellement fascinante. »

Lors de notre entrevue, Sonia m'avait raconté que Hannah avait attiré des ennuis à Tasha ; je l'interroge à ce sujet.

« Elle me disait toujours quoi faire, me répond-elle.

— Quoi, par exemple ?

— De rompre avec mon petit ami.

— Pourquoi ?

— Elle avait décidé qu'il n'était pas bon pour moi.

— Et vous aussi ?

— Oui, dit-elle, et de nouveau un sourire se dessine lentement sur son visage. Ensuite, Hannah est sortie avec lui.

— Hannah vous a dit de rompre, puis elle est sortie avec lui à son tour ?

— Oui. Mais quand elle en a eu assez, je me suis remise avec lui. Ce qu'il y avait avec Hannah, reprend-elle après une longue pause, c'était qu'il lui fallait avoir ce qu'elle voulait quand elle le voulait, et tout le monde n'avait qu'à s'écarter pour lui laisser la place.

— À vous entendre, on croirait un personnage de *Sa Majesté des mouches* ! »

Il y a un autre silence, puis elle reprend : « Elle était féroce, mais elle avait aussi un côté très protecteur. Elle me protégeait. »

Elle m'explique que Hannah « n'arrêtait pas de cogner des garçons à tout bout de champ ».

Je lui demande si les histoires sérieuses étaient courantes parmi les élèves.

« Certains allaient jusqu'au bout, dit-elle.

— Hannah en faisait partie ?

— Le contraire me surprendrait beaucoup.

— Et vous ? »

Elle sourit.

« Non.

— Pourquoi non ?

— Je n'aurais pas su m'y prendre. »

Je lui demande comment Hannah, elle, savait.

« Hannah savait toujours comment se lancer dans les choses. Il fallait tout le temps qu'elle soit active. Elle allait toujours trop loin, trop vite.

— C'est ce qui s'est passé avec le principal ? »

Elle réfléchit un instant.

« Je suppose que oui. Il y avait quelque chose d'"hypnotique" chez lui. Quand il parlait, on ne pouvait pas faire autrement que d'écouter. On avait toujours envie de savoir ce qu'il avait à dire. Il nous donnait envie d'exceller en tout. Il tenait beaucoup à Hannah, ajoute-t-elle.

— Il tenait à elle ?

— Oui.

— Et Hannah, qu'éprouvait-elle pour lui ?

— Elle était folle de lui. Pendant longtemps, j'ai sincèrement cru qu'ils s'aimaient.

— Elle l'aimait ?

— Je crois que c'était l'amour de sa vie, avant qu'elle ne rencontre ton père. »

Je lui répète les propos de Susan Downes, qui a décrit le principal comme froid et raconté que Hannah avait fait irruption dans son bureau au mauvais moment et qu'il avait été cruel avec elle.

« Je ne pense pas qu'il ait été cruel avec Hannah, dit lentement Tasha. Je pense que Hannah l'a lâché parce qu'elle a rencontré ton père. »

Est-il possible que ce soit vrai ? Est-ce là son opinion professionnelle de psychiatre ? Ou voit-elle Hannah et le principal par les yeux d'une jeune fille de quinze ans, et sa compréhension est-elle figée dans le temps, comme Hannah elle-même ?

Je l'interroge sur le suicide de Hannah. Elle ne pense pas que c'était de la dépression – plutôt qu'elle n'était plus capable de trouver le moyen de faire face.

« De faire face à quoi ? je demande.

— Au fait de ne pas obtenir ce qu'elle voulait. »

Que voulait-elle ? j'insiste. Mais elle se contente de sourire.

Je l'interroge de nouveau sur les lettres de Hannah. Lorsque j'avais parlé à Tasha au téléphone plusieurs années auparavant, elle avait laissé entendre qu'elles étaient perdues dans son grenier, et je propose à présent d'y monter pour les chercher, mais elle fait non de la tête.

C'est important, je dis, je n'ai presque rien qui vienne de Hannah, aucun écrit personnel. Mais elle se contente de hausser tristement les épaules.

Dehors, il a commencé à pleuvoir. Nous restons assis en silence, à écouter la pluie tomber. « Hannah me manque encore énormément », dit-elle.

AUTOMNE 1953

Chère Tash, jusque-là ce week-end a été une vraie « expérience ». Avec Jill, nous sommes arrivées à Cambridge samedi vers onze heures du matin et j'ai attendu Sonia qui bien sûr avait une demi-heure de retard. La ville était en liesse. C'était le jour du Souvenir et les gens affluaient dehors, déguisés. Des chars pleins de filles de St Trinian's, d'abominables hommes des neiges, en fait tout ce qui existe sous le soleil.

Sonia a une chambre agréable mais hélas elle n'a pas (contrairement à moi) pris un gramme, même si elle jure qu'elle grignote toute la journée, comme tout le monde ! Nous avons déjeuné dans le hall d'honneur, c'était nul, puis nous nous sommes de nouveau frayé un chemin dans la foule pour voir Sonia dans une pièce de théâtre. Sur le chemin j'ai d'abord croisé Trevor, qui criait, debout sur un mur, fidèle à ses habitudes, puis j'ai croisé Jeremy qui m'a invitée à prendre le thé avec lui aujourd'hui. Sonia n'avait qu'une réplique – mais elle a été très prometteuse. Puis hélas nous avons pris pour le thé une collation énorme, et ensuite nous sommes allées à une revue musicale donnée par St John's – c'était nul. Puis nous sommes allées à une réception avec Michael P. Il a l'air très entiché de Sonia ! Dans un premier temps, je me suis sentie toute perdue, puis je me suis mise à discuter avec un garçon assez mignon qui s'appelait – K. ! Il doit avoir dans les vingt-trois ans, il est en troisième année, il écrit pour *Varsity*. Il m'a invitée à déjeuner aujourd'hui. J'ai aussi croisé un garçon que j'avais vu chez Shirley, très intelligent et plutôt ingrat de visage, un certain David. Il m'a invitée à prendre un verre à midi aujourd'hui.

Je suis maintenant à la maison, j'ai quitté PARADA à treize heures trente parce que j'étais trop fatiguée pour y rester plus longtemps. Je suis bien allée prendre un verre chez David & j'ai bu un énorme Gin and French qui m'a un peu tourné la tête. Puis lui et K. m'ont emmenée à un énorme déjeuner dans un restaurant indien, au cours duquel K. a dit qu'il serait à Londres mardi & m'appellerait dans la soirée, sans doute pour m'emmener à Casa Pepe et ensuite dans un club de jazz. Tout cela me semble très intéressant, mais je ne suis pas certaine qu'il va vraiment m'appeler. Il a de <u>très jolis</u> yeux.

J'ai visité Cambridge de fond en comble. C'est très joli, il y a une atmosphère de repos solennel dans les vastes cours et le long des berges de la rivière, avec les saules pleureurs. Mais je <u>détesterais</u> y vivre ! Newnham est affreuse, on dirait une usine à gaz, et tous les hommes méprisent profondément Newnham et Girton. J'ai pris le thé et le souper avec Jeremy, avec qui pour la première fois je me sens tout à fait à l'aise. Il est très gentil mais complètement débauché et, à l'en croire, inhibé ! Il a essayé de m'embrasser, mais je ne me suis pas laissé faire ! À part le fait que je suis morte de fatigue et affreusement grosse, la vie est plutôt agréable.

4

Un week-end de la fin de l'été, Susie fait le voyage depuis Édimbourg avec une valise pleine de papiers de mes grands-parents. Vu ce que je me souvenais du jour où nous avions fait le tri dans leur maison, je ne m'attendais pas à découvrir une mine de documents concernant Hannah, mais je suis déçu de voir que cela fait si peu : un classeur de poèmes et de dessins d'enfance, des bulletins d'école primaire, une poignée de photographies.

De la panoplie classique de l'adolescente – journaux intimes, lettres, cahiers, photos comme m'en a montré Shirley –, pas de trace. Bien que Hannah ait passé cinq ans en pension, il n'y a aucune des lettres qu'elle a dû écrire à ses parents. À moins qu'elle ne se soit débarrassée de ses affaires d'adolescente en quittant la maison, elles ont dû être jetées soit par mes grands-parents, soit par mon père. Le suicide ne fait pas que terminer une vie, il change la façon dont on se la remémore. Les moments de bonheur, d'espoir sont distordus par le prisme de la fin, invalidés par l'acte mortel.

Les manuscrits non publiés de mon grand-père représentent la plus grande partie des papiers. Il a écrit une demi-douzaine de livres, ainsi que des centaines d'articles et d'essais, mais ces pages sont différentes tentatives de rédiger ses mémoires. Pour mon grand-père, toutefois, écrire ses mémoires signifiait évoquer l'époque où il avait vécu, les gens qu'il avait rencontrés, plutôt que sa vie personnelle, et là encore, c'est décevant, il n'y a presque rien sur Hannah.

C'est un soulagement, malgré tout, après la turbulence de ces dernières semaines, d'entendre dans ma tête la voix ironique, familière, de mon grand-père. C'était l'homme le plus averti, du moins sur les usages du vaste monde, que j'aie connu, et j'aimais beaucoup parler avec lui, l'écouter. Et en lisant, je trouve, intercalées entre ses portraits d'hommes et de femmes singuliers et ses chroniques d'une époque tumultueuse, de rares allusions à sa famille. À partir de ces fragments, d'autres piochés dans ses ouvrages publiés, ainsi que des indices que Susie continue d'envoyer et de mes conversations avec elle, je commence à me faire une image de l'enfance de Hannah.

Elle était née, je le savais, en Palestine, mais j'apprends maintenant comment mes grands-parents s'étaient retrouvés là-bas. Ils s'étaient rencontrés et mariés à Londres, où mon grand-père vivait depuis que ses parents, des sionistes nomades, l'avaient emmené là lorsqu'il avait treize ans, et ma grand-mère était venue de la petite ville d'Afrique du Sud où elle avait grandi pour « aller au théâtre et visiter des expositions ». Mon grand-père travaillait comme chef de rayon, ou *assistant manager*, chez Marks & Spencer, et il était en train d'écrire un roman. Lorsque celui-ci fut publié dans une indifférence relative, il quitta son emploi et ils embarquèrent pour l'Afrique du Sud afin d'aller rendre visite à la famille de ma grand-mère, et ce fut sur la route du retour qu'ils s'arrêtèrent en Palestine.

Ils avaient d'abord l'intention de rester seulement quelques semaines pour voir le frère et la sœur de ma grand-mère et le père de mon grand-père, qui s'étaient installés là-bas. Mais mon grand-père ne savait pas encore trop quoi faire de sa vie, et par les relations sionistes de son père, il décrocha un emploi à la Fédération juive du travail. Ma grand-mère trouva elle aussi un poste dans une école tenue par un disciple de Freud à Tel-Aviv, et ce fut dans cette ville moderne qui émergeait des sables que naquit Hannah le 19 août 1936.

Deux influences précoces sur la vie de Hannah ressortent des écrits de mon grand-père. L'une est un souvenir : debout devant le miroir, il regarde sa fille qui vient de naître, et sa belle-sœur, à côté de lui, dit : « *Das Kind ist klug* » – cette enfant est intelligente. Toute sa vie, Hannah avait dû se montrer à la hauteur de cette attente : il fallait qu'elle soit intelligente, précoce, qu'elle se démarque.

L'autre, plus immédiate, c'était le monde dans lequel elle naissait. Mon grand-père lisait un article sur la guerre d'Espagne dans le journal lorsqu'une infirmière était venue lui annoncer qu'il avait une fille. « Je n'étais que trop conscient qu'en Hannah je venais d'acquérir une nouvelle et exceptionnelle responsabilité, et la guerre mondiale menaçait. » Tout le monde l'a toujours appelée Hannah, mais sur son certificat de naissance, c'était Ann – la version anglaise, non juive, de son prénom.

Dans les écrits de mon grand-père, il n'y a pas d'autre mention des dix-huit premiers mois de Hannah, mais dans les affaires qu'a apportées Susie, je trouve un petit album photo qui donne une idée de sa jeune vie à Tel-Aviv. Sur une, on voit mes grands-parents tenant fièrement Hannah dans un appartement meublé avec l'austérité et le dépouillement propres à la vie de colon. Sur une autre, sa nourrice qui la pousse dans un landau en osier dans des rues en terre battue, devant des immeubles bas en pierre. Sur une troisième, à peu près un an plus tard, elle entre dans la mer en tricycle, avec le grand sourire que je connais par des photos plus tardives ; selon les moments, elle ressemble incroyablement à l'une ou à l'autre de mes filles.

Un « lutin enchanteur », écrit mon grand-père dans son seul souvenir écrit d'elle en Palestine :

« Petite, élancée, agile, elle était d'une précocité inconcevable. À dix-huit mois, dès que nous passions devant une école maternelle, Hannah courait à l'intérieur, insistait pour se joindre aux jeux, et ne se laissait pas marcher sur les pieds. À vingt mois, elle courait d'un bout à l'autre de notre appartement dans un jeu imaginaire, elle faisait des phrases bien construites, puis elle a commencé à faire ce que, malheureusement, elle savait déjà être le plus populaire de ses numéros d'esbroufe : réciter les textes de ses albums de Babar, qu'elle connaissait par cœur, et tourner la page au bon mot, pour faire semblant de lire. »

Entre-temps, mon grand-père avait laissé tomber son travail pour écrire un livre sur les perspectives d'avenir de la Palestine. Il avait grandi dans un foyer sioniste, et il raconte comment il s'était pris d'une « folle passion pour ce petit pays précaire ». En rentrant d'une visite des *kibboutzim*, avec toutes leurs utopies, il s'était « soudain senti douloureusement conscient de la stérilité, du vide de la vie des classes moyennes occidentales ». Mais, fait remarquable, son sionisme ne le rendait pas sourd aux aspirations des Arabes palestiniens, et son livre prémonitoire, au titre tout aussi prémonitoire, *No Ease in Zion*, est un plaidoyer pour la création d'un État judéo-arabe.

Dans sa vieillesse, il suivait de près l'évolution d'Israël, et il était toujours partisan de politiques plus favorables aux Arabes, et de plus en plus attristé par ce qu'il était advenu de ces utopies, mais ce n'est que maintenant que je réalise à quel point lui et ma grand-mère sont passés près de se consacrer entièrement au sionisme et de rester en Palestine. Comme la vie de Hannah aurait été différente ; et d'ailleurs, je ne serais pas là pour l'écrire. Mais en définitive, pour mon grand-père, l'attrait de la Palestine fut moins puissant que son désir d'être écrivain. Lorsque la nouvelle de l'annexion de l'Autriche par Hitler tomba en mars 1938, il décida que la « place d'un écrivain » était en Europe, et il rentra à Londres en avion, suivi plus lentement par ma grand-mère et Hannah, qui prirent le bateau.

À Londres, mes grands-parents louèrent une petite maison à Vale of Health, à la limite de Hampstead Heath. Hannah, âgée maintenant de près de deux ans, « développa brièvement des problèmes de sommeil et des crises de larmes ». Étant donné qu'elle venait d'être arrachée à sa maison et à sa nourrice, cela n'avait rien de surprenant, mais le travail de ma grand-mère à Tel-Aviv l'avait transformée en freudienne invétérée, et, entendant que les Freud en personne vivaient à quelques minutes de marche, elle écrivit à Anna Freud pour lui demander son aide.

Celle-ci « répondit avec une politesse exquise qu'elle ne pouvait pas encore prendre de patients », mais recommanda une autre psychanalyste réfugiée, Marianne Kris, qui accepta de recevoir Hannah. Mon grand-père se rappelait la scène avec un mélange d'amusement et de fascination : « L'éminent docteur Kris a immédiatement captivé l'attention de Hannah.

Elle lui a donné une poupée pour papa, une pour maman, une pour Hannah, une pour la nounou, et elle lui a demandé de jouer à un jeu. » On diagnostiqua dûment une angoisse de séparation, et après s'être vu prescrire une double dose de câlins, Hannah retrouva rapidement sa « joie de vivre habituelle ».

Ma grand-mère l'inscrivit dans une maternelle de Highgate, et le matin, lorsqu'elle attendait le car qui l'emmenait à l'école, son excitation « était si grande qu'elle ne parvenait pas à se contenir, et elle sautait follement d'une jambe sur l'autre ». Elle acquit bientôt la « diction précise, aiguë, des enfants de l'aristocratie anglaise ».

Cette nouvelle vie ne devait pas durer longtemps, pourtant. À ma grande surprise, j'apprends qu'à l'été 1939, avec l'intention soit d'échapper à la guerre imminente, soit d'emmener Hannah voir ses parents avant que le conflit ne rende la chose impossible, ma grand-mère et Hannah reprirent un bateau pour l'Afrique du Sud. Autre surprise de taille, mon grand-père se lança dans des voyages à travers l'Europe, visitant, entre autres, Berlin, où il erra « comme un spectre parmi les panneaux "Interdit aux Juifs" ». Il avait passé ses premières années entre Strasbourg et Zurich, mais il était né à Cologne, et il remerciait le ciel pour son passeport britannique, écrivait-il.

Quelles qu'aient été ses intentions en se rendant en Afrique du Sud, ma grand-mère décida visiblement de rentrer en Europe avant le début de la guerre, car à l'hiver 1939, la famille était de nouveau réunie dans une maison d'hôtes sur la corniche, à Hastings. Peut-être avaient-ils choisi ce lieu pour que mon grand-père puisse regarder vers la France, de l'autre côté de la mer, les « eaux argentées dans le clair de lune le long de la côte plongée dans le noir ». En septembre 1939, il avait « passé toute la journée à faire une absurde queue de volontaires devant le bureau de la Guerre » ; mais le fait d'être né en Allemagne avait joué contre lui, l'empêchant de s'enrôler, et finalement il se lança dans l'écriture d'un livre sur l'égalité raciale, influencé par ce qu'il avait observé tant en Allemagne qu'en Afrique du Sud, pays qu'il avait pris en aversion dès l'instant où son bateau « était arrivé au Cap et où [il] avait vu les porteurs noirs africains dans leurs guenilles debout sur le quai telles des ombres accusatrices ».

Le matin, lui ou ma grand-mère accompagnaient Hannah à sa nouvelle école en trolley. Lorsqu'il neigeait, « elle jouait joyeusement dans la neige épaisse avec deux affectueux chiens alsaciens ». En mai, les Allemands attaquèrent la ligne Maginot et, trois semaines plus tard, la famille put assister au départ de la flottille de bateaux vers Dunkerque.

À l'été, ils avaient de nouveau déménagé – dans une ferme près de Twyford, dans le Berkshire, avec l'éditeur de mon grand-père, Fred Warburg, et sa femme. Warburg présenta mon grand-père à George Orwell, qui leur rendait fréquemment visite, et tous trois eurent l'idée de la collection de livres « Searchlight » sur les buts de guerre – le livre de mon grand-père, *The Malady and the Vision*, en ferait partie ; *Le Lion et la Licorne*, d'Orwell, également.

Hannah, âgée de près de quatre ans, et seule enfant de la maison, était la « petite reine de la ferme ». Mon grand-père évoque « Fred Warburg, cet éditeur hautain, couché sur le dos dans l'herbe et la soulevant en l'air », et « Orwell, étendu dans l'herbe, lui lisant les contes de fées de Hauff ».

Elle en était déjà à sa quatrième école, à quelques kilomètres de là, à Sonning. Elle s'y rendait toute seule en car Green Line. En rentrant, un après-midi, se rappelait mon grand-père, « elle a demandé à descendre trop tard, et le car a dépassé l'arrêt où j'attendais d'un bon kilomètre. Je me suis hâté dans cette direction, et j'ai vu sa minuscule silhouette qui courait vers moi le long de la Great West Road, le visage baigné de larmes. Elle a couru, couru, jusqu'à me sauter dans les bras ».

Toutefois, l'arrangement à la Scarlett's Farm ne devait pas durer non plus, et à l'été suivant, mes grands-parents et Hannah avaient de nouveau déménagé pour s'installer, cette fois de façon plus permanente, dans le cottage à la sortie d'Amersham.

Mon grand-père passa encore deux ans en Angleterre, mais il travaillait à Londres, à la BBC, puis au bureau des Affaires étrangères, et il ne mentionne la vie à Amersham dans aucun de ses écrits de cette période. En 1943, il fut finalement intégré dans l'armée comme officier de la guerre psychologique, et il embarqua pour Alger. Il apprécia ces années sous les drapeaux, et ses mémoires évoquent ses voyages en Afrique du Nord et en Italie, où il interrogeait des prisonniers à Monte Cassino. Mais pour ce qui est de l'histoire de la vie de Hannah, sa voix s'éteint, pour quelques années en tout cas.

Par une froide journée de fin d'automne, je me rends à Amersham en voiture. Susie m'a dit que le cottage se trouvait sur London Road et s'appelait Evescot, mais le nom a dû être changé, car la seule référence à Evescot, London Road, que je parviens à trouver en ligne est une note de 1942 signalant l'anglicisation par mon grand-père de l'orthographe de son nom de famille, de Feiwel à Fyvel, dans sa détermination à entrer dans l'armée.

Susie m'a dit que la maison faisait partie d'une rangée d'une douzaine de cottages, et grâce à ses indications, je les trouve sans grande difficulté. J'avais toujours cru que Hannah vivait juste à la sortie de la ville, mais en fait, c'est à plus d'un kilomètre et demi, les voitures passent sans ralentir et la route est bordée de collines recouvertes de champs.

Susie avait quatre ans lorsqu'ils en sont partis, et les seuls indices qu'elle peut me donner, c'est qu'Evescot était plutôt au sud de la rangée ; que « Clarkie », ou miss Clark, la gouvernante que Hannah a un jour enfermée dans le poulailler, vivait dans la maison voisine ; et qu'il y avait un cerisier devant la porte.

À pied, je longe la rue et j'examine les cottages. Il y en a deux ou trois qui ont un cerisier devant la porte ; j'en choisis un et sonne. Un homme d'une cinquantaine d'années finit par ouvrir. Il habite là depuis vingt ans, mais, à sa connaissance, aucune des maisons ne s'est jamais appelée Evescot, et il ne se souvient pas d'avoir jamais connu des Clark dans le secteur. Personne ne vit ici depuis aussi longtemps que lui. J'explique la raison de ma curiosité, et je jette un regard plein d'espoir par-dessus son épaule. Cela pourrait être le cottage où vivait ma mère. Mais il ne relève pas, ne m'invite pas à entrer.

Je reprends ma voiture pour me rendre à la bibliothèque locale, mais j'en ressors bredouille. J'appelle Sonia, mais elle ne peut pas m'aider non plus. Susie est persuadée qu'elle reconnaîtrait le cottage si elle le voyait, et propose que nous nous y rendions ensemble lors de son prochain séjour à Londres, même si celui-ci n'est pas prévu avant plusieurs semaines et que je suis impatient. Il est difficile d'expliquer pourquoi c'est si important à mes yeux, mais ça l'est : c'est le cottage où Hannah a grandi, où elle a vécu les anecdotes qui, jusqu'à présent, sont tout ce que je sais de son enfance.

Je pense aux Clark. D'après Susie, ils ont continué d'habiter sur London Road après le départ des Fyvel, et bien qu'elle ignore où ils sont allés ensuite, il n'est pas impossible qu'ils soient restés dans la région. Clarkie doit certainement être morte, mais qu'en est-il de son fils, Roger, l'ami de Hannah dans les histoires de ma grand-mère ?

Clark est un nom courant, et je ne sais pas si ce n'est pas Clarke, ou même Clerk, mais en cherchant sur Internet, je trouve un Roger Clark, d'Amersham, qui a à peu près l'âge correspondant et appartient à un club de voitures anciennes, grâce auquel je déniche son numéro de téléphone.

Lorsque j'appelle, Roger semble presque aussi ravi de m'entendre que je le suis de l'avoir trouvé. Evescot était le troisième cottage en partant de la gauche, dit-il. Celui des Clark était au bout. Ils y ont vécu jusqu'en 1961. Quand il avait quatorze ou quinze ans, Hannah est venue leur rendre visite avec ma grand-mère, mais il est resté dans sa chambre et a refusé de descendre.

Sa femme est sur le point de subir une opération, mais il serait heureux de me voir ensuite. Moins impatient maintenant que je l'ai trouvé, je propose un jour où Susie sera à Londres et, deux semaines plus tard, elle et moi reprenons ensemble la route d'Amersham.

En chemin, Susie me rappelle les histoires de ma grand-mère, dont certaines que j'ai oubliées. L'incident du poulailler faisait apparemment partie d'une plus vaste campagne orchestrée par Hannah contre Clarkie. Une autre fois, elle a aidé Roger à s'échapper alors que Clarkie l'avait enfermé dans sa chambre ; elle lui a recommandé d'attacher ses draps ensemble et de descendre en rappel par la fenêtre. Elle poussait aussi les enfants du quartier à se cacher dans les ronces lorsque Clarkie allait cueillir des mûres afin de lui sauter dessus par surprise. Ces histoires me ramènent si facilement aux images que j'avais formées dans mon esprit d'enfant que je suis presque surpris lorsque nous frappons à la porte de Roger et que c'est un homme souriant aux cheveux gris qui nous ouvre, et non le garçon de mon imagination.

Dans son salon, Roger nous montre une photo de lui où il ressemble parfaitement au gamin aux dents écartées que je m'étais représenté. Mais lorsque nous lui parlons des histoires de ma grand-mère, il nous corrige. Sa mère aidait peut-être ma grand-mère avec les œufs – le poulailler était à elle –, mais elle n'était la gouvernante de personne. Et elle n'avait jamais été cruelle avec lui.

Lui et Hannah, nous dit-il, faisaient partie d'une bande de gamins habitant dans les cottages, qui passaient leur temps à voler des pommes et des noix dans les jardins, à ramasser des champignons, à chasser des écureuils avec des lance-pierres improvisés. Les hommes, pour la plupart, étaient partis à la guerre, et les champs, les bois et les routes étaient désertés. À cette époque, il pouvait s'écouler plus d'une heure sans qu'une voiture passe sur London Road.

Il y avait une décharge un peu plus loin sur la route, et ils y allaient en quête de tout ce qui pouvait leur servir – vieux jouets, pièces de vélo. Un jour, ils avaient trouvé une baignoire : ils l'avaient traînée jusqu'à la rivière, avaient bouché le trou et s'en étaient fait un bateau. Le soir, ils allaient s'asseoir sur les tas de bric-à-brac pour fumer des cigarettes.

Tout cela est nouveau pour moi – Hannah le garçon manqué, comme la décrit Roger, faisant les quatre cents coups avec sa bande de petits campagnards. Mais je me demande si ce ne sont pas surtout les souvenirs de

Roger, si Hannah était en réalité si présente que cela, si elle ne passait pas en fait une bonne partie du temps à Chesham Bois ou à des courses de saut d'obstacles avec Sonia et Tasha. Le jour où elle est venue en visite avec ma grand-mère, lorsqu'il avait quatorze ou quinze ans, il a vu Hannah remonter l'allée, raconte Roger, et il a crié à sa mère de dire qu'il n'était pas là. Pourquoi ? je demande. « Parce qu'elle était terriblement belle et sophistiquée », et qu'il était un « ado boutonneux ». Il est resté dans sa chambre jusqu'à leur départ. C'est ce jour-là, par la fenêtre, qu'il l'a vue pour la dernière fois.

Ensuite, Susie et moi nous arrêtons aux cottages. À présent, nous savons lequel était Evescot, mais il refuse de se distinguer des autres. Elle demande si je veux sonner, et je fais non de la tête. Je n'éprouve plus le besoin de voir l'intérieur ; cela me suffit d'avoir rencontré Roger, d'avoir recueilli ses souvenirs.

En rentrant, Susie m'en dit plus long sur cette époque. J'ai connu ma grand-mère lorsqu'elle était déjà une femme âgée, obsédée par la terre sur les tapis de sa maison de Primrose Hill, et en guerre contre les chats qui déféquaient dans son jardin ; mais à en croire Susie, elle a beaucoup apprécié ses années à la campagne. Elle n'avait pas de voiture, mais elle pouvait se déplacer à vélo ou en bus. Sa cousine, Lila, venait souvent dormir chez elle, et lui « a appris à boire » : elles allaient au pub le soir et « buvaient du gin, du brandy, du rhum, tout ce qu'elles pouvaient trouver ». Ensemble, explique Susie, les deux femmes « ont découvert que la vie pouvait être agréable sans hommes ».

Hannah, elle aussi, semble s'être épanouie dans ce foyer féminin. Lorsque le chien de Lila dut être emmené chez le vétérinaire pour être piqué, toutes trois s'y rendirent ensemble, et Hannah eut l'idée de chanter des cantiques pour leur remonter le moral, et bientôt, tout l'étage du bus de la Green Line chantait en chœur.

Dans les papiers de mes grands-parents, il y a une poignée de lettres que ma grand-mère a envoyées à mon grand-père pendant la guerre. Dans l'une, datée d'octobre 1943, elle mentionne une visite d'un ami de l'armée. Hannah, alors âgée de sept ans, a été « très gentille, elle voulait tout savoir sur son papa. Elle est descendue en chemise de nuit, avec une très jolie cape en velours rouge. Elle a été très charmante et s'est comportée de façon délicieuse ».

La plupart des allusions à Hannah portent sur ses exploits : lire *Oliver Twist* à sept ans, écrire quatre poèmes en une soirée – même si l'une des évocations, quoique élogieuse, laisse deviner une enfant plus turbulente. Elle est « en pleine forme. Elle m'aide, elle est très facile. Je ne me rappelle même pas la dernière fois qu'elle m'a fait une scène ».

Les poèmes dans le dossier qu'a apporté Susie datent tous de cette période. Parmi eux, plusieurs ont été publiés dans un périodique pour enfants et l'un a été lu à la BBC, sans doute lors du concours évoqué par ma grand-mère. Ils sont certes très aboutis pour une enfant de sept – ou huit – ans. « Comme de l'eau de l'océan / Les femmes pleurent devant la porte / Le canari sur le mur / Nous a vues sangloter dans le couloir », dit l'un d'entre eux. Mais ils sont tous « à la manière de », comme celui-ci, et ne disent pas grand-chose sur elle, si ce n'est qu'elle était intelligente et douée pour répondre aux attentes des adultes.

À cause de sa précocité, on lui fit sauter une classe. Au moment de son premier bulletin de St Mary's

School à Gerrards Cross, elle n'avait que cinq ans alors que la moyenne d'âge de la classe était de six ans et demi. « Hannah s'est adaptée et a bien progressé ce trimestre, lit-on. Hannah a une très bonne mémoire, et un vocabulaire très riche. » Mais les remarques sur son intelligence et ses aptitudes sont vite tempérées par des inquiétudes au sujet de son comportement. « L'enthousiasme de Hannah est épatant, mais il faut qu'elle apprenne à être moins péremptoire et qu'elle réalise que les autres sont tout aussi importants. » « Hannah a tendance à réclamer trop d'attention. » « Elle est encore trop bruyante, et doit apprendre à parler et à se mouvoir plus discrètement. »

Ces bulletins me paraissent plus révélateurs de la personnalité de Hannah que ses poèmes, même si ce n'est pas forcément toujours dans le sens où les professeurs l'entendaient. Je ne doute pas qu'elle était péremptoire, turbulente, bruyante, mais je me demande si l'on se serait tant inquiété de ces traits de caractère si elle avait été un garçon.

Dans les papiers apportés par Susie, il y a aussi quelques photos de l'époque d'Amersham. L'une est une photo d'école dans laquelle Hannah se tient au bout d'une rangée. Elle est deux fois plus petite que les autres enfants, elle porte des nattes, et elle arbore un sourire plein de fierté.

Sur plusieurs autres, Hannah fait du cheval, vêtue d'un jodhpur trop grand. Sur une, elle galope, penchée en avant sur la crinière du cheval, intrépide. Sur une autre, elle est debout sur la selle de sa monture.

Pour moi, les plus émouvantes sont deux planches-contacts prises à plusieurs années d'intervalle, vraisemblablement chez un professionnel. Les deux planches comportent quarante-huit poses, et si on les parcourt des yeux, c'est presque comme si l'on regardait un extrait de film.

Sur la première, elle a cinq ou six ans, et elle porte un manteau à capuche. De toute évidence, on lui demande de sourire, mais elle ne cesse d'oublier et se met à laisser errer son regard ; puis on lui redemande de sourire, et elle s'exécute, de plus ou moins bonne grâce.

Sur la seconde, elle a peut-être neuf ou dix ans. Elle porte un chemisier à pois et un petit nœud blanc dans les cheveux. Ses dents sont un peu plus proéminentes, elle a l'air un peu plus gauche, plus timide. Sur certains clichés, elle fait un grand sourire, mais sur d'autres, elle plisse les lèvres comme une adolescente, ou est surprise en train de regarder l'objectif en coin, et il me semble lire sur son visage une attente, une hâte, un appétit féroce pour l'aventure de la vie à venir.

HIVER 1953

Chère Tash, j'ai commencé à faire de la danse classique, c'est infect !!! Je ressemble tellement à un éléphant, c'est difficile à croire ! Je mène une vie très tranquille, je ne veux pas trop sortir car j'ai beaucoup de travail à faire – me coucher sur le sol et m'efforcer de respirer.

J'ai reçu une adorable lettre de K. – assez pathétique en fait – il est adorable.

Je viens de faire une scène de *The Young Elizabeth*, dans le rôle de Mary. Le problème, c'est que Mary n'avait que la peau sur les os, ce qui n'est certes pas mon cas ! Mais c'est très bon pour moi parce que je suis obligée de me tenir très droite et je ne peux pas me permettre de me dandiner comme je fais toujours. Tu savais que je me dandinais ?

Chère Tash, j'ai l'impression que je suis en train de devenir une ermite – par exemple hier soir j'avais deux invitations pour deux fêtes différentes et je ne suis allée ni à l'une ni à l'autre. Je me suis couchée tôt et j'ai dormi comme un loir. En fait, c'est aussi que la veille il y avait eu le bal PARADA, une excellente soirée. Après, nous sommes allés au restaurant de l'aéroport de Londres et nous avons mangé des spaghettis et du melon (séparément) et bu du café noir jusqu'à cinq heures du matin, à peu près, et le résultat, c'est qu'hier j'étais une vraie loque.

Sur scène, ma voix est mon principal cauchemar, mais en fait, elle n'est que le reflet de quelque chose en moi. S'il y a bien une chose à quoi sert la scène, c'est apprendre à se connaître. C'est incroyable Tash, j'en sais tellement plus long sur moi-même à présent. L'un des profs m'a dit : tout au fond de toi, Hannah, tu as une nature aimante et sincère et tu as beaucoup à donner, mais par-dessus, il y a une couche protectrice de dureté, d'égoïsme et de fierté, et elle empêche ce qui est caché dessous de venir au jour.

J'en suis arrivée à une conclusion à mon sujet. Tu vois, à Frensham je n'avais jamais vraiment la permission d'être moi-même – tout le monde croyait que j'étais dure, coriace, etc., donc j'étais obligée de l'être. Mais à PARADA je me suis montrée beaucoup plus douce dès le début, et je m'entends mieux avec les autres que jamais auparavant. Tu sais bien qu'en fait je ne suis pas coriace pour deux sous.

5

À la fin de la guerre, mon grand-père, en rentrant, fit la connaissance de Susie et retrouva Hannah « métamorphosée en mince athlète en jodhpur ». J'avais toujours supposé que la famille était aussitôt partie s'installer à Londres, mais en fait, ils restèrent dans le cottage, puis dans une autre maison des environs, pendant encore six ans.

Londres étant facilement accessible par la Metropolitan Line, mon grand-père décrocha bientôt un emploi de critique littéraire dans le *Tribune*, après quoi il n'est plus fait mention de sa vie de famille dans ses écrits. À voir les coupes et les rosettes qu'elle a remportées à des rencontres organisées par son poney-club, Hannah passait ses week-ends dans des lieux tels que Hyde Heath et Cherry Dell, ou Wycombe et Beaconsfield, et même l'East Sussex Riding Club, à Crowhurst, de l'autre côté de Londres.

Dans les papiers de mes grands-parents se trouve le programme de l'une de ces rencontres. Pour les plus petites, il y avait le « bending » – une espèce de slalom à dos de cheval – et le simple dressage et « sellage », mais à mesure que les filles grandissaient, le saut devenait une affaire sérieuse. Ma grand-mère racontait que Hannah avait participé à des courses où figuraient des cavalières olympiques, et mon grand-père écrivait que Hannah et Alan Oliver, qui n'a peut-être pas concouru aux Jeux olympiques, mais représentait l'Angleterre à l'international, « remportaient toutes les courses ». Des photos montrent aussi Hannah, maintenant assez grande pour son jodhpur, sautant des haies impressionnantes.

L'une des rosettes lui avait été remise lorsqu'elle avait remporté la Juvenile Open Jumping Competition de la British Show Jumping Association. Une autre, reçue lorsque Hannah avait onze ans, disait : « Meilleure cavalière de moins de vingt et un ans. » Il y a aussi une énorme « Turf and Travel Cup », avec un sceau en argent fin. La plupart des prix, cependant, proviennent de compétitions locales, et il y a autant de médailles d'argent ou de bronze que d'or, ce qui laisse entendre qu'il y avait d'autres cavalières qui étaient aussi bonnes ou meilleures qu'elle – que même si elle était sans doute douée, ses talents avaient visiblement été exagérés après sa mort.

Les coupes et les rosettes témoignaient qu'elle avait connu le sommet de sa carrière à ses douze ans, l'automne précédant son entrée à Frensham Heights. Elle n'abandonna pas l'équitation aussi brutalement que ma grand-mère l'avait dit à mon père ; elle continua de remporter des prix pendant les deux étés suivants, moins chaque saison, certes, et à ses quatorze ans elle avait tourné la page.

Il y avait quantité d'externats de qualité dans les environs d'Amersham ; Sonia était déjà à Berkhamsted, tout près. Mais Susie se souvient que mes grands-parents lui ont dit que Hannah tenait absolument à aller en pension, et qu'elle a eu le sentiment qu'ils n'étaient pas malheureux de la voir partir.

Avec l'accent mis sur l'expression individuelle et les arts, dont le théâtre, Hannah était certainement plus dans son élément à Frensham Heights qu'à St Mary's. Le seul bulletin de Frensham qui ait survécu dans les papiers de mes grands-parents date du premier trimestre ; il montre que son caractère fut immédiatement accepté avec davantage de sympathie : « Alerte et dotée d'un bon sens critique, Hannah a très vite compris les usages de l'école. Elle s'est fait des amis, et en général, c'est elle qui a fait le premier pas. Nous sommes contents de la façon dont elle s'est habituée à la vie en communauté. Dans la gestion de son quotidien, elle est rapide et capable. »

J'ai continué à être renvoyé d'un ancien de Frensham à un autre, et les mêmes mots reviennent constamment pour décrire Hannah : « exubérante », « fascinante », « un personnage », « toujours souriante, toujours joyeuse », « dynamique mais aussi extrêmement émotive ». « Comédienne, on disait », m'a confié Carol Cutner.

Le temps et l'âge font qu'il est difficile de ramener au jour des souvenirs plus précis. Tasha se rappelait que Hannah avait un jour décrété que les filles étaient toutes trop grosses, et elle avait convaincu un petit groupe de se réunir le matin dans les vestiaires pour faire de l'exercice tandis qu'elle leur déclamait du Shakespeare :

« Ah, si cette chair trop solide pouvait se fondre. »

Bill Wills, le professeur de menuiserie, se souvenait que quelques filles qui s'étaient inscrites en menuiserie pour « échapper à la couture » avançaient en douce l'aiguille de la pendule dans son atelier pour pouvoir sortir en avance. « Je crois que Hannah était l'une d'entre elles », dit-il avec un clin d'œil.

Elle était la « préférée de plusieurs professeurs », à en croire Carol Cutner, même si un autre ancien de Frensham se rappelait qu'elle avait eu des ennuis avec l'un d'entre eux parce qu'elle traitait les gens de la région de « péquenauds » ; Susan Downes se souvenait d'un autre désaccord avec un enseignant qui l'avait laissée « blême, verdâtre et tremblante », dans le même état que sur les pistes de ski avec le principal.

Il y a un ou deux anciens camarades de classe qui sont plus critiques. Stephen Frank, qui est peut-être le rescapé de Belsen dont parlait Susan, même s'il s'agit en fait de Theresienstadt, trouve que Hannah éprouvait le besoin de « faire sa loi ». Et j'ai un échange de mails avec une femme qui, dans le souvenir de Susie, était amie avec Hannah, mais elle finit par m'écrire qu'elle préfère s'abstenir de parler d'elle.

Plus surprenant pour moi, Hannah était une grande sportive. Je sais qu'elle faisait de l'équitation, et qu'elle se débrouillait en ski nautique et en ski de piste. Mais je ne m'attendais quand même pas à entendre qu'elle « excellait au saut en longueur, au saut en hauteur », et qu'elle « était une ailière rapide au hockey ». Il y a quelque chose de particulièrement poignant dans l'image de Hannah adolescente courant de toutes ses forces le long du terrain dans sa tenue de hockey.

Ce que je trouve émouvant, peut-être, c'est le contraste entre l'innocence de cette image et ses trajets nocturnes dans le couloir pour se rendre au bureau du principal. À part Shirley, Susan et Tasha, les autres contemporains de Hannah n'étaient apparemment pas au courant de ce qu'il y avait entre elle et le principal à l'époque, même s'ils en ont entendu parler par la suite. Mais ce qui n'a échappé à personne, c'est qu'elle s'intéressait aux garçons, et que les garçons s'intéressaient à elle.

Je sais ce qu'il en est pour Chris Harrison, et on m'a parlé d'un autre petit ami à Frensham. Puis il y a le « Robert avec un nom étranger » qu'a mentionné Shirley. J'apprends qu'il s'appelle Robert Landori Hoffman, un nom facile à retrouver au Canada, où il habite. Dans son souvenir, Hannah était une « jolie brune, toute menue », répond-il lorsque je lui envoie un mail. « Bien sûr, nous étions tous si jeunes à l'époque. » Il me donne son numéro à Montréal, et je l'appelle. Il avait deux ans de plus que Hannah, mais ils ont eu une « passade ». « Tout le monde avait des passades, dit-il. C'était un monde innocent, mais ce n'était pas toujours si innocent que ça, il y avait beaucoup de pelotage dans les fourrés. »

Je ne parviens pas à me résoudre à interroger Robert sur ses séances de pelotage avec ma mère, mais je commence tout de même à établir une liste de ses amoureux. Il y a le garçon pendant le voyage en Suède, et Susie me rapporte aussi qu'à l'enterrement de Simon, un vieil ami de mon père, Hamish MacGibbon lui a confié que Hannah avait été son premier amour.

J'appelle Hamish, et je vais lui rendre visite. Il avait seize ans quand il a rencontré Hannah. Ses parents et mes grands-parents étaient amis, et sa mère, qui essayait toujours de le caser, n'arrêtait pas de le bassiner avec cette jolie fille. Au départ, il rechignait, mais une fois qu'il eut rencontré Hannah, il tomba « fou d'elle ». Il l'emmenait faire du bateau sur la Tamise et regarder les feux d'artifice au Festival of Britain.

Un soir, se souvient-il, il était rentré en taxi avec elle et avait dit au chauffeur de continuer de faire le tour de Regent's Park pour pouvoir l'embrasser. Elle avait « un sens de l'humour délicieux, et un mélange de beauté et de vivacité d'esprit ». Il est dans sa huitième décennie à présent, a été marié deux fois, mais ses yeux s'embuent à ce souvenir. « Je crois que j'étais sans doute amoureux d'elle. »

Il pense que Hannah avait quinze ans à l'époque, mais en rentrant je vérifie la date du Festival of Britain et constate qu'elle n'avait encore que quatorze ans – c'était jeune, à l'époque, pour échanger des baisers passionnés à l'arrière d'un taxi.

Je vais aussi voir Jill Steinberg, une autre personne que j'avais toujours cru être une amie de mon père mais qui, me dit Sonia, connaissait Hannah de l'époque d'Amersham. Jill raconte que pendant une période, à leur adolescence, Hannah et elle étaient proches comme peuvent l'être deux filles de cet âge-là. Elle était flattée par les attentions de Hannah, dit-elle, mais restait sur ses gardes. « Lorsque Hannah s'intéressait à vous, c'était très intense, mais de toute évidence, son intérêt pouvait se déplacer à tout moment. »

Elles avaient le même âge, mais Hannah était plus mûre, plus « renseignée ». Jill se rappelle qu'elles avaient écrit, « ou plutôt, que Hannah » avait écrit au magazine *Woman's Own* pour demander des informations sur la contraception. Hannah avait insisté pour donner l'adresse de Jill – les parents de Jill étaient moins susceptibles que mes grands-parents de remarquer qu'une lettre arrivait pour elle. La lettre arriva bien, et Jill se rappelle avoir lu la documentation avec Hannah dans un bus qui longeait Regent Street. Pour Jill, la contraception, et l'idée même de la sexualité, était matière à rire nerveusement, mais « en y repensant », elle se dit que Hannah voulait vraiment savoir.

En saisissant les notes que j'ai prises lors de ces conversations sur mon ordinateur, j'imagine mes propres filles adolescentes regardant par-dessus mon épaule et me disant de laisser en paix la pauvre Hannah, de m'occuper de mes affaires. J'en apprends davantage sur les idylles adolescentes de ma mère que la plupart des fils n'en sauront jamais, ou ne voudraient en savoir. De nouveau, cette obsession pour sa vie amoureuse a trait en partie, je m'en rends compte, au principal. Quel rapport entre ses « passades » avec des garçons de son âge et ce qu'elle faisait avec lui ? Mais il y a plus que ça. Elle s'est tuée, après tout, à cause d'un homme, d'une histoire d'amour malheureuse – du moins c'est ce que l'on dit.

Je suis conscient que tout ce que l'on me raconte est passé par le prisme du temps, de souvenirs qui s'effacent. C'est pourquoi je suis tout excité lorsque Shirley m'écrit qu'elle a retrouvé ses journaux intimes d'adolescente ; elle est en train de taper toutes les références à Hannah, qu'elle m'envoie quelques jours plus tard.

Les pages concernées commencent en janvier 1949, six mois après l'arrivée de Hannah à Frensham. De toute évidence, ce sont encore des petites filles. Elles vont à un « cirque trop génial », et Hannah passe la nuit chez Shirley.

Les amitiés entre filles dominent, et plusieurs pages sont consacrées à une adolescente dont je comprends qu'elle est la femme qui a refusé de parler de Hannah. Elle et Hannah « ont rompu », écrit Shirley. La fille et une autre sont « méchantes avec Han », qui « traîne avec nous parce qu'elle n'a plus personne avec qui traîner ». Shirley ne dit pas ce qui s'est passé, et je ne peux imaginer que ce soit trop sérieux, même si ça l'est suffisamment, à ce qu'il semble, pour que la femme refuse de parler de Hannah soixante ans après.

À l'automne de l'année suivante – la période où Hannah a laissé tomber l'équitation –, les garçons sont passés au premier plan. Hannah, maintenant âgée de quatorze ans, s'est fâchée « violemment » avec Chris, et Shirley a dû intervenir, ou « faire l'intermédiaire », comme elle dit. « Ils se mettent dans tous leurs états, écrit-elle. Pendant le dîner des terminales, ils n'ont pas arrêté. »

Une autre année passe, et Hannah est avec Robert Landori Hoffman. Elle « ne peut vraiment pas arrêter de parler de Robert », et devient « affreusement jalouse » si quelqu'un d'autre jette « ne serait-ce qu'un coup d'œil dans sa direction ». Hannah raconte à Shirley qu'elle et Robert « se pelotaient apparemment dans le salon des terminales et K. les a surpris et s'est montré tout à fait glacial. Hannah était morte d'inquiétude, elle a dit que K. la détestait, etc., ce qui bien sûr est absurde ».

Quelques semaines plus tard, Shirley écrit que Hannah a donné une gifle à Robert. « Il était livide. Quels idiots, tous les deux. » Peu après, ils rompent. D'abord, Hannah est « très affectée », et « hors d'elle, furieuse », lorsqu'elle voit Robert avec une autre fille. Mais quelques mois plus tard, elle revient de vacances en bateau en Suède « bronzée et séduisante », et « follement amoureuse, à ce qu'il semble ».

Entre-temps, Shirley a quitté Frensham, et il n'y a plus qu'une page, datant des vacances au ski en Autriche ce Noël-là, où Shirley, comme Susan, est allée, bien qu'elle ne fréquente plus l'école. Peut-être la lettre explicite de Hannah à Chris Harrison n'a-t-elle pas été causée par le principal mais lui a-t-elle servi de révélation, de même que le fait de l'avoir surprise en train de « se peloter » avec Robert, car K. semble maintenant avoir pris leur place à tous les deux : « Bon sang, ce qu'elle devient séduisante, bien plus que je ne le suis, et quand je suis avec elle, je ne peux pas m'empêcher de ressentir un petit pincement de jalousie. Quant à Hannah et K., pendant le séjour, que ce soit par hasard ou préméditation, Hannah était constamment à ses côtés, et la nuit, elle dormait littéralement dans ses bras. Elle m'a confié après coup qu'il l'avait embrassée quatre fois sur les lèvres, des baisers "fraternels", dit-elle. Ça m'a choquée. »

J'ai contacté une certaine Roselenn, du bureau des anciens élèves de Frensham, dans le but de visiter l'école, et un matin, je prends le train pour m'y rendre avec Carol Cutner. À notre arrivée, Roselenn et Carol me guident dans le bâtiment principal, construit à l'origine pour une famille de brasseurs, les Charrington. Nous traversons l'ancienne salle de bal, où des enfants prennent un cours de danse. « C'est là que nous donnions nos bals tous les samedis soir, raconte Carol, les filles alignées le long d'un mur, les garçons le long de l'autre. » De l'autre côté, il y a l'ancienne orangeraie, apparemment la dernière à avoir été construite en Europe. La bâtisse se tient sur le rebord d'une colline, et l'on a vue sur les champs et les pentes arborées à l'arrière.

Lorsque Roselenn retourne travailler, Carol m'emmène aux dortoirs où elle et Hannah vivaient, en haut de l'escalier central majestueux, bien qu'ils soient sur le point d'être rénovés, et vides, à l'exception de quelques lits et bureaux poussiéreux.

Nous trouvons la chambre que Carol partageait avec Hannah. Elle est plus petite que je ne l'aurais pensé. Elle ne pourrait contenir que trois ou quatre lits. Nous nous rendons ensuite au bureau du principal, et je promène mes yeux autour de moi pour tenter d'apercevoir les fantômes. Mais ce n'est qu'une pièce poussiéreuse comme une autre. Lorsque nous ressortons, je réalise que nous nous trouvons dans le couloir que longeait Hannah pour aller voir le principal, même s'il est plus court, moins gothique que je ne l'avais imaginé. Sur l'un des murs nus, une affiche de SOS Enfance Maltraitée, avec un coin qui se décolle.

Plus tard, nous redescendons consulter les documents que Roselenn a retrouvés de la fin des années 1940 et du début des années 1950. J'avais espéré qu'il y aurait des doubles des bulletins de Hannah, mais Roselenn explique que la plupart des anciens dossiers se trouvent dans les caves, non triés. En revanche, nous avons des photos et d'anciennes revues de l'école.

En feuilletant ces revues, je trouve des comptes rendus de pièces de théâtre dans lesquelles a joué Hannah. Elle avait débuté, à treize ans, dans le rôle d'une femme de chambre dans *Tobias and the Angel*, de James Bridie ; mais un an plus tard, elle décrochait son premier rôle principal, celui de Cléopâtre dans *César et Cléopâtre*, de Shaw. Hannah rendait « Cléopâtre précoce sans être agressive et charmeuse sans affectation », disait l'article. Des photos la montrent en longue perruque noire, élégante et très femme. « Au moment de la pièce, explique le journaliste, Cléopâtre a seize ans, et César cinquante-deux. »

Je trouve également quelques articles rédigés par Hannah sur une compétition de natation, son échange scolaire en France (« J'ai vu tout ce qu'il faut voir plus quelques choses dont on se passerait bien »), et une journée passée à récolter de l'argent pour les bonnes œuvres – ou à ne pas récolter d'argent, car elle et Tasha, pour une raison inconnue, avaient choisi une route qui n'existait pas.

Elles rencontrent un homme qui pousse une charrette de bûches, il se lance « dans un flot de paroles d'où il ressort qu'il habite là depuis soixante ans et qu'il n'a jamais entendu parler d'Ellerslie Lane de sa vie ». Il s'en va en marmonnant d'une « voix sépulcrale », et elles essaient une autre route, mais d'autres élèves de Frensham Heights sont déjà passés par là. Après avoir rencontré un chien qui les « prend immédiatement en grippe », elles retournent à l'école et croisent un garçon qui leur raconte s'être « pris le bec avec une dame qui a désespérément essayé de le persuader de prendre un lit avec matelas en plume plutôt que de l'argent ».

Dans les revues figurent également les discours annuels du principal, avec leur insistance sur le bien-être des élèves. Dans le train du retour, je demande à Carol ce qui se passait, à son avis, pendant les « cours particuliers d'allemand » de Hannah, mais tout ce qu'elle pensait à l'époque, dit-elle, c'était que Hannah avait le béguin pour lui.

J'ai entendu dire par Shirley et Bill Witts, le professeur de menuiserie, que Hannah n'était pas « la seule », et Tasha a même donné le nom d'une fille qui selon elle a pris la « succession » de Hannah dans les affections du principal. Je n'ai rien fait pour l'instant ; mais quand j'en parle à Carol, elle me dit qu'elle est toujours en contact avec cette femme et me propose de l'appeler, et quelques jours plus tard celle-ci m'envoie un mail.

« Vous ne devez pas oublier que Hannah et moi n'étions pas intimes et que tout cela s'est déroulé il y a plus de cinquante ans, écrit-elle. J'espère cependant pouvoir vous aider un peu à comprendre son suicide. » Elle me donne son numéro de téléphone et propose un horaire pour l'appeler. C'est dans quelques heures, et à mesure que le temps passe, je deviens de plus en plus nerveux, convaincu que je suis sur le point de découvrir les secrets du bureau du principal.

Mais lorsque nous parlons, il s'avère qu'il y a eu un malentendu. Rien de déplacé ne s'est produit entre elle et lui, soutient-elle. Elle n'a que des mots positifs à son égard.

Ce qu'elle voulait dire, à propos du suicide, c'est qu'elle a une certaine expertise professionnelle sur le sujet. Le problème était le gaz de houille employé dans les maisons à cette époque, avec sa teneur élevée en monoxyde de carbone à l'état naturel, ce qui rendait la mort plus facile. Lorsqu'on est passé au gaz naturel, le taux de suicide a baissé d'un tiers.

HIVER-PRINTEMPS 1954

Chère Tash, tu me manques et je me sens très seule, surtout à la RADA. Je ne me perds plus dans tous les longs couloirs et les nombreux escaliers, mais l'atmosphère est toujours la même – très impersonnelle – tout l'opposé de Frensham. La femme qui met en scène notre pièce est très efficace mais complètement terne. La prof de diction est une vraie serpillère, et les autres membres de l'équipe sont mieux, mais aucun d'entre eux n'entre vraiment en contact personnel avec nous, enfin à part pendant les cours. J'ai peur d'être trop habituée à K. Il me manque toujours terriblement, mais je vais surmonter ça comme une grande.

Val adore Richard, et j'ai passé une soirée au cours de laquelle elle m'a dit à quel point elle a envie de l'embrasser, mais sait qu'il ne doit pas parce que ça reviendrait à se dévaluer – elle pensait qu'il n'y avait rien entre embrasser quelqu'un et coucher avec. Je lui ai assuré qu'il y avait beaucoup de choses entre les deux ! Et je trouve qu'une fille de dix-huit ans devrait en savoir un peu plus long que ça.

Ma chère Tash, je suis abominable dans le rôle du lion – je suis tout bonnement incapable de tenir un rôle comique. C'est ma voix qui me pose le plus de problèmes. J'ai un léger accent sud-africain, et j'avale la fin des phrases, mes voyelles sont atroces. Oh ma chérie, à ce rythme je ne serai jamais actrice.

J'ai écrit à K. il y a environ une semaine et je n'ai pas encore de réponse – il me manque affreusement parfois. Je suis très amère, car je sais qu'il s'en fiche désormais comme d'une guigne – mais c'est injuste à son égard d'être amère. Oh je ne ne comprends pas, si j'y pense ça me met dans un état épouvantable alors j'essaie de ne pas y penser.

J'ai reçu une longue lettre éplorée de Mike ! Je suis tout à fait déterminée à aller en Israël cet été.

Chère Tash, j'ai eu une mésaventure des plus perturbantes vendredi dernier, je ne sais pas si tu le sais, mais il y avait une réunion des anciens de Frensham chez David, et Shirley m'a persuadée de venir. Eh bien ça ne faisait pas cinq minutes que j'y étais que K. a débarqué ! Shirley a dit que j'étais devenue toute blanche et qu'on aurait dit que j'allais tomber dans les pommes – j'en avais l'impression, crois-moi. Il ne vient jamais aux réunions d'habitude et ce n'est pas de la vanité si je dis qu'il n'était venu en fait que pour me voir. Eh bien il m'a fallu pratiquement une heure pour parvenir à lui adresser la parole, et quand je l'ai fait, j'avais la sensation que j'allais me liquéfier ! Tu imagines, il était là, son Coca-Cola à la main ! Incongru au possible ! Nous avons bavardé un peu, puis Shirley et moi avons décidé de nous en aller, et il a dit qu'il partait aussi ! Il nous a déposées chez Shirley et a proposé de me ramener chez moi, mais tout à coup j'ai décidé que non !! J'ai dit que je devais attendre mes parents et il a ri, l'air blessé, et j'ai sauté de la Rolls et dit au revoir – oh Tash, ça m'a mise dans tous mes états ! Surtout qu'il m'a dit qu'il était passé à la RADA mardi dernier mais que je n'étais pas là – Dieuduciel – ce n'est pas bien tout ça – et la seule chose à faire c'est d'éviter d'y penser.

6

Hannah a posé sa candidature à la Royal Academy of Dramatic Arts à l'automne 1952. Elle n'avait que seize ans, et son dossier est rempli en majuscules enfantines. « J'ai passé quatre *O-levels* et j'espère obtenir mes *A-levels* en littérature anglaise et en histoire en juillet », écrivait-elle. Le dossier est signé par mon grand-père, en tant que tuteur légal, et le principal, en tant que « référence en matière de réputation et de respectabilité ».

Je lis ceci dans la bibliothèque de la RADA, qui conserve toujours ses dossiers d'il y a cinquante-cinq ans. J'apprends donc que, à cause de son âge, elle a d'abord été admise à la Preparatory Academy, ou PARADA, avant d'être intégrée à l'école principale au bout d'un trimestre. J'ai toujours cru qu'elle avait passé son diplôme, mais deux lettres montrent qu'elle est partie au bout d'une année au lieu des deux nécessaires pour achever son cursus.

Dans la première, datée de septembre 1954, elle donnait son congé pour la fin du trimestre. « Mon professeur d'anglais à l'école m'a toujours avertie que, vu ma personnalité, la scène ne serait jamais satisfaisante pour moi sur le plan intellectuel. Je commence maintenant à réaliser qu'il avait tout à fait raison.

J'ai peur de m'être très mal exprimée. La vérité, c'est que le sentiment d'avoir la vocation m'a complètement abandonnée. »

Une semaine plus tard, elle annonçait qu'elle partait sur-le-champ. Elle avait passé un entretien à l'Institut français, et on lui avait demandé de commencer immédiatement. Elle ne dévoilait pas ce qu'elle projetait de faire là-bas, mais « le choix ne dépend pas de moi », disait-elle.

D'après le récit qu'on m'avait fait du passage de Hannah à la RADA, elle avait joué un premier rôle dans Shakespeare, donnant la réplique à Albert Finney et Peter O'Toole. Quand je me suis entretenu avec mon père en vue de mon article, je lui ai demandé s'il savait de quelle pièce il s'agissait. Il pensait que c'était *La Nuit des rois* ; Hannah interprétait Viola, et Finney ou O'Toole sir Toby Belch.

Mais dans le dossier figure une liste des pièces auxquelles elle a participé et il n'y est pas fait mention de *La Nuit des rois*. La seule pièce de Shakespeare est *Le Songe d'une nuit d'été* – ou *Le Songe*, dans le programme – et Hannah jouait non pas Titania, la reine des fées, mais deux rôles masculins mineurs : Puck, le fou du roi, et Snug, le menuisier, qui tient le rôle du lion dans la pièce à l'intérieur de la pièce.

Le documentaliste confirme que Finney et O'Toole ont fréquenté la RADA en même temps que Hannah, mais qu'ils étaient dans l'année supérieure. Je lui demande s'il y a moyen de vérifier si l'un ou l'autre a joué dans *Le Songe* avec Hannah, ou dans une des autres pièces qui figurent sur sa liste. Il s'engouffre dans la réserve et revient quelques minutes plus tard. Ni Finney ni O'Toole n'ont joué dans aucune de ces mises en scène.

Finney et O'Toole sont les seuls de ses camarades de la RADA dont j'ai entendu parler. La bibliothèque possède une liste des contemporains de Hannah, mais il y en a des centaines et je n'ai aucune idée de qui est susceptible d'avoir été son ami, ou de se souvenir d'elle. Le documentaliste me suggère de m'adresser au bureau des anciens élèves, et là, une femme me propose de lancer un avis par mailing. L'unique réponse que je reçois est signée de l'actrice Sylvia Syms, qui écrit qu'elle n'a pas connu Hannah, mais que sa propre mère s'est suicidée dans son enfance, et qu'elle sait donc la « marque laissée sur ceux qui restent ». « Nous ne connaîtrons jamais leurs motivations », ajoute-t-elle.

Bien qu'il sache ce que je suis en train de faire, mon père ne me pose pas de questions sur l'avancée de mes recherches, et mes rares tentatives de l'interroger sur Hannah sont pénibles pour nous deux. Mais un après-midi, alors que je suis passé le voir chez lui, il se met à parler d'elle – ou au moins de lui-même, en relation avec elle.

Je sais, par un des récits de ma grand-mère, que Hannah et lui se sont rencontrés une première fois dans leur enfance. J'ai toujours imaginé que Hannah avait neuf ou dix ans et mon père quinze ou seize lors de cet épisode. Mais il me révèle maintenant qu'ils étaient plus jeunes. C'était pendant la guerre. La mère de Shirley, la tante préférée de mon père, était amie avec la mère de Hannah, et elle l'avait emmené lui rendre visite quelque part dans la campagne. Amersham ? je suggère. Non, dit-il, quelque chose Farm. Scarlett's Farm ? Cela signifierait que c'était l'été 1940, quand Hannah avait trois ou quatre ans et lui neuf. Ça doit être ça, confirme-t-il – il y a quelque chose dans l'idée qu'ils se sont rencontrés si jeunes qui m'émeut de nouveau, et je sens que mon père est ému, lui aussi, par ce souvenir, même si nous n'ajoutons rien.

Il me raconte leur rencontre suivante, à un bal costumé, quand Hannah avait dix-sept ans et qu'il venait de rentrer d'Oxford. Il avait entendu sa mère et sa tante évoquer la « difficile » fille Fyvel, mais comme sa mère lui avait toujours dit qu'il était difficile, lui aussi, cela ne le rebutait pas – ça aurait même plutôt rendu Hannah plus intrigante.

Il y avait un orchestre, et il avait invité Hannah à danser. Il avait appris au cours de son service militaire, à Berlin, pendant le pont aérien. La femme de son sergent-major avait été championne de danse de salon du sud-ouest de l'Angleterre, et comme son mari ne dansait pas, elle avait enseigné à mon père le fox-trot et le quick-step, et il était son cavalier lors des bals des officiers.

Il avait une petite amie, une fille d'Oxford, très gentille. Sa tante, gérante d'un hôtel dans les Bermudes, l'avait invitée à venir travailler avec elle pendant un an. Elle alla trouver mon père et lui demanda s'il pensait qu'elle devrait accepter cette proposition. En fait, se dit-il, elle voulait savoir si leur histoire était sérieuse, s'ils allaient se marier. Avant sa rencontre avec Hannah, il lui aurait peut-être demandé de rester, mais là, il lui dit qu'elle devrait y aller – c'était une opportunité à ne pas laisser passer.

Hannah était à la RADA à ce moment-là, et lorsque je lui demande s'il parvient à se souvenir de quelqu'un qui ait suivi les cours avec elle, il dit, ou semble dire, lady Bear ; même s'il dit en fait, explique-t-il, Lady ou Diana Baer, ou Diana Robinson, son nom de jeune fille, qu'elle portait encore à la RADA.

Il la voit encore en société, l'a vue il y a juste quelques jours, d'ailleurs, ce qui me déconcerte, même s'il est évident qu'il ne peut pas éviter de croiser des gens qui étaient amis avec Hannah. Il vit avec tout cela depuis toutes ces années, ce monde de fantômes. Ce n'est nouveau que pour moi.

Diana Baer est entrée à la RADA en même temps que Hannah, me dit-elle lorsque je vais lui rendre visite à Kensington. Elle adorait l'ambiance. C'était la première fois qu'elle sortait du carcan scolaire.

Elle me montre des photos. Elles représentent des jeunes gens en costumes d'époque, sur scène – mais Hannah n'y figure pas. Elle parle des cours de gestuelle, de projection de la voix, de respiration. Je l'interroge sur Hannah. Elle ne pense pas qu'elle ait jamais vraiment voulu devenir actrice, affirme-t-elle. Elle parlait sans cesse de mon père. Elle ne peut pas m'en dire davantage, mais elle me suggère de m'adresser à une autre amie de la RADA, Sue Westerley-Smith, et aussitôt rentré chez moi, je l'appelle.

Sue était elle aussi passée par la PARADA, qui se trouvait à Highgate – à quelques minutes de marche de la maison où nous habitions à la mort de Hannah. Il y avait une assemblée quotidienne, et Hannah trouvait que ça ressemblait trop au lycée. Sue la revoit « assise dans le fond sur le rebord d'une fenêtre, en train de jouer aux cartes ». « Je l'adorais, dit-elle. Elle me faisait rire. »

Ce n'est pas grand-chose, mais j'apprends à bricoler avec des fragments, à construire un ensemble à partir de bribes, tel un archéologue qui reproduit un pot à partir de quelques éclats.

Mais peut-être que j'ai toujours fait ça, que je vois le monde de cette façon depuis l'époque où j'étais un petit garçon, imaginant ma mère à partir du peu que j'avais le droit de savoir. Le narrateur de mon premier roman expliquait : « J'ai passé la plus grande partie de mon enfance à l'orée des choses, à écouter mes propres pensées, ou des propos que je n'étais pas censé entendre, et à recomposer le monde tel un puzzle interdit, en volant les pièces une par une. » L'histoire prenait place en Afrique, avant ma naissance, et je ne la considérais pas comme autobiographique, même si je vois maintenant que j'y ai mis beaucoup de moi-même, que ce n'était pas un hasard si le récit principal s'achevait sur le suicide de la mère.

Le sujet de mes deux romans suivants n'a pas grand-chose à voir avec Hannah, mais tous deux sont des narrations fragmentées, des recueils d'histoires amputées et c'est au lecteur qu'il revient de les assembler, de leur trouver un sens plus vaste.

Deux fragments :

1. Susie mentionne un disque que Hannah a fait d'elle-même lisant des poèmes lorsqu'elle était à la RADA. Elle n'arrêtait pas de l'écouter quand elle était petite, dit-elle.

J'ai quelques vieux films en super-huit de notre famille, de Hannah. Je les ai transférés sur DVD et je les ai regardés. Mais ils sont muets. Je n'ai pas d'enregistrement de sa voix, je ne sais pas du tout à quoi elle pouvait ressembler, et pendant des semaines je ne cesse de penser à ce disque, de pleurer sa disparition, sa perte.

2. Mon père a dit qu'il avait rencontré Hannah à un bal costumé, et je pense au mail que j'ai reçu qui disait que Hannah faisait une « ravissante Carmen » dans un bal costumé.

Serait-ce le même bal ? Je contacte la femme qui a écrit ces mots. Elle ne se rappelle pas y avoir vu mon père – mais c'était une soirée collective en l'honneur de sa sœur et d'une cousine de Shirley, donc il est bien possible qu'il soit venu. C'était en septembre 1953, peu après le dix-septième anniversaire de Hannah et son entrée à la PARADA.

Je pose la question à mon père, et bien qu'il ne parvienne pas à se souvenir si c'était bien le bal en question, je décide que c'est le cas. Je suis content d'avoir découvert le soir où mes parents se sont vus pour la première, ou plutôt pour la deuxième fois. Je sais par mes filles que c'est un type d'histoires que les enfants aiment entendre, la rencontre de leurs parents, l'instant où leurs propres vies ont commencé à prendre forme – et je suis content d'avoir à mon tour identifié mes débuts.

C'est devenu un peu plus facile de parler avec mon père, et il poursuit son histoire sur deux ou trois après-midi. Il avait étudié le droit à Oxford, mais en sortant, il avait besoin de gagner de l'argent, et l'année où Hannah étudiait à la RADA, il enseignait le latin et l'histoire dans une pension près de Reading.

Initialement, Hannah et lui n'étaient pas un « couple à proprement parler ». Elle avait d'« autres garçons dans le collimateur », notamment un Israélien du nom de Mike qu'elle avait rencontré par Shirley, et lui vivait une « liaison passionnée avec l'infirmière en second à l'école ». Mais au fil de l'année, il rentra souvent à Londres en voiture. Il passait la prendre dans le vestiaire de la RADA, conformément aux souvenirs de Sue Westerley-Smith. Il avait une « très belle voiture de sport d'avant-guerre, une Wolseley Hornet Special », dit-il.

Hannah s'était inscrite pour un voyage organisé en Israël pendant l'été 1954, mais son histoire avec mon père devenait de plus en plus sérieuse. Hannah dit à mes grands-parents qu'elle ne voulait pas y aller, mais ils insistèrent – peut-être parce qu'ils avaient payé le voyage, même si mon père laisse entendre qu'ils voulaient aussi l'éloigner un peu de lui.

Par hasard, je découvre que la romancière Elisabeth Russell Taylor a participé au même voyage. Le groupe, se souvient-elle, était constitué surtout de filles « jeunes, riches et inintéressantes ». Elisabeth avait quelques années de plus, et elle était « politiquement hostile aux privilégiés ». Mais Hannah était plus intéressante. Il était « évident qu'elle n'avait pas envie d'être là », et elle se montrait « querelleuse, chicanière et têtue ».

Elle disait qu'elle épouserait mon père « en robe noire, avec des roses rouges ». Elle était « un peu casse-pieds ». Mais Elisabeth emploie également le mot « courageuse » pour la décrire. Hannah n'était pas prête à se conduire comme les femmes étaient censées se conduire, et Elisabeth avait eu le sentiment qu'« elle allait faire quelque chose d'important de sa vie ».

C'est en rentrant d'Israël que Hannah abandonna sa place à la RADA et décida d'épouser mon père. L'annonce de leurs fiançailles parut dans le *Times* en novembre. Mon père préparait maintenant l'examen du barreau et vivait avec ses parents à Hampstead Garden Suburb. Hannah aussi était chez ses parents, dans leur appartement près de Regent's Park, mais ce qu'elle faisait demeure plus obscur.

J'ai repoussé jusque-là la lecture des journaux de mon grand-père, mais je ne peux plus différer, et tôt un matin, muni d'une valise vide, je prends un vol pour Édimbourg, où Susie a entreposé les cartons de ses écrits dans sa cave.

Dans sa vieillesse, je me souviens que mon grand-père tenait un bref journal quotidien dans le genre de ces agendas de bureau qui ont une page par semaine, sous une reproduction d'une peinture florale. Il y en avait souvent un ouvert sur son bureau, et j'ai remarqué une fois qu'il avait recopié le même mot, « *Veltschmerz* », pour chaque jour de la semaine. Je lui ai demandé ce que ça voulait dire, et il m'a expliqué que c'était le mot allemand signifiant lassitude, ou ennui, et il a fait un sourire triste. Mais la plupart des anciens journaux, comme celui que j'avais regardé en faisant le tri dans la maison de mes grands-parents, sont d'épais cahiers avec reliure à anneaux, d'une centaine de pages couverts de ses griffonnages compacts. Susie passe la journée à m'apprendre à déchiffrer son écriture, et dans la soirée, je reprends l'avion pour Londres avec une partie des journaux – Susie m'apportera le reste un peu plus tard – et je me lance dans la lecture.

À l'exception d'un volume portant sur un voyage d'études en Amérique financé par une bourse Fulbright fin 1951, début 1952, les journaux ne commencent pas avant la moitié des années 1950. La seule allusion à Hannah auparavant se trouve à la dernière page du journal américain, quand il décrit sa fille telle qu'il l'a trouvée à son retour : une « enfant brillante, égocentrique ».

À part ça, la première mention de Hannah intervient en mars 1955, quelques mois avant son mariage. Il a eu, écrit-il, plusieurs « conversations préparatoires avec Hannah sur son avenir », mais malheureusement, il n'en dit pas plus.

Hannah a écrit à la RADA qu'elle s'en allait pour intégrer l'Institut français. Je demande à mon père ce qu'elle faisait là-bas, et il me répond qu'elle a pris un *A-level* en français pour pouvoir poser sa candidature à l'université. Mais s'il est vrai qu'elle a fini par aller à l'université, c'était deux ans plus tard, et si elle a suivi un *A-level* de français cette année-là, avant leur mariage, il semble qu'elle ne l'ait même pas obtenu, ce qui paraît curieux.

Dans mon ancienne maison, où vit toujours ma belle-mère, je trouve une liasse de lettres d'un ami de mon père qui habitait à Aden. « Pourquoi a-t-elle abandonné la comédie ? écrit-il après que Hannah fut revenue de son voyage en Israël. C'est ton influence, ou celle d'Israël ? Que fait-elle, maintenant ? Vous ne pouvez pas vivre éternellement dans le péché. »

C'est une question que je pose, également – et à laquelle je n'ai pas de réponse. Elle était jeune, amoureuse, elle avait un mariage en perspective. Mais j'ai du mal à croire qu'elle ait passé les neuf mois entre le moment où elle a quitté la RADA et son mariage à préparer la cérémonie. Quand on ne vit que vingt-neuf ans, chacune de ces années compte, et cela m'ennuie de ne pas savoir ce qu'elle faisait à cette époque – ou de penser qu'elle ne faisait pas grand-chose, qu'elle gâchait ces précieux mois.

De cette période, de juste avant ou de juste après, j'ai tout de même deux petits films : le premier, c'est le mariage de Naomi, la cousine de Hannah, à l'été 1954 ; le second, son propre mariage, un an plus tard, en juillet 1955.

Le premier film commence par des images tremblotantes des invités arrivant à la synagogue ; ils sourient et font des signes à la caméra – parmi eux, Susie et la petite sœur de Naomi, toutes deux âgées d'une dizaine d'années, en robes de demoiselles d'honneur bleu pâle. Plus tard, à la réception, les mariés découpent le gâteau et s'embrassent. La caméra se promène sur l'assistance, des hommes à lunettes avec des carrures épaisses, des femmes aux poitrines opulentes avec des chapeaux compliqués, jusqu'à ce qu'elle arrive à une jeune femme en train de rejeter la tête en arrière pour boire à la bouteille. Lorsqu'elle abaisse la bouteille, on découvre qu'il s'agit de Hannah. En voyant la caméra, elle fait un signe de tête dans sa direction, ferme les yeux, et grimace de toutes ses dents.

Dehors, plus tard, pour les portraits de groupe, la caméra fait un panoramique sur les membres de la famille : les deux couples de parents, la mariée, avec son voile qui vole dans le vent, et le marié, puis on arrive de nouveau sur Hannah. Elle porte une robe bleu pâle elle aussi, avec un petit bouquet blanc à la main, elle aussi est demoiselle d'honneur. Si brièvement qu'un observateur moins consciencieux pourrait manquer la scène, elle avance la tête et fait la même grimace.

Dans le second film, les mêmes vieilles voitures s'arrêtent devant la synagogue, le même genre d'invités juifs en descend – dans certains cas, il s'agit d'ailleurs des mêmes invités, même si cette fois, lorsque le marié apparaît, c'est mon père, juvénile, radieux, en haut-de-forme et jaquette. Il sourit à l'objectif, salue et continue son chemin, soulevant son chapeau en dépassant la caméra.

D'autres parents se présentent : Shirley, le visage poupin, ses sœurs, sa mère, les parents de ma mère. Et voici Hannah, qui pose sur les marches avec mon grand-père ; cette fois-ci c'est son voile qui flotte dans le vent ; elle n'est pas vêtue de noir, comme elle s'en était vantée auprès d'Elisabeth Russell Taylor, mais de blanc. Elle n'a encore que dix-huit ans, mais c'est son mariage, et au lieu de faire des grimaces, elle sourit pudiquement.

Après la cérémonie, sur les marches de la synagogue avec mon père, elle l'embrasse chastement, puis l'embrasse de nouveau, peut-être à la demande d'un photographe, et cette fois leur baiser dure un peu plus longtemps.

Le film enchaîne sur une réception dans un jardin. Mon père s'est changé et porte un costume ; Hannah est maintenant en noir. Et l'on voit, quoiqu'ils ne soient pas assis ensemble, ma grand-mère et mon grand-père, le père de la mariée. Il est jeune, il a moins de cinquante ans – il a l'âge que j'ai maintenant. Il a défait le col de sa chemise, et sa cravate est jetée nonchalamment par-dessus son épaule.

PRINTEMPS 1954

Chère Tash, j'ai reçu un coup de fil de Pop dans la matinée. Il m'a demandé de sortir avec lui. J'ai dit que j'allais à Camb – il a dit que je n'avais qu'à annuler. J'ai failli le faire mais je me suis dit que je pouvais avoir le meilleur des deux mondes en sortant avec lui un autre jour, il a été assez contrarié, mais nous sommes convenus qu'il passera me prendre à la RADA à dix-sept heures jeudi prochain.

Suis allée à Cambridge – j'étais hyper-nerveuse. Le cocktail était très intimidant au départ, mais j'ai été invitée à aller au Kings May Ball par un garçon plutôt gentil – j'ai accepté. (Je n'y vais pas – tu vas comprendre pourquoi !)

Pop a dit qu'il a failli ne pas venir parce que je ne suis pas sortie avec lui samedi dernier. La soirée a été très agréable, il me plaît davantage chaque fois que je le vois. Je trouve que c'est beaucoup mieux, d'apprendre à apprécier quelqu'un – beaucoup plus sûr. Il m'a demandé de venir vivre avec lui – (j'ai refusé). Si je ne vais pas au May Ball, c'est que je crois qu'il va m'emmener à une Commem à Oxford ! Il dit que je suis la première fille avec laquelle il ne se sent pas tout à fait à l'aise – parce que je ne suis pas en admiration béate devant lui, etc. Il dit qu'il pense à moi quand il est avec d'autres filles.

PS : Je me suis dit – la différence entre moi et les gentilles filles comme Val – les gens la demandent en mariage – les gens me demandent de vivre avec eux.

Chère Tash, j'ai souvent l'impression de vivre une double vie, car le monde du théâtre est tellement complet, et si prenant, que j'ai l'impression de changer de personnalité quand je sors de la RADA pour rentrer à la maison, ou aller voir Shirley, etc.

Je suis sortie plusieurs fois avec Pop depuis la dernière fois que j'ai écrit. Il est vraiment très gentil – (quel mot affreux !). Dimanche je vais lui rendre visite à l'école où il enseigne. Nous nous entendons très bien, et nous nous comprenons à la perfection. Il est vraiment terriblement charmant avec moi. Nous allons à deux Commems deux soirs de suite le mois prochain, ça devrait être divin. Chaque fois que je le vois, je l'aime un peu plus – pour l'instant j'espère que personne de la « bande » n'est au courant. Je ne supporte pas qu'on bavarde dans mon dos.

Chère Tash, j'ai passé une soirée sublime merc. Nous sommes allés (tu sais qui est l'autre moitié de ce nous) faire un super-dîner dans un restaurant chinois puis nous sommes allés dans un charmant club de jazz appelé le Fauburg. C'était un endroit vraiment très *parisienne** avec un bar splendide, j'ai bu plusieurs verres de rhum avec du Coca-Cola, c'est sublime et tout était ---- ! (Je suis à court d'adjectifs.)

Chère Tash, il est tellement sublime – nous sommes allés à une formidable soirée donnée par une amie à Cirencester – son père possède vraiment une maison de rêve – nichée dans le cœur des collines, à douze kilomètres dans la campagne – avec des roseraies et de superbes allées bordées d'ifs. C'était samedi dernier et dimanche j'ai pris le volant pour rentrer à Oxford (c'est le paradis de conduire une décapotable, je suis montée jusqu'à cent dix à l'heure à un moment) et nous sommes sortis sur la rivière en barque et nous avons dormi tout l'après-midi.

Je lui ai parlé de K. – il le fallait parce qu'il m'avait tout dit et ça devenait une barrière entre nous – mais il a été merveilleusement compréhensif et je l'aime.

7

Ils se rendirent dans le sud de la France en voiture pour leur lune de miel – dans une Standard Eight, dit mon père, à qui il est plus facile de parler de sa voiture que de Hannah. De retour à Londres, ils louèrent un appartement derrière King's Road. C'était loin du nord de Londres, où vivaient leurs familles, mais c'était l'un des charmes de l'endroit. Mon père avait passé l'examen du barreau, mais il lui manquait l'argent, ou peut-être la patience, pour monter un cabinet d'avocat et se faire une clientèle, et l'automne précédent, il avait commencé à travailler pour une entreprise d'imprimerie appartenant au mari d'une cousine, à Soho. J'ai déjà entendu le récit de cet emploi : comment le premier jour on lui a donné un balai et ordonné de s'en servir : comment moins de deux ans plus tard il dirigeait la boîte.

Lorsqu'ils allèrent s'installer à Chelsea, il avait été promu directeur des ventes et touchait un bon salaire. Les week-ends, Hannah et lui allaient les passer dans des lieux tels que le New Inn à Winchelsea, sur la côte de l'East Sussex. Le premier hiver, ils allèrent skier à Courchevel. Il subsiste des photos d'eux sur les pentes, sur les remontées mécaniques, avec un skieur déguisé en ours, en train de danser dans un bar.

Le printemps suivant, il acheta la moitié des parts d'un voilier qu'ils amarrèrent à Dell Quay, dans le West Sussex – à quelques kilomètres de l'emplacement de la grange qu'il achèterait plus tard avec ma belle-mère. Un homme qui vivait dans une cabane sur les lais s'occupait de l'entretien du bateau pour deux shillings et demi par semaine, il s'en souvient.

Ce qu'il ne se rappelle pas de cette époque, pas plus que de l'année précédant leur mariage, c'est comment Hannah remplissait ses journées. Il travaillait dur pour développer l'affaire, et c'était donc à ça qu'il consacrait ses pensées. Mais dans les archives du Bedford College, la division de l'université de Londres dans laquelle elle reprendrait finalement ses études, je trouve un indice. « A quitté l'école à dix-sept ans et s'est mariée presque immédiatement, dit une note dans son dossier. A suivi une formation de sténographe de façon à compléter les gains de son mari. Son mari a bénéficié d'une promotion inespérée et elle est maintenant libre d'entrer à l'université, comme elle en a toujours eu le souhait. »

Une école de secrétariat est bien le dernier endroit où je me serais attendu à trouver Hannah, mais lorsque j'interroge mon père, il répond que ça lui « dit quelque chose », mais que « ce n'était certainement pas pour compléter mon revenu ». Il suggère que l'idée venait peut-être de ma grand-mère, et me fait remarquer que j'ai moi-même pris un cours de dactylographie, même s'il n'a duré que trois semaines, et que je l'ai fait parce que je voulais devenir journaliste.

C'est la femme de mon père qui propose une hypothèse : Hannah venait de se marier, et dans les mois qui ont suivi la cérémonie, elle a dû apprendre à faire les courses, la cuisine, la lessive, le repassage, le ménage. Rien de surprenant à ce qu'elle n'ait pas eu le temps ni l'énergie d'entreprendre davantage qu'un cours de secrétariat à temps partiel.

Mais ça ne ressemble toujours pas à la Hannah de mon imagination, l'auteur de *L'Épouse captive*, jusqu'à ce que je me souvienne d'un passeport dans lequel elle avait indiqué comme profession « femme au foyer ». Je l'examine de nouveau pour vérifier la date à laquelle il a été délivré : deux semaines avant son mariage. S'était-elle fait faire un nouveau passeport pour pouvoir partir en lune de miel sous son nom d'épouse ?

Quoi qu'il en soit, sa période femme au foyer et sténographe n'a pas duré longtemps. Son dossier de candidature au Bedford College date de février 1956, huit mois après son mariage. Près de trois ans s'étaient écoulés depuis qu'elle avait quitté l'école, et, par rapport à sa candidature à la RADA, son écriture est plus petite, plus soignée, plus adulte. Cette fois, ce n'est pas son père mais son mari qui signe en tant que tuteur légal. À la case « profession ou affaire », mon père a marqué : « avocat du barreau », bien qu'il travaille alors dans une entreprise d'imprimerie et non dans le droit.

Hannah glissait aussi un petit mensonge sur le formulaire – elle indiquait que son prénom était Hannah, et non Ann, son prénom légal, qui a été rétabli au-dessus par une autre main. Plus sérieusement, des lettres dans son dossier révèlent qu'elle a modifié son identité sur les copies de certificats d'examen qu'elle a fournies avec sa candidature.

Quand sa supercherie est découverte, elle écrit : « On m'a toujours appelée Hannah, et je souhaite utiliser le prénom de Hannah, c'est pourquoi dans les copies des certificats antérieurs que je vous ai envoyées j'ai remplacé Ann par Hannah. »

Le registraire lui répondait qu'elle avait « commis une faute grave », et ajoutait que son « manque de confiance se justifiait ». Heureusement, il n'insistait pas davantage, se bornant à lui signifier : « Même si vous préférez le prénom de Hannah, vous allez devoir accomplir votre cursus universitaire sous celui d'Ann. »

C'était, je l'apprends, une caractéristique de Hannah : un certain mépris des règles, le sentiment que les codes normaux de la bienséance ne s'appliquaient pas à elle, comme sa manie de rouler sur le trottoir en voiture. L'histoire de la promotion de mon père qui la rendait libre d'aller à l'université fournissait une excuse valable pour son manque de direction au cours des deux dernières années. Mais son dossier révèle que c'est aussi par la manœuvre qu'elle parvint à entrer à Bedford. Au moment où elle se renseigna sur les admissions, le dépôt des candidatures était clos, et on lui dit qu'elle allait devoir attendre un an. Au lieu de ça, indique la note dans son dossier, « elle est passée voir Lady Williams », directrice du département de sociologie.

Lady – ou le Pr – Gertrude Williams « n'était pas sur le campus », et Hannah fut reçue par un maître de conférences en sociologie, O. R. McGregor, à qui elle raconta son histoire. Elle était venue, dit-elle, sur la « recommandation de M. Mark Abrams », un célèbre statisticien qui était un ami de mon grand-père et aussi, à ce qu'il semble, du Pr Williams. Cet étalage de grands noms, allié à son charme et à son intelligence, fonctionna manifestement, car McGregor écrivit qu'il était « favorablement impressionné par la justesse de son point de vue », et Hannah reçut l'autorisation de passer l'examen d'entrée, à condition d'obtenir un troisième *A-level*. (Ce fut à ce moment-là, apparemment, qu'elle passa son *A-level* de français à l'Institut français.)

À l'automne suivant, peu après son vingtième anniversaire, Hannah entra en première année de sociologie au Bedford College – alors un établissement exclusivement féminin en lisière de Regent's Park. Elle devait y étudier pendant les huit prochaines années, presque le reste de son existence, mais je ne sais rien de son passage à la faculté, sinon qu'elle a obtenu une mention très bien et rédigé la thèse dont elle allait tirer *L'Épouse captive*.

Mon père me raconte qu'il aimait bien lire les livres que Hannah rapportait de Bedford, mais qu'il ne s'y rendait que rarement. Il ne se souvient pas non plus qu'elle se soit fait d'amis là-bas, à part Anne Wicks, dont je sais, car j'ai déjà cherché son nom, qu'elle est morte d'un cancer il y a quelques années. Il évoque, toutefois, le mari d'Anne, un « type assez sympa » du nom de Tony Wicks. Il était ingénieur, et mon père lui avait trouvé un emploi dans son entreprise d'imprimerie. Lorsque Tony a divorcé d'Anne, il a épousé une employée de la boîte, et grâce à cette information, je parviens à le localiser.

Tony se rappelle, dit-il, « les cheveux noir d'encre de Hannah, ce que j'appelle des cheveux juifs ». Anne était une « boursière, issue d'une famille pauvre du Kent ». Elle était « très brillante, intense ». Elle a commencé en sociologie mais a fini dans les études de marché, ce qui l'a mise en contact avec des « types des médias, des originaux ». Il n'était qu'un « terne ingénieur », et ils se sont éloignés. « Notre couple s'est tout bonnement dissous. Pas d'animosité, pas de négociations, pas de difficultés, rien. »

Il évoque un couple qui vivait à Primrose Hill, qui était proche d'Anne, mais je m'intéresse davantage à une autre étudiante de Bedford dont il affirme qu'elle était amie et avec Anne et avec Hannah. Il me faut un certain temps pour localiser Erica, mais quand j'y parviens, elle me dit : « Justement j'ai pensé à Hannah il y a quelques jours à peine. Elle m'a offert un saladier en bois que j'ai toujours, et je pense à elle chaque fois que je l'utilise. »

Comme Hannah et Anne Wicks, Erica avait un ou deux ans de plus que la plupart des autres étudiantes. Sa vie de famille était difficile, et il lui avait fallu du temps pour parvenir à s'inscrire à l'université. Elle avait rencontré Hannah assez vite, et s'était « attachée » à elle. Hannah était très organisée, et Erica lui empruntait souvent ses notes.

Le Bedford College, à la fin des années 1950, était toujours très traditionnel. Pendant sa première année, Erica vivait en résidence universitaire, les filles devaient porter des robes de soirée pour le souper et respecter un couvre-feu. L'enseignement était dispensé sous forme de cours magistraux, même si « Hannah criait parfois des questions ». Erica se rappelle aussi qu'elles aimaient bien asticoter le maître de conférences en statistiques, avec Hannah et Anne. C'était un jeune et beau garçon, et les trois femmes s'asseyaient au premier rang « consciencieusement vêtues de décolletés plongeants ». Il parlait sans notes, en faisant les cent pas, et se mettait à bafouiller à leur vue.

Elle prenait souvent le café avec Hannah dans la journée, mais elle ne la voyait jamais le soir. Après sa première année, Erica avait cessé de vivre en résidence universitaire. Elle avait un petit ami à la Slade School of Fine Art et ils sortaient dans des clubs de jazz, tandis que Hannah rentrait systématiquement retrouver mon père. Elle sentait que ce n'était pas facile pour Hannah d'équilibrer tant bien que mal les différents aspects de sa vie.

Malgré cela, Hannah « m'a rendu un service inestimable », dit-elle. Au cours de sa troisième année à Bedford, elle est tombée enceinte, et Hannah l'a aidée à se faire avorter. C'était encore illégal à l'époque, Hannah l'a emmenée à la clinique et hébergée pendant quelques jours le temps qu'elle se remette. « Sans l'aide de ta mère, je ne suis pas certaine que j'aurais terminé mes études », m'avoue-t-elle.

Erica et Anne semblent bien avoir été les plus proches amies de Hannah à Bedford, mais petit à petit, je retrouve plusieurs autres de ses contemporaines et je suis même invité à un déjeuner des anciennes du Bedford College. Le consensus général, c'est qu'elles étaient alors très innocentes, pour la plupart. Penelope Horsfall se rappelle que le *college* avait organisé une soirée de levée de fonds pour les étudiants de Hongrie, et que Hannah avait mis en scène un sketch dans lequel toutes les actrices portaient des pantalons noirs : c'était la première fois que Penelope portait un pantalon.

Les professeurs pouvaient être « antédiluviens ». Une ancienne étudiante se rappelle O. R. McGregor, le maître de conférences qui avait reçu Hannah lorsqu'elle était « passée » à la faculté : « Pendant tout un cours, il s'est balancé sur ses talons en disant aux femmes devant lui : "Vous êtes toutes tellement médiocres." » McGregor, ou « Mac », et un autre maître de conférences jouaient au ping-pong à Bedford, et « avant de taper dans la balle, ils disaient le nom de l'élève qui les exaspérait le plus sur le moment ».

Au déjeuner des anciennes étudiantes, les femmes expliquent que, pour la plupart, elles ont fini dans l'aide à la personne – travailleuse sociale, assistante juridique, assistante sociale des hôpitaux. Lorsqu'elles ont eu des enfants, elles ont presque toutes arrêté de travailler. Sur la quarantaine d'étudiantes en sociologie de la promotion de Hannah, seules trois ou quatre ont fait de la recherche, et une de celles-ci a abandonné pour se marier, tandis qu'une autre « s'est fait virer quand elle est tombée enceinte ».

Plus âgée, déjà mariée à son arrivée, Hannah était « différente ». Elle avait une « vitalité de star de cinéma, elle était très glamour, et assez exotique ». Et lorsqu'elle est tombée enceinte au cours du premier trimestre de sa deuxième année, elle n'avait l'intention ni de se débarrasser du bébé, ni de renoncer à ses études. Elle eut la chance d'avoir le soutien de Gertrude Williams, la directrice de son département, qui lui permit de passer sa licence en quatre ans au lieu de trois et écrivit des lettres pour recommander que sa bourse soit maintenue. Ses contemporaines revoient Hannah venant à la faculté avec son nouveau-né en petite barboteuse jaune. Hannah, qui avait vingt et un ans, « rayonnait de fierté ».

Elle avait eu des problèmes gynécologiques mineurs, m'explique mon père, et on lui avait dit qu'un bébé les guérirait. Simon est né le 23 avril 1958 au Queen Charlotte's Hospital à Hammersmith, et il a passé ses premiers mois dans l'appartement de Chelsea. Plus tard dans l'année, la jeune famille est retournée s'installer dans le nord de Londres, dans la petite maison moderne sur Hillside Gardens, à Highgate, à côté de chez les Kartun, et non loin des deux couples de grands-parents.

Le printemps suivant, ils ont dû s'acheter une caméra, car les premiers films de famille sont des images des premiers pas de Simon. Avec ses cheveux bouffants et sa jupe ample, une cigarette dans une main tandis qu'elle enlace Simon de l'autre, Hannah ressemble à une ménagère américaine des banlieues résidentielles dans un film pédagogique des années 1950.

Cette impression persiste dans la bobine suivante, qui la montre en train de coudre devant la maison de Hillside Gardens, tandis que Simon court après un chaton. Dans le film d'après, toutefois, elle paraît plus mince, plus chic, plus jeune, même. Dans son chemisier noir ajusté et son étroit pantalon corsaire bleu foncé, mieux coiffée, elle pourrait maintenant être une jolie jeune danseuse dans un film de Cliff Richard ou d'Elvis Presley.

Hillside Gardens était l'une des trois rues qui avaient été reconstruites en triangle sur le terrain d'un vieil hôtel particulier délabré qui avait été abattu. Le centre était occupé par un jardin communautaire, et il y régnait une atmosphère conviviale. Les voisins gardaient les enfants des uns et des autres et se répartissaient les trajets pour l'école. On émergeait enfin de l'après-guerre, les premières pousses du nouveau monde, qui fleuriraient avec les années 1960, commençaient à poindre, et ces maisons modernes et abordables attiraient des locataires progressistes.

Derek Kartun, par exemple, un ancien responsable du service étranger du *Daily Worker* devenu homme d'affaires – sa compagnie produisait une « triplure thermocollante » employée dans les costumes et les uniformes –, écrirait plus tard une série de thrillers d'espionnage. Paul Rogers, un autre habitant du triangle, était un comédien de cinéma et de théâtre qui avait créé le rôle de Max dans *Le Retour*, de Harold Pinter. Peter Jewell était un défenseur des animaux ; sa femme, Juliet Clutton-Brock, l'une des premières archéozoologistes d'Angleterre. Katrin Stroh était une thérapeute du développement. John Weeks était un architecte moderne. Cy Grant, un musicien guyanais, fut le premier Noir à passer régulièrement à la télévision britannique. Le roman de Gillian Freeman *The Leather Boys*, publié en 1961, racontait l'histoire de deux jeunes homosexuels. Klaus Hinrichsen, que j'ai connu comme propriétaire du magasin de jouets d'Archway Road, était le champion des artistes allemands émigrés qui avaient monté la « Hutchinson University » dans les camps d'internement de l'île de Man.

Le travail de mon père dans l'imprimerie semblait assez routinier et désuet en comparaison, même s'il faisait de son mieux pour le dynamiser. Il dut son succès à la conscience qu'il eut de la rapidité avec laquelle l'industrie de la publicité se développait à Soho, où, par chance, son entreprise avait ses locaux. En tant qu'ancien d'Oxford – ce qui était rare pour un imprimeur –, mon père pouvait comprendre les jeunes rédacteurs et chargés de clientèle des agences de pub, il en connaissait même plusieurs. Il acheta des presses supplémentaires, se mit à faire tourner l'usine nuit et jour, et l'affaire ne tarda pas à connaître un boom.

En novembre 1959, un an après qu'il se fut installé avec Hannah sur Hillside Gardens, un magazine spécialisé, le *British Printer*, publia un portrait de lui sous le titre « Un imprimeur de l'ère Espresso ». L'article est illustré par une photo de mon père assis, l'air plutôt gêné, sur un rebord de fenêtre, dans un costume à la coupe élégante, avec un coupe-papier africain gravé à la main. Il a vingt-neuf ans.

Ce qu'il dégage sur cette image en dit sans doute aussi long sur la manière dont il souhaitait se montrer que sur sa véritable façon d'être. « Gavron est détendu dans ses manières, sérieux et éclectique dans ses intérêts, avec un bagage en sociologie et en littérature. Comme tous les moins de trente ans, il critique son époque et il est conscient de ses problèmes, mais sa réussite ne laisse guère de place pour la frustration et il est clair qu'il n'est pas "un jeune homme en colère". »

Ce qu'il aurait vraiment voulu être, disait-il à l'interviewer, c'était « pilote de course automobile ». Il avait renoncé à la loi « parce qu'on était forcé de porter des costumes noirs classiques » et qu'« [il] était arrivé à la conclusion qu'[il] n'était pas classique par nature ». En choisissant plutôt de se lancer dans ce métier, « [il] s'était élevé avec une rapidité époustouflante en mettant [son] potentiel au service d'une nouvelle branche de l'imprimerie ».

Lui aussi, comme ses voisins, se faisait une place dans le monde, et si Hannah, l'une des plus jeunes femmes du triangle, était encore étudiante, la réussite de son mari et des vies qui se déployaient sous leurs yeux devait lui donner matière à espérer – leur exemple lui permettait sans doute d'entrevoir que sa propre route, avec la sociologie elle-même qui connaissait ses belles heures dans les retombées de l'après-guerre, pourrait bien lui faire connaître un avenir neuf et passionnant.

Parmi nos voisins sur Hillside Gardens, et de nouveau lorsque les deux familles déménagèrent dans des maisons modernes légèrement plus grandes, juste à côté l'une de l'autre, sur Jacksons Lane, la rue perpendiculaire, il y avait les Weeks – John, l'architecte, sa femme, Barbara, et leurs deux enfants, qui avaient à peu près le même âge que Simon et moi.

Cela fait longtemps que je n'ai vu aucun des Weeks, mais ma belle-mère m'apprend que Barbara habite toujours sur Jacksons Lane. Je m'y rends à vélo et je sonne à la porte. Au bout de quelques instants, une fenêtre s'ouvre au premier étage et un visage que je reconnais se montre et fait : « Oui ? »

Quand je lui dis qui je suis, elle me dévisage comme si j'étais un fantôme. J'ai le même sentiment à propos de son intérieur quand elle me laisse entrer. Les maisons de la rue ont toutes été construites à l'identique, et en montant les marches de l'escalier en bois ajouré, la peur d'enfant que provoquait chez moi le vide entre les lattes me revient. Lorsque Barbara me conduit dans le salon en L, j'ai l'impression de me trouver dans notre ancienne maison. Je ne me rappelle pas Hannah, mais je me rappelle la nuit où je me suis réveillé et où en descendant j'ai trouvé mon père assis sous l'escalier avec la femme qui allait devenir ma belle-mère.

« On a traversé la route main dans la main », dit Barbara en parlant du déménagement de nos deux familles dans ces maisons. Comme nous étions maintenant du mauvais côté de la route pour le jardin communautaire, les parents ont abattu les clôtures entre leurs deux jardins privés et ils ont installé au fond un portique d'escalade sur lequel je me souviens d'avoir joué. Je me rappelle, aussi, avoir pris ma première bouffée de cigarette avec le fils de Barbara dans l'allée qui longeait notre maison. Je ne pouvais pas avoir plus de cinq ou six ans.

Hannah était « très charmante et pleine d'entrain, toujours active », poursuit Barbara. Lorsque Katrin Stroh s'est enfermée dehors, c'est Hannah qui a escaladé la gouttière et s'est glissée par une fenêtre, bien qu'elle ait été enceinte de moi. Elle a fait promettre à Barbara de ne pas le répéter à mon père.

Barbara me rappelle, également, une chose que j'ai oubliée – Hannah a fait une fausse couche entre Simon et moi, après avoir vu le film *Psychose*.

Lorsque Barbara a appris la mort de Hannah, elle a d'abord pensé à un accident de voiture. Sa conduite était devenue de plus en plus imprudente au cours de ses derniers mois. Ce n'était pas seulement qu'elle roulait sur le trottoir ; quand c'était Hannah qui les déposait à l'école, ses enfants avaient toujours un incident à raconter.

Elle m'emmène à l'étage pour me montrer les chambres – l'équivalent de la chambre à lits superposés que je partageais avec Simon, de celle de Hannah et de mon père, où celui-ci nous avait fait asseoir, Simon et moi, le matin suivant son suicide, pour nous annoncer que notre mère était morte. Mon souvenir de ce moment-là est tellement net dans mon esprit – la blancheur des murs, du dessus-de-lit, de la moquette, qui évoque tellement un cliché de scène de renaissance – que je l'ai toujours considéré avec un certain scepticisme. Mais lorsque j'entre dans la chambre de Barbara, elle est exactement pareille que dans ma mémoire.

Plus tard, nous traversons la route pour nous rendre aux jardins communautaires. Cy Grant, le musicien, y attirait les enfants pendant les fêtes estivales, raconte Barbara. Quand il grattait sa guitare, c'était comme le joueur de flûte de Hamelin. Je n'en ai aucun souvenir, pas plus que de ces jardins, mais en longeant les allées, j'éprouve un étrange bonheur.

Barbara me désigne l'arrière des maisons, me disant qui habite, ou habitait, dedans, jusqu'à ce que nous arrivions à un sentier étroit qui conduit à celles du bout de Hillside Gardens. Nous vivions dans la toute dernière. Il y a une petite cour carrée et des fenêtres carrées qui ouvrent sur un petit salon carré.

« Une fois, en passant, j'ai vu vos parents qui dansaient ensemble, dit Barbara. C'était en début de soirée et il faisait encore jour, et votre père tenait votre mère dans ses bras, ils dansaient une espèce de danse de salon. » Elle écarte le bras pour me montrer, et replie sa main comme si elle tenait quelqu'un par la taille.

« Hannah et Pop (un surnom familial de mon père), écrit mon grand-père dans son journal. Ils sont incroyablement affectueux et loyaux. »

Sonia m'a dit à quel point ils étaient « obnubilés » l'un par l'autre. Ils avaient leurs petits noms, leurs plaisanteries intimes. « Ils passaient leur temps à blaguer, d'après Tasha. C'était comme une espèce de compétition entre eux. »

Nina Kidron, une amie des deux dernières années de la vie de Hannah, raconte que « c'était une expérience d'être avec eux, on aurait cru deux concurrents dans un jeu. Hannah disait un truc, et votre père disait non, ce n'est pas ça, et elle le contredisait à son tour. C'était difficile de les suivre ! Dîner avec eux, c'était un peu comme regarder un match de tennis ».

C'étaient « deux très fortes personnalités », à en croire l'ancien camarade de classe de mon père Roger Lavelle et sa femme, Gunilla, que je retrouve un matin dans un café de Highgate. Hannah parlait avec « une telle liberté », disent-ils, ce qui veut dire, comme je le comprends, sans retenue. Gunilla se rappelle qu'une fois, alors qu'elle faisait des courses avec Hannah, celle-ci avait pris un bas de maillot de bain qui ne correspondait pas au haut pour avoir sa taille. « Tout le monde le fait maintenant, dit-elle, mais à l'époque, c'était très osé – on aurait considéré ça comme du vol à l'étalage. »

Mais ils parlent aussi de la générosité de mes parents. Lorsque Gunilla et Roger s'étaient installés dans leur première maison, ils avaient trouvé une bouteille de vin et une marmite de poulet sauté qui les attendaient ; après la naissance du premier fils de Gunilla, Hannah l'avait emmenée dîner.

Je les interroge sur le suicide de Hannah, et ils se regardent. « Nous étions pris par notre propre vie », avoue finalement Gunilla. Ils n'avaient pas beaucoup vu Hannah au cours de sa dernière ou de ses deux dernières années. « Mais on s'est dit qu'on aurait dû sentir qu'il y avait des problèmes. »

Ils n'ont jamais vraiment discuté de la mort de Hannah, même ensemble. Il était évident que mon père ne voulait pas en parler, donc ils s'abstenaient également, expliquent-ils, « par loyauté envers votre père. Nous avons fait comme lui ».

Tout ce qu'ils peuvent suggérer, c'est que Hannah était « très fière », qu'elle n'aurait pas voulu laisser voir qu'elle était en difficulté.

Ils préfèrent se rappeler les bons moments, comme la fois où ils sont allés à une soirée à Londres avec mon père et Hannah, et se sont retrouvés, comme par magie, à prendre le petit déjeuner à Brighton le lendemain.

DATE INCONNUE

Elle était réveillée – les yeux ouverts, elle regardait le plafond qui était d'un blanc d'hôpital, aseptisé et sévère. Bien sûr, c'est vrai, tout avait commencé dans la matinée lorsqu'elle s'était appuyée contre la clôture du jardin pour parler à miss Hope, et soudain, elle avait été prise de vertiges et quelque chose en elle avait tressailli doulou- reusement, et la nausée l'avait envahie, comme si le bébé dans son ventre faisait son premier geste fort pour entrer dans le monde. Elle se rappelait que Jim avait été tout bonnement merveilleux – c'était un vrai coup de chance que ce matin-là, justement, il ne soit pas obligé d'être à l'usine avant dix heures trente.

Tout irait bien. Enfin, c'était ce qu'il semblait jusqu'à ce qu'ils arrivent à l'hôpital et qu'on lui dise que l'enfant ne réagissait pas normalement et qu'ils allaient devoir opérer. Ce n'était pas que ça la dérangeait qu'on lui ouvre le ventre. Mais les enfants devraient naître par la voie naturelle.

Soudain, elle réalisa ce qui s'était passé. Elle avait eu un enfant, son premier enfant, son propre enfant. *Je me demande si c'est un garçon ou une fille, j'espère que c'est une fille.*

« Mon bébé, où est donc mon bébé ? » L'infirmière avait la mine grave, mais elle se fendit d'un sourire énergique – votre bébé va bientôt arriver, c'est une fille.

« Oh, quel soulagement. Mais pourquoi je ne peux pas la voir tout de suite ? Pourquoi elle n'est pas là ? »

« Votre mari, dit fermement le sourire efficace. Votre mari – il attend dehors. Je vais lui dire d'entrer, je suis sûre que vous aimeriez le voir tout de suite. »

« Bella, dit-il en lui prenant les deux mains. Bella chérie. »

« Jim, où est notre bébé, où est notre petite fille ? »

Une expression d'anxiété était visible dans les yeux de Jim, mais elle fut remplacée presque immédiatement par un regard de puissante détermination.

« Bella chérie, je veux que tu sois très courageuse, maintenant. »

Accroche-toi à ses mains accroche-toi bien pour que tu ne puisses pas tomber pour ne pas hurler elle est morte à pleins poumons.

« Non, notre bébé n'est pas mort, mais il n'est pas fait exactement comme il est censé être. Tu comprends, Bella, son corps est normal, en pleine forme, en fait c'est juste que, enfin tu vois, elle a deux têtes. »

8

En novembre 1959, après plusieurs épisodes de mal au dos, mon père s'est fait opérer pour fusionner deux vertèbres de sa colonne vertébrale. Il a passé six semaines à l'hôpital et a dû réapprendre à marcher, mais Hannah, il tient à me le préciser, était à son chevet tous les jours. « Hannah se montre à la hauteur de la situation, écrivait mon grand-père dans son journal. Calme, efficace, coopérative : tout le côté râleur, désagréable, égoïste de sa personnalité a disparu. »

L'été suivant, elle obtint sa mention très bien – « une des deux seules attribuées par l'université sur un total de plus de cent trente étudiantes », notait fièrement mon grand-père. Deux mois plus tard, elle était de retour au Bedford College pour commencer à travailler sur sa thèse. De plus, elle se mit bientôt à rédiger des critiques de livres, d'abord pour le *Daily Herald*, et plus tard pour l'*Economist*, *New Society* et d'autres publications. Et pour couronner le tout, cet automne-là, elle tomba enceinte de moi.

Je suis retourné régulièrement dans mon ancienne maison – maintenant celle de ma belle-mère – pour chercher des affaires liées à Hannah. J'ai rapporté des livres, des photos, des films super-huit, le sac de coupes et de rosettes, des lettres de l'ami de mon père. Ma belle-mère a aussi parlé de quelques papiers qu'elle a rangés lorsqu'elle est venue vivre avec nous, même si elle n'a aucune idée d'où elle a bien pu les mettre. Elle déteste jeter, ce qui m'arrange bien, mais cela signifie également qu'il est difficile de trouver quoi que ce soit dans les tiroirs et les piles de cartons remplis à ras bord. Je fouille la maison, cherchant dans des endroits où j'ai déjà regardé. En essayant de nouveau un vieux meuble de rangement, je tire plus fort sur un tiroir et le dégage un peu mieux, et au fond j'aperçois une liasse de papiers.

Je les sors et les étale sur la moquette, cherchant un journal ou un carnet, mais il n'y a rien de tel. Il s'agit surtout de chèques retournés[1], de reçus, de documents liés au déménagement, un itinéraire de voyage. Mais il y a aussi une feuille avec des croquis de chevaux – Hannah gardait encore, apparemment, une place dans son cœur pour les chevaux. Il y a également une chemise de correspondance avec ses éditeurs. Et quelques lettres, ou plutôt des notes, de sa propre main, ainsi qu'une ou deux de celle de mon père. Et il y a quelque chose d'autre de sa main : le brouillon de l'histoire d'une femme qui accouche d'un bébé à deux têtes.

Le texte ne porte pas de date, et je ne dispose pas de suffisamment d'échantillons de son écriture pour tenter de le dater par comparaison. Mais il paraît probable qu'elle l'ait écrit vers l'époque où elle avait elle-même des enfants, peut-être pendant l'une de ses grossesses. Lorsqu'elle était enceinte de Simon, elle vivait dans un appartement, tandis que pour moi, elle habitait dans

---

1. À l'époque, en Angleterre, les chèques, une fois leur montant réglé par la banque de l'émetteur à celle du destinataire, étaient annulés et renvoyés à l'émetteur comme trace de la transaction.

la maison de Hillside Gardens, avec une clôture par-dessus laquelle elle pouvait bavarder avec les voisins, comme dans le texte. Lorsqu'elle m'a eu, de surcroît, elle avait déjà l'expérience d'accoucher dans une chambre d'hôpital « sévère et aseptisée ».

Ce texte exprime-t-il ses angoisses à l'idée d'avoir un autre enfant à l'âge encore tendre de vingt-quatre ans ? Elle avait une nourrice à plein temps, mais ce plein temps correspondait aux heures dans la semaine où elle était à la faculté, ou à la bibliothèque, ou en train de réaliser les quatre-vingt-seize entretiens avec des jeunes mères (elle voulait parvenir à cent, mais s'était épuisée) qui constituaient le matériau de sa thèse et du livre qu'elle allait devenir. Le soir et le week-end, elle avait la charge de Simon, ainsi que de faire tourner la maisonnée, de cuisiner, et de s'assurer que les chemises de mon père étaient repassées. Le bébé à deux têtes représentait-il les deux enfants exigeants qu'elle allait avoir, ou peut-être la compétition entre ses identités d'épouse/mère et de femme qui travaillait et étudiait ?

L'aversion exprimée par le texte envers l'idée d'un accouchement à l'hôpital est plus facile à comprendre – c'était l'époque où les maternités étaient le domaine de médecins despotiques et de sages-femmes imposant leur efficacité de manière autoritaire – et fut résolue de la sorte : elle accoucha de moi à la maison. L'histoire qu'on m'a toujours racontée est que j'ai été mis au monde par une sage-femme indépendante qui fut plus tard démise de ses fonctions, mais ce n'est que maintenant que je me demande s'il y avait un message sous-jacent dans cette version des faits. L'idée que Hannah était une mère négligente. Qu'elle ne s'est pas occupée convenablement de moi, dès le début.

Que, comme mon frère me l'a dit un jour, nous étions probablement mieux sans elle.

La sage-femme, je le découvre, s'appelait Erna Wright. Je ne trouve aucune mention stipulant qu'elle ait été démise de ses fonctions, même si à la fin des années 1960 elle a laissé tomber le métier pour ouvrir un restaurant autrichien à Camden Town, et a suivi par la suite une formation d'aromathérapie. Mais elle a également publié un livre important, *The New Midwifery*, qui vantait la « méthode Lamaze » de préparation à l'accouchement, encourageait les femmes à reprendre le contrôle du processus, et elle fut, à en croire sa nécrologie dans le *Guardian*, une pionnière du développement de l'accouchement naturel en Angleterre.

De fait, il semble que ni Hannah ni moi n'eûmes à souffrir de l'expérience. « Un accouchement facile : il pesait quatre kilos et il est entré dans ce monde en vingt minutes », écrivait mon grand-père dans son journal. Si j'étais né à l'hôpital, on aurait sans doute forcé Hannah à garder le lit pendant une semaine, mais à la maison, elle fut sur pied bien plus vite. Lorsque j'avais quatre jours, mon grand-père mentionna un « souper agréable » avec Hannah et mon père. Quelques jours plus tard, l'amie de Hannah, Phyllis Willmott, écrivait qu'elle avait donné une fête et que Hannah était venue « presque directement rentrée de couches – son deuxième bébé est né il y a huit jours ».

Je rends visite à Phyll : selon elle, le fait que Hannah se soit relevée si vite après son accouchement était un bon exemple de la manière dont elle essayait de vivre, de son désir de maîtriser son corps et son destin – même si elle « tirait un peu sur la corde ».

Hannah et elle s'étaient rencontrées lorsque Hannah avait été demander conseil au mari de Phyll, le sociologue Peter Willmott, au sujet de sa thèse. Phyll explique que son admiration pour Hannah s'était « immédiatement teintée d'un soupçon de jalousie ». Hannah était passée chez eux, et très vite, elle et Peter s'étaient plongés dans une grande conversation. « Hannah semblait tellement plus sûre d'elle que je ne l'étais », dit-elle. Et même après qu'elles furent devenues amies, ajoute-t-elle, « j'ai toujours eu le sentiment que je n'étais pas tout à fait à son niveau ».

Il y avait « ce sentiment grandissant, au début des années 1960, que, en tant que femmes, nous devions nous prendre davantage en charge, explique-t-elle. C'était difficile, les mères qui travaillaient étaient mal vues. Pour la plupart, nous ne nous réalisions pas pleinement dans nos vies, mais Hannah semblait déterminée à le faire. Elle était en avance sur son temps, elle s'efforçait de faire tomber les barrières qui limitaient les femmes ».

Quelques mois après ma naissance, Hannah dut s'entretenir avec un reporter de l'*Evening Standard*, car un article « vie quotidienne » de décembre 1961 rapporte ses propres vues sur l'équilibre entre le travail et la vie de famille, ou du moins ce qu'elle en dit à un journaliste :

« Hannah Gavron, vingt-cinq ans, épouse d'un entrepreneur, a fort bien résolu le problème de l'opposition travail/maternité. Elle a un enfant de trois ans et un bébé de quatre mois. Mais avec l'aide d'une nourrice qui les prend en charge de neuf heures trente à dix-sept heures trente tous les jours de la semaine, elle a réussi à obtenir son diplôme de sociologie avec mention très bien à l'université de Londres et à se lancer dans une thèse. "J'ai fait des compromis, car j'aurais été écrasée par une névrose de culpabilité si j'avais complètement délaissé Simon et Jeremy, explique-t-elle. Je les mets au lit tous les soirs, et je m'occupe d'eux tout le samedi et tout le dimanche. Ça ne me gêne pas que Simon croie qu'il a deux mères. Il a l'air tout à fait équilibré et heureux." »

Hannah voulait être, et être perçue, en pleine maîtrise de sa vie, a dit Gunilla Lavelle. Mais l'histoire du bébé à deux têtes n'est pas le seul indice suggérant que ce n'était pas toujours entièrement le cas. Deux semaines avant ma naissance, mon grand-père écrivit dans son journal qu'il avait trouvé Hannah qui « se débattait avec la critique qu'elle devait rédiger. Je l'ai retapée pour elle ». Quelques mois plus tard, il nota les inquiétudes que suscitaient chez lui ses tentatives de plier la famille à ses besoins. « Tout ce qui limite son temps libre l'impatiente. Pour libérer ses soirées, elle essaie d'imposer à Jeremy un rythme de trois repas par jour. Il pleure – ça représente des efforts : elle est fatiguée, irritable avec Simon. »

Je rencontre fortuitement une femme qui me dit qu'elle a été ma « gardienne » pendant une brève période quand j'avais trois ans, entre le départ de notre nourrice et l'arrivée de notre fille au pair. Elle me raconte que j'étais vilain, que je « renversais mon petit déjeuner en riant ». Hannah, dit-elle, « n'arrêtait pas d'aller et venir en coup de vent ».

Ce vers quoi se hâtait Hannah pendant les deux premières années de ma vie, c'étaient ses études et ses recherches, ses quatre-vingt-seize entretiens pour sa thèse sur « les conflits des mères au foyer », le sous-titre qu'elle devait donner à son livre.

Vu de notre époque, le sujet semble évident, toujours pertinent aujourd'hui, mais en 1960, il était loin d'aller de soi, et il ne lui fut pas facile de le faire accepter par ses directeurs de travaux. Malgré toutes les avancées obtenues par le mouvement des suffragettes, et l'occasion que la guerre avait donnée aux femmes de travailler et de connaître une vie en dehors du cadre familial, le mouvement féministe était en recul dans les années 1950 et au début des années 1960. Dans l'après-guerre, on avait mis l'emphase sur le rôle de la maternité dans la reconstruction de l'Angleterre. Le rapport Beveridge, base des réformes sociales, stipulait que « les femmes au foyer, en tant que mères, doivent accomplir un travail vital en assurant la continuation adéquate de la race et des idéaux britanniques dans le monde ».

Les magazines féminins de cette époque faisaient pareillement l'éloge de la famille. « Les femmes n'étaient plus représentées, comme elles l'avaient été dans les récits parus entre les deux guerres, comme des pionnières du monde du travail, ou comme des activistes patriotes de la Seconde Guerre mondiale », écrit Jessica Mann dans *The Fifties Mystique*. Après-guerre, « ce que désiraient les héroïnes de fiction, c'était systématiquement un mari, des enfants et une jolie maison ».

Même les sciences sociales semblaient aller dans ce sens. Des spécialistes de l'éducation parentale comme John Bowlby et Donald Winnicott prêchaient l'importance de la présence des mères auprès de leurs enfants. En 1958, l'année de la naissance de mon frère, Bowlby publia une brochure dans laquelle il avertissait que c'était « à ses risques et périls » que l'on négligeait la maternité.

Lorsque Hannah commença sa thèse en 1960, le célèbre article de Katharine Whitehorn sur les « souillons » remettant en question l'idée de la mère parfaite dans l'*Observer* ne devait pas paraître avant encore trois ans. Il en allait de même de *La Femme mystifiée* de Betty Friedan, qui aurait beaucoup moins d'impact en Angleterre qu'aux États-Unis. La résurgence du mouvement des femmes proprement dit n'interviendrait qu'une décennie plus tard.

Sheila Rowbotham, l'une des plus éloquentes partisanes et historiennes de ce mouvement, écrit que, pour les jeunes femmes de cette époque, le féminisme renvoyait à des « silhouettes indistinctes vêtues de vêtements longs et démodés, et reliées, d'une façon ou d'une autre, aux directrices d'école qui disaient qu'il ne fallait pas porter de talons hauts et de maquillage. Un truc très collet monté, raide, dont la visée principale était de vous tenir à l'écart des garçons ».

En tant qu'étudiante en sociologie, Hannah avait peut-être eu l'occasion de lire des travaux isolés datant des années 1950, comme les articles de Viola Klein sur les femmes mariées qui travaillaient. Peut-être fut-elle inspirée par la création en avril 1960 – alors qu'elle finissait son premier cycle – du registre des femmes au foyer, dont le but était de mettre en contact les femmes isolées. Peut-être fut-elle également influencée par la vision du monde de son père, marquée par des positions morales fortes, par les livres qu'il avait écrits sur une Palestine partagée et l'égalité raciale. Mais sans doute y avait-il aussi un élément personnel – sans doute, malgré tous ses privilèges de classe et d'argent, son choix de sujet fut-il en partie une réaction à sa propre expérience, aux tensions créées par la nécessité d'équilibrer ses études avec son statut d'épouse, de mère, de femme et d'individu.

Son dossier de Bedford montre qu'il lui a fallu du temps et pour trouver son titre et pour le faire approuver. Sa première proposition était un peu timide – une étude sur les jeunes mères « pour voir dans quelle mesure les changements socio-économiques affectant le statut des femmes donnent le jour à de nouveaux schémas conjugaux et familiaux », et même ainsi, elle rencontra des résistances. Une note dans son dossier l'informait : sa proposition n'avait « pas été approuvée dans sa forme actuelle. Vous devriez en discuter avec votre directeur de travaux avant de soumettre un autre titre pour examen sur le formulaire ci-joint ». Mais on trouve aussi trace de sa détermination à poursuivre : « Sur le conseil de McGregor, elle retire sa demande de bourse auprès du DSJR (Department for Social Justice and Regeneration), au motif qu'elle refuse de modifier le sujet de sa recherche, qui ne serait pas acceptable pour le DSJR. »

Une fois qu'elle eut passé les obstacles et commencé ses entretiens, son champ d'investigation se précisa. Début 1962, elle avait un titre plus explicite : « La situation et les perspectives des jeunes mères – progrès ou régression. (Une étude des difficultés qui se présentent aux jeunes femmes dans la famille contemporaine, fondée sur une étude comparative des mères de la classe ouvrière et de la classe moyenne.) »

Les femmes qu'elle interviewait lui étaient adressées par un ami, médecin généraliste à Kentish Town. Sa technique d'entretien, notait-elle, était fluide : elle visait davantage la qualité que la statistique, et insistait sur l'idée de « présenter une image critique des vies de ces familles plutôt qu'un dispositif rigide de construction scientifique ». La thèse se mit rapidement à avancer. Elle dut peut-être renoncer à sa candidature pour une bourse du DSJR, mais elle en reçut une pour sa première année, et eut à choisir entre deux au cours de la deuxième. « Entretiens terminés, à présent en cours de rédaction, notait son directeur de recherches,

Ronald Fletcher, dans un bref compte rendu vers la fin 1962. Très bon travail. »

Les difficultés de la vie domestique de Hannah après ma naissance semblent également s'être vite aplanies. À ma première apparition dans les films de famille, alors que j'avais quelques semaines, Hannah, souriante, me chatouille, puis me soulève et me tapote les fesses. La caméra, sans doute entre les mains de mon père, remonte le long de son corps, admirant ses jambes minces, en short, son ventre, qui ne montre aucune trace de sa grossesse, comme s'il prenait plaisir à constater la rapidité avec laquelle elle avait récupéré sa silhouette. Dans le film suivant, le printemps d'après, je suis plus grand, plus gros, assis sur une chaise haute dans le jardin, en manteau. Quelques mois plus tard, nous sommes en vacances d'été dans le sud de la France. Simon nage avec une paire de flotteurs jaunes. Mon père me porte dans la mer dans ses bras. Plus tard, Hannah apparaît en maillot de bain dans un jardin, et tire la langue à la caméra.

Parmi les articles que Susie a rapportés d'Édimbourg, un exemplaire d'un magazine américain, *Business Week*, daté de l'été 1962, montre une série de photos de nous, qui remontent, je m'en aperçois, aux mêmes vacances. Elles illustrent un article sur les entreprises européennes mettant des maisons de vacances à la disposition de leurs cadres. Je ne sais pas pour quelle raison le magazine a choisi ma famille, mais les photos en noir et blanc et les légendes surannées parlent, comme c'était sans doute l'intention, d'une famille jeune et heureuse, à une époque prospère du siècle.

Voilà mon père et Hannah qui se font servir le déjeuner par la gouvernante de la villa, avec du fromage français, une baguette, et une bouteille de vin sur la table devant eux. Nous voilà tous les quatre dans une décapotable – je suis assis sur les genoux de Hannah sur le siège avant – « en route pour admirer la vue de Saint-Tropez l'élégante ». Voilà mes parents en train de danser plutôt timidement dans ce qui ressemble à une cave. « On ne peut connaître la vie nocturne de Saint-Tropez sans aller twister dans l'un de ses night-clubs historiques. »

En octobre 1962, mon grand-père notait que Hannah avait écrit « quatre critiques de livres et un article ». Son style avait dû s'améliorer, car il ne se plaignait plus de devoir l'aider, mais qu'elle termine ses critiques « sans [lui] dire ». Elle avait aussi fait sa première apparition à la télévision. « Elle manque encore d'expérience, elle parle trop vite, note mon grand-père, commentateur télé aguerri, dans son journal. Mais lorsqu'elle sourit, elle illumine l'écran. »

En tant que famille, également, nous nous élevions dans le monde. Vers la fin 1963, nous avons déménagé de Hillside Gardens dans une maison plus grande sur Jacksons Lane, une rue perpendiculaire. Mon père travaillait depuis deux ans à monter une affaire ; en septembre 1964, il quitta l'entreprise de son cousin par alliance et, grâce à un prêt de la ville, acheta une imprimerie. Mon père avait « réussi », écrivait mon grand-père. « Hannah l'a aidé en lui présentant des gens, elle l'a aidé à conclure le marché. »

Désormais, Hannah travaillait également. En août 1963, mon grand-père note : « H. obtient un poste de maître de conférences en sociologie au Hornsey College. Mille six cents livres par an ! »

157

Les seules personnes de la période de Hannah à Hornsey dont je connaisse l'existence sont l'homme avec qui elle a eu sa liaison, dont le nom, je l'ai appris, est John Hayes, et David Page, qui a rédigé la lettre qui m'a tant plu. J'ai beaucoup avancé depuis la dernière fois que j'ai écrit à David Page, et je le recontacte ; cette fois il m'invite à lui rendre visite dans sa ferme du Norfolk. Il me retrouve à la gare et, en route, il m'explique que Hannah n'enseignait pas la sociologie à Hornsey, mais la culture générale, dans le cadre d'un cursus qu'il dirigeait en partie. Il parle du rapport Coldstream de 1960, qui établissait que les écoles d'art devaient dispenser à leurs étudiants, en plus des beaux-arts à proprement parler, un enseignement en lettres et en sciences humaines : Hannah et lui avaient tous deux été engagés à cette fin.

Pendant qu'il prépare le thé, il me laisse consulter son carnet de rendez-vous de la première année de Hannah à Hornsey. En le feuilletant, je vois des allusions à des cours qu'elle a donnés sur Freud et la psychologie, la guerre civile américaine, la psycho-sociologie de la violence.

Comme d'autres écoles d'art, m'explique-t-il en revenant, Hornsey connaissait une expansion rapide dans les années 1960. Le bâtiment où Hannah et lui enseignaient était partagé avec une école primaire – pendant les cours, des enfants jetaient des boulettes de papier par la fenêtre. Le nouveau Hornsey était un mélange de conservateurs et de radicaux. L'un des professeurs, un réfugié juif autrichien, était connu pour sauter à la gorge de quiconque caressait un point de vue de gauche – « Si z'est ze ke fous penzez, allez fifre à Mozcou », disait-il. Mais il y avait aussi des professeurs plus jeunes, plus progressistes – parmi eux, Jonathan Miller, Michael Kidron et Tom Nairn.

Je l'interroge sur John Hayes, mais David ne le connaissait pas bien. Il préfère parler de Hannah, de sa popularité auprès des étudiants – auprès de lui, aussi. Elle était « vraiment la femme moderne. Très directe, elle jurait comme un charretier en fumant ses cheroots ».

« Pour moi, c'était l'incarnation d'une certaine sorte de force vitale, dit-il. Tout s'illuminait lorsqu'elle entrait dans une pièce. » Il secoue la tête. « Je ne comprends pas comment on peut suffisamment effacer ça pour faire ce qu'elle a fait. » Il avait été en colère contre elle, après. Il était son ami. Pourquoi n'était-elle pas venue lui parler ?

Il me suggère de contacter deux étudiants de Hornsey qui se sont mariés. John Rickets et Norma Jacobs n'ont pas déménagé très loin de Hornsey et, dans leur maison de Muswell Hill, ils parlent avec nostalgie de leurs années à la fac. John a grandi dans une cité HLM à Chingford, et aller à Hornsey lui a « complètement ouvert les yeux ». Le monde de son enfance était « confiné, réservé et guindé, et soudain, à Hornsey, il y avait la liberté de penser et de créer ».

Hannah paraissait « très sophistiquée », mais ils pouvaient « lui parler de tout ». Ses cours étaient détendus ; les étudiants et l'enseignante s'asseyaient en cercle. Norma se rappelle que Hannah les avait fait parler de la façon dont ils étaient vêtus, de l'image qu'ils projetaient. « Aujourd'hui, ça paraît anodin, mais à l'époque, cette façon de penser m'a fait l'effet d'une révélation. »

Hannah siégeait au comité consultatif du magazine étudiant *Horn*, dans lequel ils travaillaient tous les deux, et John part chercher des exemplaires. Ils sont aux antipodes des journaux d'étudiants guindés que j'ai feuilletés dans les archives du Bedford College. Les illustrations relèvent du psychédélisme des années 1960. Il y a une photo de David Page portant seulement un chapeau melon et une feuille de figuier, et un dessin cartoonesque de la *Horn machine*, un véhicule à plusieurs étages qui ressemble à un tracteur et transporte tous ceux qui travaillent pour le magazine, y compris Hannah, parfaitement identifiable dans sa minijupe, ses cuissardes et sa coiffure à la Mary Quant.

Dans les années 1960, Hornsey était l'endroit où il fallait être, expliquent-ils. Les Rolling Stones et Cream ont joué dans le bar de la fac. Ray Davies des Kinks y faisait ses études, et Rod Stewart y traînait souvent, même s'il n'était pas inscrit. Dave Clark des Dave Clark Five avait un oncle gardien d'immeuble à South Grove, et lui aussi traînait souvent dans la cour. « Le monde était tellement conventionnel qu'il était facile d'être révolutionnaire, mais ça ne rendait pas la chose moins exaltante, disent-ils tous deux presque en même temps. Tout était possible, l'avenir semblait riche de mille promesses, et nous étions en plein milieu de l'action. »

C'est aussi à travers Hornsey, je le découvre dans le classeur de sa correspondance avec sa maison d'édition, que Hannah a été présentée à Routledge & Kegan Paul. L'éditeur, Brian Southam, en quête d'un volontaire pour rédiger une introduction à la sociologie à destination des étudiants en art, contacta la fac, et on lui suggéra Hannah.

Après une rencontre en juin 1964, Southam écrivit à Hannah pour lui demander d'envoyer une proposition. Un brouillon de la réponse de Hannah, corrigé par mon père, est agrafé à sa lettre. En face de son entrée en matière un peu brusque – « Voici ma proposition » –, il a ajouté : « J'ai aussi beaucoup apprécié notre discussion, et je vous confirme que nous avons une conception très semblable de l'ouvrage. »

Sa proposition n'épargnait pas ses lecteurs potentiels : « Mon expérience dans l'enseignement de la sociologie à des étudiants en art a révélé qu'ils ne possèdent pas un vocabulaire très vaste, et qu'il faut les courtiser pour éveiller leur intérêt. » Mais Southam répondit que « le comité de lecture était extrêmement impressionné ». On lui donna une avance de cent livres, et le contrat fut signé le 29 juillet.

Il dut aussi y avoir des échanges au sujet de la thèse de doctorat de Hannah, qu'elle avait maintenant terminée, car trois semaines plus tard, Southam écrivit qu'il avait reçu des « avis très favorables » sur son tapuscrit, et que Routledge aimerait le publier également.

En octobre 1964, un an après que Hannah eut commencé à travailler à Hornsey, mon grand-père écrivait dans son journal : « Hannah change. Allure exotique : cheveux noirs lissés, robe rouge, peau bronzée. Elle a trouvé un titre pour son livre : *L'Épouse captive*. »

Vu de l'extérieur, tout semblait aller pour le mieux dans le meilleur des mondes. L'affaire de mon père était florissante. Hannah était employée à Hornsey avec non pas un, mais deux livres en commande. Simon était à l'école et j'allais bientôt y entrer à mon tour, avec les libertés que cela laissait à mes parents. Nous n'avions plus besoin d'une nourrice à plein temps, et début 1965 elle fut remplacée par une fille au pair. Hannah et mon père n'avaient encore respectivement que vingt-huit et trente-quatre ans.

Les chèques qu'ils ont rédigés au printemps et à l'été 1965 – retournés par la banque, comme l'étaient à l'époque les chèques annulés, et conservés par ma belle-mère – donnent une image très précise de la vie prospère à laquelle ils étaient en train d'accéder : Royal Opera House, Box Office Royal Court, Harrods, Heals, Selfridges, Deans Place Hotel, J. F. Lambie, tailleur de Savile Row, ainsi que Peter Coxon Typing Services, la Marie Stropes Memorial Clinic, et le Labour Party de Hornsey.

Cet été-là, nous sommes repartis en vacances dans le sud de la France, tout le mois d'août cette fois, même si mon père est rentré à Londres à deux ou trois reprises pour le travail. L'itinéraire de l'agence de voyages révèle que nous avons pris la voiture de mon père, une Aston Martin DB4 décapotable, et un bateau à moteur de treize pieds qu'il avait acheté – à en croire un chèque retourné – six cent trente-neuf livres et treize shillings. À Southend, voiture et bateau ont été chargés dans le nez bulbeux d'un avion de la British United Air Ferries Carvair, et nous avons embarqué pour Calais, où nous avons passé la nuit à l'hôtel avant de prendre un train navette-auto de Boulogne à Saint-Raphaël le lendemain soir.

Nous louions l'étage supérieur d'une villa dans le quartier Bellevue, à La Croix-Valmer. « L'appartement est splendide, nous avons une magnifique vue sur la mer et c'est très calme, écrivait Hannah dans la seule lettre à mes grands-parents qui a survécu. Nous menons une vie agréable, sans responsabilité, et nous évitons de nous astreindre à la moindre routine, ce qui est charmant ! Nous sommes déjà tout bronzés et les enfants sont en pleine forme. »

Des amis sont venus faire des séjours, parmi lesquels un ami de mon père et son compagnon, et Anne Wicks, maintenant séparée de Tony, avec son nouveau petit ami, Ghriam.

Contrairement à trois ans plus tôt, il n'y a qu'environ une minute de film super-huit, et une seule pellicule de notre mois en France. Peut-être était-ce simplement de la lassitude vis-à-vis de la caméra, mais peut-être était-ce l'indice d'autre chose : un relâchement des liens, du moins dans l'esprit de Hannah, avec la famille ici représentée.

Le petit film nous montre, mon frère et moi, la peau hâlée, sautant joyeusement dans les vagues, l'eau étincelante de soleil. Plus tard, nous construisons un château sur la plage avec mon père, qui est à genoux dans le sable, en forme et musclé.

Hannah devait être derrière la caméra pour ces scènes, mais vers la fin, il y a quelques secondes où on la voit marcher sur la plage en minuscule bikini. Elle est plus mince qu'avant. Sa nouvelle coupe de cheveux est cachée sous un bonnet de bain à fleurs.

Elle marque une pause au bord de l'eau et fait mine de saluer la caméra, mais change d'avis et transforme le mouvement de sa main en une vague. Elle dit quelque chose que l'on n'entend pas sur le film muet et s'avance avec précaution dans la mer.

JANVIER 1965

Nous avons énormément d'amis qui ont la quarantaine – je n'ai pas le sentiment que ça leur donne tellement d'avantages en matière de savoir ou d'expérience. Difficile de dire pourquoi – je suppose que ça vient de ma confiance dans ma capacité d'obtenir n'importe quelle information en cas de besoin.

Personne ne passe plus une vie entière à travailler sur un seul sujet.

Il est bien sûr difficile de savoir quoi dire à mon fils sur ce qui s'est passé en Allemagne pendant la guerre.

Notre génération ne sait rien de la période où le parti communiste jouait un rôle important en Europe et était plein d'intellectuels – quand j'ai lu ce livre pourri, *Les Mandarins*, sur la colère de Sartre contre Camus, etc. –, ça ne veut rien dire pour nous.

As-tu remarqué que dans les syndicats universitaires ils n'arrêtent pas de lancer des motions provocatrices – tel foyer demande davantage de contraception, ce genre de chose – pour attirer l'attention et qu'en général ils échouent ? Les jeunes techniciens sont trop occupés à faire l'acquisition de leur petite voiture.

La précocité du mariage entrave aussi puissamment la rébellion.

Moins de distinctions de classes, moins de distinctions de races, moins de conformisme, moins d'art minable – nous sommes tous pour les mêmes bonnes causes, même si c'est souvent pour de mauvaises raisons.

Lorsque j'ai vu *Look Back in Anger* (*La Paix du dimanche*) – nous nous sommes retrouvés à la deuxième représentation par hasard –, j'ai eu le sentiment qu'Osborne nous soutenait, il disait toutes les choses que nous disons depuis longtemps.

Ce qu'il y avait de positif chez les victoriens, c'est que si un truc les dérangeait, ils exigeaient le changement. Ils pouvaient encore faire des vagues et changer les choses comme nous ne le pouvons plus, des lois sur les asiles aux droits des femmes – il n'y a qu'à penser à toutes les pionnières ; elles étaient habitées par le sentiment d'avoir une mission, un pouvoir, et elles l'utilisaient.

On parle trop de l'opinion des artistes.

Les intellectuels ne servent plus à rien ni à personne, de nos jours : il faut avoir quelque chose, être un scientifique, un physicien. Les idées seules n'ont plus d'utilité : la machinerie pour les mettre en œuvre est indispensable.

9

Cela fait un certain temps que j'ai l'intention de contacter Jeanie, notre fille au pair du temps de Hannah, mais j'ai repoussé le moment, je ne sais pourquoi, et lorsque j'appelle à son domicile dans le Sussex, son mari m'apprend qu'elle est sortie et qu'ils partent en France pour un mois le lendemain. Maintenant que je suis enfin décidé à lui parler, l'idée d'attendre un mois me semble insupportable, et je commence à dire que je pourrais venir en voiture dans l'après-midi, mais il m'interrompt. Jeanie se trouve à Londres pour voir leur petite-fille. Il me donne son numéro de portable, et lorsque j'appelle, il se trouve qu'elle est sur le point de déposer sa petite-fille à la maternelle à deux ou trois kilomètres de là où j'habite, et nous convenons de nous retrouver dans un café.

Après la mort de Hannah, Jeanie est restée chez nous pendant deux ans, et elle a gardé le contact avec nous pendant toute mon enfance, mais la seule fois où nous nous sommes vus ces vingt-cinq dernières années ou plus, c'est à l'enterrement de Simon – toutefois, je l'ai reconnue tout de suite ce jour-là, et j'ai éprouvé pour elle une sympathie immédiate.

En arrivant au café à vélo, quand je la vois assise en terrasse, j'éprouve le même élan de sympathie, mais quelque chose de plus triste et de plus nostalgique se réveille également en moi. Peut-être que ce sont ces sentiments qui m'ont retenu de la contacter jusque-là ; j'associe Jeanie à cette époque perdue, à ma famille d'origine.

Nous nous donnons une accolade un peu maladroite – à mes yeux, elle n'a pas tellement changé, mais je dois me rappeler que je ne suis plus le petit garçon dont elle s'est occupée.

Pour sa part, dit-elle, elle n'était guère plus qu'une enfant lorsqu'elle est arrivée chez nous : elle a commencé le jour de ses dix-sept ans, le 4 février 1965.

Elle avait répondu à une annonce dans *Lady*, qui demandait une aide maternelle plutôt qu'une fille au pair. Elle se rappelle encore son entretien. J'avais frappé Hannah en jouant avec une épée en plastique, et Jeanie avait été surprise par la patience dont celle-ci avait fait preuve, me grondant gentiment. Son père était sergent-chef dans les gardes gallois, et chez elle, elle aurait « pris une beigne pour avoir fait une chose pareille ».

J'étais une « petite boule d'émotions », tandis que Simon était plus facile, et elle reconnaît qu'elle avait une préférence pour lui au départ. « Je ne dirais pas ça si Simon était encore en vie, dit-elle, mais quelques semaines après mon arrivée, Hannah m'a confié qu'elle avait remarqué que je me sentais plus proche de Simon. Elle était très contente que j'aie cette proximité avec lui, parce qu'elle se sentait plus proche de toi. »

C'est l'histoire que j'ai déjà entendue, que je n'ai pas crue, mais je n'ai pas de raison de mettre en doute la parole de Jeanie. En revanche, quand j'avance que cela expliquerait pourquoi Simon semblait toujours tellement en colère contre moi, elle est surprise. Ce n'est pas vrai que Simon était toujours en colère contre moi, dit-elle ; il m'aimait, il était très protecteur avec moi.

Elle désigne une petite cicatrice sur ma lèvre, me demande si je me rappelle comment je l'ai eue, et quand je réponds que non, elle m'explique que cela s'est passé dans le jardin d'enfants de Highgate Woods, peu de temps après son arrivée chez nous. Nous étions là avec des amis et leur fille au pair, une amie de Jeanie, Sheila. J'étais assis sur un tape-cul et Simon me poussait ; j'ai fait un bond trop brusque en avant et me suis fendu la lèvre sur la poignée.

Ça a beaucoup saigné, et dans son inquiétude, Jeanie a grondé Simon pour m'avoir poussé si fort ; il a fondu en larmes. Il était « mortifié », dit-elle, et il n'arrêtait pas de répéter qu'il n'aurait jamais fait exprès de me faire du mal.

Je suis content d'avoir appris l'origine de la cicatrice, mais j'ai une boule dans la gorge. C'est le genre d'histoires qu'on apprend en général d'un parent – comme les histoires sur leur petite enfance que mes filles adorent entendre. Cela participe de ce qui nous unit en tant que famille, ce passé commun, ces petits souvenirs.

Je repense à une conversation récente à la table de mon père. Nous parlions des surnoms que nous donnions à nos enfants, et mon père m'a révélé celui que lui donnait sa mère. Je me suis dit avec un petit papillonnement d'enthousiasme que, peut-être, Hannah m'avait affublé d'un petit nom. Mais lorsque j'ai posé la question, le silence s'est fait. Mon père a eu l'air confus. Il ne se souvenait pas.

Je suppose, dis-je à Jeanie, que c'est après la mort de Hannah que les problèmes entre Simon et moi ont commencé, mais là encore, elle proteste. Même après la mort de Hannah, Simon était gentil avec moi, dit-elle, il m'aidait à faire mon sac quand nous partions quelque part, m'apaisait lorsque j'étais contrarié.

Elle explique, aussi, qu'elle s'est « vraiment entichée de moi » ; elle me faisait toujours « beaucoup de bisous et de câlins », et je pense à la chaleur instinctive que je ressens à son égard.

Après coup, des souvenirs de Simon vont me revenir : la fois où il m'a prêté son jean rapiécé et ses *platform boots* pour ma première fête d'adolescent, d'autres actes de générosité, lorsque nous étions plus âgés, pour lesquels j'ai eu du mal à lui rendre la pareille ; mais me reviennent aussi la menace dans ses bras, ses poings puissants, ses dents serrées.

À moins que ce ne soit après le départ de Jeanie que les choses se sont détériorées entre nous ?

« Hannah ne ressemblait à personne que j'aie connu auparavant », dit Jeanie. Les jours où Hannah travaillait à la maison, elle descendait en milieu de matinée, préparait du café au percolateur sur la gazinière et mettait une cuillerée de crème dans deux tasses, qu'elles buvaient devant le plan de travail. Hannah posait des questions à Jeanie sur sa vie, ou lui parlait du monde ; « elle essayait de me mettre un peu au courant ».

Jeanie était stupéfaite par les « remarques osées » que faisait Hannah. « Ça fait un peu bondage », avait-elle par exemple dit du titre de son livre – *L'Épouse captive*. Lorsque la mère de mon père mourut en mai 1965, Jeanie essaya de présenter ses condoléances ; Hannah l'interrompit : « C'est bon, tu n'as pas besoin de m'exprimer ta sympathie. En toute honnêteté, je n'aimais pas cette femme, et elle ne m'aimait pas. »

Elle se rappelle une chanson que Hannah me chantait souvent – « Jeremy Jo avait une bouche comme un O et une brouette pleine de surprises ». Je suis tout excité, je connais cette chanson, je dois me souvenir de Hannah en train de me la chanter, jusqu'à ce que je réalise pourquoi je la connais. C'est un poème de A. A. Milne, *Jonathan Jo*. Je l'ai lu à mes filles.

Elle parle de nos vacances en France ce dernier été. Elle se souvient que nous avions trouvé une anguille morte sur la plage. Hannah et mon père avaient plaisanté : ils allaient lui faire le « *bouche-à-bouche* ».

Elle se rappelle que nous « foncions » en bateau jusqu'à une baie ou une autre pour déjeuner sur les plages et nager, en chantant *Ticket to Ride* des Beatles. Hannah s'asseyait à cheval sur la proue dans son bikini pour éviter que le nez du bateau ne se soulève et aider l'embarcation à rester stable. Un jour, nous sommes rentrés tard, le vent s'est levé, et mon père a dû ramener le bateau par une mer agitée et une lumière déclinante. C'était angoissant, mais une fois que nous fûmes en sécurité à la maison, l'expérience s'était transformée en une nouvelle aventure.

Hannah l'avait emmenée faire les boutiques au marché de Saint-Tropez. C'était là qu'on trouvait les dernières modes avant qu'elles ne débarquent sur Carnaby Street, lui avait dit Hannah. Elles s'étaient toutes deux acheté des tee-shirts et des pantalons taille basse, et Hannah s'était pris un petit képi en jean que je l'ai vue porter sur des photos.

Elle se rappelle que Hannah prenait un bain de soleil sur le balcon et que mon père s'était planté devant elle. Elle avait dit : « Quand tu me bloques mon soleil, t'as de la chance que je t'aime. »

À cette période, elle n'était pas au courant de la liaison de Hannah, mais en y repensant, elle voit bien qu'il y avait des tensions dans l'air, en particulier lorsque Anne Wicks était venue en visite. À l'époque, elle avait pensé que c'était parce que mon père n'aimait pas Anne, mais, par la suite, elle s'est demandé si des choses n'avaient pas été dites, ou du moins sous-entendues.

Plus tôt cette année-là, peu avant l'arrivée de Jeanie, mon grand-père avait interviewé Hannah en vue de la rédaction d'un livre sur les intellectuels, et bien qu'il n'y ait pas trace de ses questions, je retrouve dans ses papiers un tapuscrit des réponses de Hannah.

Ses observations montrent qu'elle parle bien, avec des opinions tranchées. Mais que faire de ses jugements hâtifs sur Sartre ou les victoriens, de son rejet radical des artistes, des étudiants, des techniciens ? Elle parlait à son père, bien sûr, elle ne prenait pas les précautions oratoires qu'elle aurait pu prendre avec quelqu'un d'autre, peut-être même le flattait-elle. Mais ses mots me rappellent à quel point elle était jeune, à quel point les jeunes peuvent être sûrs d'eux, avec quelle rapidité ils prennent position sur les choses.

Pour une universitaire, avec une thèse en préparation, son rejet des intellectuels est surprenant. Mais peut-être exprimait-elle sa crainte de ne pas parvenir à faire entendre ses idées, de ne pas être en mesure de changer les choses comme les pionnières victoriennes dont elle parlait.

Depuis l'effervescence de l'été précédent, où Routledge & Kegan Paul l'avaient prise sous contrat pour un livre et avaient accepté de publier ensuite sa thèse, sa progression universitaire avait stagné sur bien des plans. Elle avait fini sa thèse mi-1964, mais début 1965, elle ne savait toujours pas si elle avait été approuvée – et la maison d'édition retenait le contrat pour *L'Épouse captive* jusque-là. De plus, elle avait posé sa candidature pour deux postes universitaires à la London School of Economics, et avait été refusée les deux fois.

Le délai dans l'obtention de son doctorat semblait relever davantage d'une bourde que d'une conspiration. « Au désespoir de Hannah », écrirait plus tard mon grand-père, Ronald Fletcher, son directeur de recherches, « a laissé traîner la thèse avec une paresse toute masculine pendant la moitié d'une année en 1964-1965 ». Susie se souvient d'un télégramme que Hannah avait envoyé à Fletcher : « J'ai peur que vous ne vous serviez de ma thèse comme papier-toilette. »

Mais deux entrées énigmatiques dans les journaux de mon grand-père laissent entendre que les refus de la LSE étaient peut-être moins fortuits. « "Manque d'envergure". J'étais furieux », écrit mon grand-père après le second. Simple maître de conférences au moment où Hannah était entrée à Bedford, O. R. McGregor était en 1964 professeur et directeur du département de sociologie, ce qui faisait vraisemblablement de lui l'auteur de la lettre de recommandation pour Hannah. Quelques semaines plus tard, mon grand-père écrit à son sujet : « Pas de doute, c'est l'ennemi. »

Ce qu'il entendait exactement par là n'est pas très clair, mais la possibilité que Hannah, dans son travail sur la condition des femmes, se soit trouvée en butte à une opposition masculine est étayée par une histoire que m'a racontée le mari de Susan Downes, David, qui était un jeune maître de conférences à la LSE à l'époque où Hannah a posé sa candidature.

David l'avait rencontrée par l'entremise de Susan, et il avait été « super content » d'apprendre qu'elle devait venir enseigner à la LSE. Après son entretien, il avait demandé au Pr Richard Titmuss, le doyen du département de politique sociale de la LSE, qui avait présidé le jury, comment ça s'était passé, et s'était vu seulement répondre que Hannah « portait trop de fard à paupières vert ».

En avril 1965, toutefois, elle obtint enfin son doctorat. « Nous sommes tous ravis, naturellement, écrivit ma grand-mère à sa sœur Zelda en Israël. C'est un grand soulagement pour elle. » Cela devait être peu après que je m'étais fendu la lèvre, car elle ajoutait : « Jeremy va bien. L'accident ne lui a laissé qu'une petite cicatrice à la lèvre et ses dents ne sont pas tombées. » Quelques semaines plus tard, mon grand-père écrivait dans son journal que Hannah avait signé son contrat pour *L'Épouse captive*.

Du point de vue de mon grand-père, les problèmes de Hannah étaient résolus. Elle « rédigeait son introduction à la sociologie ». Mon père avait récemment gagné de l'argent en vendant des actions. « Leur succès », concluait mon grand-père avec satisfaction.

Mi-juin, il mentionne une soirée donnée par Hannah et mon père, peut-être pour fêter leurs dix ans de mariage. « Le nombre de gens qu'ils connaissent. Tout le monde ! » Mon père, écrivait-il, était « calme et sûr de lui ». Hannah était « tr. amicale : sentiment qu'elle est maintenant la figure centrale de la famille ».

C'était son autre fille, Susie, qui lui causait du souci. En janvier, Susie avait annoncé ses fiançailles avec son petit ami, un jeune professeur de Cambridge. Mais en mars, Susie déclara à mes grands-parents qu'elle « ne voulait pas l'épouser. Pas encore. Elle a la frousse ». Et en avril, elle s'était enfuie avec un autre homme. À son retour, il y eut une « soirée pleine d'émotion ».

Vers la fin juin, Susie était de nouveau un sujet d'inquiétude, et mon grand-père demanda conseil à Hannah : « Les mots de réconfort de Hannah : Susie est solide. »

Quelques semaines plus tard, nous partions pour notre mois en France. Mi-août, mon grand-père écrivait qu'il avait vu mon père lors d'une de ses visites éclairs à Londres pour le travail : « bronzé, en forme, sûr de lui ». Début septembre, comme nous étions tous rentrés, il mentionne une « agréable » promenade avec Simon et moi sur Primrose Hill. Plus tard dans le mois, Hannah l'aida sur son livre. « Ça m'a plu ! » note-t-il.

Et, quelques jours plus tard :

4 octobre : « Choc énorme – H., un autre homme. Une impression de froid dans le ventre. »

6 octobre : Mon père « ne peut pas supporter ça passivement. Menace de couper les ponts avec Hannah, veut la garder, question d'amour-propre. J'essaie de le calmer, lui dis : laisse passer un peu de temps ».

7 octobre : « Parlent de voir un psychiatre. M. (ma grand-mère) : téléphone tout de suite. Elle le fait ! Rendez-vous pris ! »

8 octobre : « Highgate. Trouvé les Gavron beaucoup plus joyeux. Pour l'instant – ils ne montrent rien. »

14 octobre : « Hannah téléphone. Mauvais augure, de nouveau. Hannah a vu un avocat. Les enfants sont négligés. Je pressens – un désastre. »

19 octobre : « Message téléphonique. » Mon père « est parti ».

Jeanie se rappelle mon père descendant l'escalier ce matin-là, une valise dans chaque main. Hannah avait dit qu'il partait en voyage d'affaires, ou quelque chose comme ça, mais un peu plus tard, devant leur café du matin, elle confia à Jeanie que ça ne se passait pas bien entre eux et qu'ils avaient besoin d'un peu de distance.

Mon père s'installa d'abord au Ritz. Ensuite, il emménagea dans une maisonnette qui appartenait à un ami médecin, dans une ruelle derrière Harley Street. Jeanie se rappelle qu'il venait nous voir le soir, Simon et moi.

Hannah ne s'ouvrit pas directement à Jeanie de son aventure avec John Hayes, elle parla d'un collègue qui était auparavant homosexuel mais fréquentait maintenant une femme. « Elle ne m'a jamais dit que la femme, c'était elle, se rappelle Jeanie, mais au bout d'un moment, j'ai deviné. »

L'après-midi du départ de mon père, mon grand-père écrivit que Hannah était « prudente, maîtresse d'elle-même, déterminée. Elle me raconte sa version des faits ». Mon père était « impossible à vivre ! Elle doit se battre pour son identité en tant qu'individu. Il est farouchement dominateur. Et pendant que nous discutons, elle me fait basculer – du côté de Hannah ».

Mais ce soir-là, mon père rendit visite à mes grands-parents. Hannah le « poussait à demander le divorce », mais il suggérait une « séparation à l'essai ». « Hannah pourra tirer des chèques, diriger la maison, voir son John. Doit voir un psychiatre. » Après cette proposition, « ma sympathie et ma raison m'ont fait me rallier à sa cause. Maintenant je suis de son côté », écrit-il.

Le lendemain matin, Hannah passa chez mes grands-parents pour écouter les conditions de mon père. « Elle accepte, avec méfiance, sans conviction », mais « refuse le psychiatre ». Elle « verra son John – mais pas à la maison ».

Après cette réunion, elle conduisit mon grand-père à son bureau à Bush House – « comme une folle furieuse – sans se préoccuper le moins du monde de la circulation – une conduite de psychopathe – j'ai les cheveux qui se dressent sur la tête ».

Au lieu d'un psychiatre, Hannah se rendit à l'université du Sussex pour consulter un vieil ami, Tony Ryle. C'était son cabinet de généraliste à Kentish Town qui lui avait fourni la liste des femmes qu'elle avait interviewées pour sa thèse ; il était maintenant médecin du campus.

« Tony Ryle a aidé », nota mon grand-père lorsque Hannah rentra du Sussex le 27 octobre. Une « trêve » entre elle et mon père. « Deux caractères dominants. Ils vont aller voir des conseillers à l'institut Tavistock. »

Si, par là, mon grand-père entendait des conseillers conjugaux, il était en fait question, désormais, qu'ils aillent consulter Anthony Storr, un éminent psychiatre. « Alors, pour Storr, tu veux vraiment y aller, ou c'est mes parents qui te poussent ? écrivit Hannah à mon père. J'irai de bon cœur si c'est ce que tu souhaites. Dis-moi ce que tu veux et si tu veux fixer le rendez-vous pour moi. Nous allons tous aussi bien que possible en ces circonstances. J'espère que ce n'est pas trop atroce pour toi. Je pense à toi constamment et je m'inquiète tout le temps. »

« J'apprécierais, oui, que tu ailles voir Storr, répondit mon père. Je suggère que tu prennes tes rendez-vous et moi les miens. »

Mon père n'a pas le souvenir d'avoir été consulter Anthony Storr, même si début 1966 il lui a fait un chèque de douze livres et douze shillings, le prix de deux rendez-vous. Le 12 décembre, deux jours avant sa mort, Hannah fit un chèque à David Malan, un autre psychiatre, auquel Anthony Storr l'avait manifestement adressée. Le montant était de six livres et six shillings, le prix d'un rendez-vous.

Anthony Storr n'est plus de ce monde depuis longtemps, mais David Malan est toujours en vie. Se souviendrait-il de ce qui s'est dit lors d'une consultation unique il y a près de cinquante ans ? L'idée me titille, ainsi que la perspective de voir les notes qu'il a dû prendre. Mais il est vieux et malade, et mes tentatives de prise de contact sont repoussées avec fermeté.

Sur ce qui s'est dit au cours de ces consultations, je ne dispose que du souvenir de mon père : on a dit à Hannah qu'elle n'avait rien, qu'elle traversait une crise ordinaire de la vie. Il y a ça, et une lettre de condoléances d'Anthony Storr, dans laquelle il disait qu'il était « tragique » que Hannah « n'ait pas été en mesure d'accepter l'aide qui lui était proposée » – quoi qu'il entende par là.

Le 30 octobre, Susie épousa son fiancé à Cambridge. L'assistance se composait seulement des parents des deux mariés et du frère du garçon. Hannah était invitée, mais elle expliqua à Susie qu'elle ne pouvait pas venir car « la situation était trop compliquée ».

Hannah était encore à Hornsey, mais elle avait donné sa démission, et elle cherchait de nouveau un poste universitaire plus sérieux. Sa visite à Tony Ryle semble lui avoir donné une idée, car début novembre, mon grand-père écrivit une lettre à un ami de l'université du Sussex pour demander s'il y avait des postes en sociologie, mais visiblement sans succès. Cinq jours plus tard, il note dans son journal : « Déprimant : H. sans boulot, sans ancrage je crois. Perdue. J'ai de la peine pour elle. »

Elle avait fini de relire les épreuves de *L'Épouse captive* et avait hâte que le livre sorte. Elle écrivit à Brian Southam, de Routledge, qu'elle « ferait n'importe quoi pour éviter un retard » dans la publication. Il était « vital que le livre sorte avant Noël », ajoute-t-elle.

Pourquoi Noël ? Son souci n'était certainement pas de le voir en librairie pour la période des fêtes. *L'Épouse captive*, malgré tout l'écho qu'il allait rencontrer, n'allait sûrement pas finir au pied du sapin. Il est plus vraisemblable d'imaginer qu'elle espérait que la publication du livre l'aiderait à décrocher un poste.

En fait, la maison d'édition programma *L'Épouse captive* pour le printemps suivant, et c'était de l'autre livre qu'elle était censée écrire que Southam se préoccupait plus immédiatement. « Notre équipe éditoriale s'interroge sur votre *Introduction à la sociologie*, écrit-il le 5 novembre. Je me demandais si vous pourriez m'envoyer une note sur votre avancée et une date de remise probable. » C'est la dernière lettre de son dossier de correspondance avec les éditeurs.

« Hannah, à la dérive ! écrit mon grand-père peu après. La maison sale – Jean – pas sûr. Dans quelle mesure ? » Une semaine plus tard, il notait que Hannah avait dit à mon père : « Reviens, essayons. Peux pas t'en promettre davantage. » Mon grand-père éprouvait un « soulagement énorme ».

Mais deux jours plus tard, « un coup de téléphone matinal de H. Rupture finale. Pas supportable ».

Malgré tout, Hannah continuait d'assurer ses responsabilités à Hornsey et prit même une charge de travail supplémentaire. Au cours des deux dernières semaines, ses relevés de comptes montrent qu'elle a été payée trente et une livres et dix shillings pour avoir participé à un jury d'évaluation de travaux d'étudiants à l'Architectural Association, huit livres huit shillings pour des critiques dans l'*Economist*, et six livres six shillings pour sa contribution à une émission de radio de la BBC sur les femmes au travail.

Le 2 décembre, mon grand-père écrivit dans son journal que Hannah avait enfin trouvé un emploi « à l'Institute of Education. Deux mille livres par an et une secrétaire. Avec Basil Bernstein – avec des perspectives d'évolution sans limites ».

Il ne précisait pas en quoi consistait ce travail, mais il devait s'agir d'un mélange de recherches, peut-être sur la sociologie de l'éducation, et de supervision des étudiants en troisième cycle. L'institut n'accueillait pas d'étudiants de deuxième cycle, ce n'était pas le LSE, mais c'était un établissement prestigieux, et Basil Bernstein était une étoile montante.

« 5 déc., note le journal de mon grand-père. Hannah à souper. Elle se détend peu à peu. Parle de son nouveau boulot. »

Le samedi suivant, le 11 décembre, Hannah semble être allée s'acheter des vêtements, car l'un de ses chèques retournés d'un montant de deux livres douze shillings est à l'ordre de la Zing Boutique. Peut-être voulait-elle une tenue pour impressionner son nouveau patron, car le dimanche soir, elle alla dîner avec Basil Bernstein et sa femme psychologue, Marion, chez Donald MacRae, un sociologue plus âgé qui la soutenait volontiers.

« Elle a passé la soirée de dimanche avec nous et a gagné instantanément l'admiration de nos filles, devait plus tard écrire Donald MacRae à mon grand-père. Elle semblait ravie de commencer bientôt son travail à l'institut, et lorsqu'elle est partie, nous avions tous la sensation d'avoir passé une soirée joyeuse. Marion et Basil Bernstein nous ont confié leurs sentiments à son égard et ils étaient d'accord avec nous. »

Le lendemain soir, le lundi 13 décembre, Hannah rendit visite à mes grands-parents. Elle était « gaie », écrit mon grand-père. Mon père était « plus souple, beaucoup plus gentil », et Hannah avait manifestement laissé entendre que son histoire avec John Hayes battait de l'aile, car mon grand-père écrivait, plein d'espoir, que mon père avait une chance avec elle, « s'il vise le long terme, car il n'y a pas d'autre homme en vue ».

Le lendemain matin, le mardi 14 décembre 1965, Hannah passa par téléphone une commande à une épicerie de Highgate Village, comme elle le faisait souvent pour gagner du temps dans ses journées chargées. Les courses furent livrées une ou deux heures plus tard, et Jeanie les déballa comme d'habitude – même si la demi-bouteille de vodka qu'elle trouva dans le carton n'était pas si habituelle que ça. Au cours de l'année qu'elle avait passée dans la famille, les boissons « avaient toujours été commandées à une cave », et lorsque Jeanie la rangea sur le buffet, elle remarqua qu'il y avait déjà une bouteille de vodka encore presque pleine.

C'était pour moi le dernier jour de classe, mon dernier jour à la maternelle, et il y avait une fête de Noël dans l'après-midi. Lorsque vint l'heure pour Hannah de m'emmener, elle prévint Jeanie qu'elle ne savait pas à quelle heure elle serait de retour et lui demanda de passer me prendre. Jeanie venait souvent me chercher à la maternelle – l'école n'était qu'à quelques minutes de marche de notre maison. Mais elle trouva bizarre que Hannah n'ait pas dit où elle allait ni à quelle heure elle rentrait. Elle annonçait toujours son programme à Jeanie, et elle n'était jamais en retard. C'est ainsi qu'elle parvenait à jongler avec les multiples aspects de sa vie, en se tenant à un emploi du temps strict.

Une fois Hannah et moi partis, Jeanie se lança dans le ménage de la cuisine et du salon. Ce n'était pas vraiment son fort et, quelques mois plus tôt, elle avait surpris une conversation entre Hannah et mon père au sujet de son attitude. Il lui avait conseillé de lui « sonner les cloches », mais au lieu de ça, Hannah avait augmenté son salaire de dix shillings par semaine, pour l'encourager à faire un petit effort.

En faisant la poussière ce jour-là, Jeanie essaya de se concentrer, mais lorsqu'elle sortit de la cuisine pour attaquer le salon, elle remarqua que la demi-bouteille de vodka qu'elle avait laissée sur le buffet avait disparu. Cela ne pouvait être que Hannah qui l'avait prise, et cette idée sema encore le doute dans son esprit. Que pouvait bien faire Hannah avec une demi-bouteille de vodka ?

Jeanie vint me chercher environ deux heures plus tard. Elle s'était habituée à moi, s'était « entichée » de moi, mais j'étais toujours turbulent, et j'accaparais toute son attention. Néanmoins, elle ne pouvait chasser de son esprit la vodka et le fait que Hannah n'avait pas dit à quelle heure elle rentrait ; lorsque son amie Sheila téléphona plus tard, elle lui en parla. Sheila balaya ses inquiétudes. C'était Noël, Hannah allait sans doute à une fête à l'école d'art. C'était pour cela qu'elle avait emporté la vodka et qu'elle ne savait pas à quelle heure elle allait rentrer.

L'explication de Sheila était raisonnable, mais les inquiétudes de Jeanie continuaient à danser dans son esprit, surtout lorsque la voisine, Barbara Weeks, ramena Simon de l'école : le soleil se coucha, l'après-midi laissa place à la soirée, et Hannah n'était toujours pas rentrée.

EXTRAIT DE *SIX JOURS EN JANVIER,*
D'ARNOLD WESKER, 1966-1967

La porte du café s'ouvrit brusquement et une mince jeune femme entra ; elle semblait s'être trompée de porte, mais se résigna, comme si, de toutes les portes qu'elle pourrait bien pousser, aucune ne pouvait être la bonne. Au départ, elle ne savait pas trop si elle devait rester, puis elle sembla regretter d'avoir pris la décision de venir. Elle portait un manteau en daim marron foncé, avec une coupe sévère et un col Mao, qui lui donnait l'apparence d'une jeune commissaire du peuple exaltée. Ce n'était que lorsqu'on la regardait de près que l'on réalisait que ses yeux étaient pleins de chagrin, non d'enthousiasme.

Katerina Levinson vint à leur table et fit un sourire lent, contrit.

« J'aime le pont routier de Hammersmith, je déteste le bâtiment Shell ; j'aime la tour GPO, je déteste les appartements de Roehampton. »

« À l'étranger. Pour affaires. J'ai largué les enfants chez ma mère et je suis partie. »

« Tout le week-end familial, bon sang. »

« Je vois que mes amies sont faussement encouragées à investir leurs sensibilités surdéveloppées dans la musique de jeunes hommes insensibles qui, une fois qu'ils ont chanté leurs chansons agréables, vont disparaître sans rien laisser derrière eux qu'une grande confusion. Je vois des gros titres sur les guerres et la famine qui sont le reflet de la stupidité monumentale des dirigeants politiques et je ne peux rien y faire. Je vois que mes amies s'en remettent à une image facile d'elles-mêmes, perpétuée par d'innombrables magazines – et vous vous imaginez que je vais reprendre courage sous prétexte qu'au milieu de tout ça elles cuisinent des repas sophistiqués et fabriquent des cartes de Noël ? »

« Je suis désolée, dit-elle. Je me sens très fragile, comme si un accident m'avait tant meurtrie que je ne peux supporter le risque de prendre encore le moindre coup. Et tout me heurte. Les mots rudes. Les mots stupides, insensibles, rances. La vaisselle hideuse, les visages sans charme, les meubles aux formes obscènes, les immeubles monstrueux. Agressifs. Il y en a tant. Frauduleuses, synthétiques, on dirait que je ne peux plus les supporter, les agressions. Tout cela, une agression. Je frémis. Je suis désolée, je n'ose pas regarder les choses pendant longtemps. Vous n'avez jamais envie de fuir en courant les conversations dans les bus ou les trains ? Les voix dures, comme des os. Agression. Argh ! Et cruauté. »

« Je ne veux pas en apprendre encore davantage sur la douleur, je – je veux – je suis désolée. »

10

La sonnette de la maison de mes grands-parents retentit vers cinq heures cet après-midi-là. C'était Anne Wicks. Elle avait trouvé la police en rentrant à son appartement de Chalcot Square. Les agents lui avaient expliqué ce qui s'était passé, et elle avait fait les deux cents mètres qui la séparaient de la maison de mes grands-parents sur Chalcot Crescent pour leur annoncer la nouvelle.

Cela fait quinze ans que j'ai ouvert le journal de mon grand-père à cette date et l'ai laissé retomber dans le carton comme s'il allait me brûler les mains – et ce n'est pas plus facile aujourd'hui de lire les mots qu'il a couchés sur le papier ce soir-là. En général, il écrivait au stylo à bille bleu, mais la page qui rapporte la mort de sa fille est en rouge, les lettres sont trois fois plus grosses que d'habitude, comme si leur couleur et leur forme pouvaient exprimer l'horreur que les mots ne parviennent pas à rendre, comme s'ils pouvaient lui arracher un peu de sa douleur.

Après avoir téléphoné à mon père, il prit un taxi pour le University College Hospital, où l'on avait emmené Hannah. « Un espoir même le plus mince – respiration artificielle ? écrivait-il. Aucun espoir. Morte. Dans l'ambulance, a dit le médecin. Je vais voir. »

D'après les souvenirs de Jeanie, mon grand-père et mon père sont montés nous voir, Simon et moi, en arrivant à la maison, mais ils n'ont pu se résoudre à nous dire la chose le soir même et nous ont couchés. Plus tard, mon père est descendu annoncer à Jeanie qu'il avait une mauvaise nouvelle, et Jeanie, qui avait lutté contre l'impression de malaise qui ne l'avait pas quittée de tout l'après-midi, a demandé si c'était Hannah, si c'était un accident de voiture. Cela n'aurait pas expliqué son pressentiment, mais elle ne pouvait pas imaginer autre chose.

Mon père ne l'a pas démentie, ni mes grands-parents. Ce n'est qu'au cours de l'enquête que Jeanie a appris que Hannah s'était tuée. Pour autant qu'elle se souvienne, bien qu'elle soit restée avec nous encore deux ans, mon père n'a jamais plus prononcé le nom de Hannah en sa présence.

En revanche, il lui a proposé de venir dans le salon avec lui et mes grands-parents, mais peu après, ma grand-mère lui a suggéré d'aller voir son amie Sheila. Elle se rappelle avoir couru dans la rue jusque chez Sheila.

Mon grand-père écrit que des amis et de la famille se sont rassemblés chez nous au cours de la soirée. À un moment, mon père a dit : « Qu'est-ce qu'on attend ? Il ne va rien se passer. » À un autre moment, le téléphone a sonné, et mon père a décroché. Il a écouté pendant un instant, et il a répondu : « Elle est morte. » Puis il a raccroché.

Le lendemain, mon grand-père se rend dans les bureaux du coroner à Saint-Pancras pour voir un « sympathique enquêteur ». « J'ai joué cartes sur table », écrit-il dans son journal. Mon père « absent. Séparation. Bien sûr – elle retrouvait peut-être quelqu'un dans cet appartement ».

Mais il avait en fait gardé des cartes par-devers lui. Il ne révéla pas qu'il savait que Hannah avait une liaison, ni que le nom de l'homme était John Hayes. Il semble plutôt qu'il ait tenté d'occulter cette information. Il écrit qu'Anne Wicks lui a téléphoné, « fâchée qu'on lui ait demandé de faire preuve de réserve » – demandé, sans doute, de ne pas mentionner John Hayes elle non plus.

Jeanie, pour sa part, se rappelle avoir mentionné la demi-bouteille de vodka à ma grand-mère, qui lui a signifié qu'elle « n'avait pas besoin de parler de ça aux enquêteurs ».

Quel était le but de ces dissimulations ? Protéger la réputation de Hannah ? Amoindrir la honte ? Mais c'était peut-être simplement pour faire quelque chose, pour reprendre de force un symbole minuscule de contrôle sur une situation dans laquelle toute possibilité significative d'influencer les événements leur avait été retirée.

L'enquête sur la mort de Hannah se tint deux jours après son décès, le jeudi 16 décembre, à la cour du coroner de Saint-Pancras – là même où s'était tenue l'enquête sur la mort de Sylvia Plath deux ans plus tôt. « La cour du coroner, terne, humide », écrit Al Alvarez dans son récit de la mort de Plath dans *The Savage God*.

Mon grand-père nota dans son journal qu'il avait prêté serment « avec un mouchoir » sur la tête, et rapporté à la cour que « Hannah avait parlé très gentiment » de mon père lors de leur dernière entrevue.

Le coroner lui demanda s'il avait jamais « redouté qu'elle puisse en arriver à des extrémités telles que le suicide. Il m'a fixé des yeux. Non – jamais imaginé ».

À la même question, ajoute-t-il, Anne Wicks a répondu : « Non – ça ne me serait pas venu à l'idée. »

« Le seul verdict possible, conclut le coroner, c'est que, dans un état d'esprit que nous ne pouvons connaître, Hannah Gavron s'est délibérément et efficacement donné la mort. »

Les funérailles ont eu lieu l'après-midi même au crématorium de Golders Green. Mon frère et moi sommes restés à la maison avec notre grand-mère. Cinq personnes assistaient à la cérémonie : mes deux grands-pères, mon père, Susie et l'avocat de la famille. « Des Juifs en calotte portent le cercueil, écrit mon grand-père. Un orgue joue. Je pleure et pleure et pleure. » Si quelqu'un a prononcé un discours, il n'en fait pas mention.

Deux jours plus tard, mes grands-parents partirent pour Israël chez des parents ; un jour ou deux plus tard, mon père nous emmena, Simon, Jeanie et moi, faire du ski avec des amis en Suisse. Mon seul souvenir de ces vacances, c'est que nous avons été bloqués par la neige, et que j'étais tout excité en entendant dire que nous allions peut-être devoir être évacués par hélicoptère – mais finalement, la neige a dû fondre, car nous sommes rentrés en train.

J'ai toujours su que Hannah avait été incinérée, mais ce n'est qu'aujourd'hui qu'il me vient à l'esprit de me demander ce qu'il est advenu de ses cendres. Je n'en vois pas mention dans le journal de mon grand-père – or il y notait toutes les choses importantes. Je pose la question à Susie et à mon père, mais ils ne se rappellent pas.

J'appelle le crématorium. J'espère seulement apprendre ce que ses cendres ont bien pu devenir, mais mon interlocutrice me demande le nom complet de Hannah et me prie de patienter. Quelques minutes plus tard, elle revient. Ils conservent les registres depuis

1962. Les cendres de Hannah ont été gardées pendant six mois, me dit-elle, puis, comme toutes celles qui n'étaient pas réclamées, elles ont été disséminées sur les pelouses du crématorium.

Elle me demande mon adresse et, quelques jours plus tard, une carte arrive. Les cendres de Hannah ont été « dispersées » sur la section 4-M des pelouses commémoratives, le long du parterre de ronces au pied du mur qui limite le cimetière à l'est.

Un mois environ après la mort de Hannah, mon père a reçu une lettre du University College Hospital lui demandant de venir chercher « quelques vêtements et une montre qui appartenaient à votre femme ». Je l'interroge à ce sujet, mais il ne se rappelle pas s'il est allé les récupérer. S'il l'a fait, les objets n'ont pas été conservés. Je n'ai vu aucune montre appartenant à Hannah, ne connais ses vêtements que par les photos.

Jeanie, qui a passé ces journées « à marcher sur la pointe des pieds dans la maison, ne sachant pas quoi dire », se rappelle que les vêtements de Hannah ont rapidement été débarrassés, sans doute donnés à des bonnes œuvres. Ma grand-mère lui a demandé si elle voulait quelque chose, mais Jeanie avait déjà un anorak que Hannah lui avait donné, et elle a dit que ça lui suffisait.

Les papiers de travail de Hannah sont revenus à mon grand-père, dit son journal, même s'ils avaient disparu, peut-être depuis longtemps, lorsque Susie et moi avons fait le tri dans sa maison.

La plupart de ses bijoux ont disparu, également, même si lorsque mon frère s'est marié, mon père a ressorti la bague de fiançailles de Hannah d'un coffre à la banque. Mon frère l'a donnée à sa femme lors de la cérémonie, mais lorsqu'elle s'est lavé les mains plus tard dans la journée, la bague a glissé et elle est tombée dans le lavabo. La plomberie a été démontée, mais la bague n'a jamais été retrouvée.

Ce qu'il est advenu de l'alliance de Hannah, je n'en sais rien. Peut-être l'avait-elle retirée au cours de ces dernières semaines, et la bague a-t-elle disparu avec tout le reste. Ou peut-être était-elle toujours à son doigt quand elle est morte, et s'est-elle perdue à l'hôpital. La nourrice qui nous gardait, Simon et moi, quand nous étions petits, et dont je me suis occupé dans ses dernières années, est morte à l'hôpital, et son alliance, qu'elle ne quittait jamais, ne faisait pas partie des affaires qui m'ont été restituées. Peut-être celle de Hannah est-elle maintenant à l'annulaire d'une inconnue.

Lors de l'une de nos discussions au sujet de Hannah, un après-midi, je trouve le courage d'interroger mon père sur la manière dont les choses ont été gérées après sa mort – pourquoi si peu de ses effets personnels ont été conservés, pourquoi nous sommes tombés dans un silence si complet à son sujet.

Il ne se souvient pas que ses affaires aient été données ou jetées, mais il convient que ça doit être ce qui s'est passé. Il suggère que, peut-être, il a eu le sentiment que ce n'était pas juste pour ma belle-mère d'être entourée de rappels de la présence de Hannah ; même si ma belle-mère m'a confié que la plupart des affaires de Hannah avaient disparu lorsqu'elle a emménagé avec nous, et que c'est elle qui a mis de côté les rares papiers qui subsistaient.

Il mentionne une pédopsychiatre qu'on nous a emmenés consulter, Simon et moi ; elle estimait que nous étions trop jeunes pour qu'on nous dise que notre mère s'était suicidée. S'ils parlaient de Hannah, lui et mon grand-père avaient peur que nous ne nous mettions à poser des questions, dit-il, et ils craignaient de ne pas parvenir à nous cacher la vérité.

Je comprends la première partie de son discours. Je me rappelle mes propres angoisses quand il s'est agi de parler de Hannah à Leah. Et j'ai lu que Ted Hughes, lui aussi, a essayé de protéger ses jeunes enfants des circonstances sinistres de la mort de leur mère.

La seconde partie – le silence, le fait de retirer toutes les photos, de se débarrasser de toutes ses affaires – est plus difficile à comprendre pour moi. Ma grand-mère avait gardé des photos de Hannah bien en évidence, elle nous racontait des histoires à son sujet. J'ai aussi une lettre que la psychiatre a écrite à mon père au sujet de Simon : « De façon que le travail de deuil puisse s'accomplir de façon satisfaisante, il est très important qu'il soit en mesure de penser à sa mère et d'affronter son chagrin », insistait-elle.

D'aussi loin que je puisse me souvenir, le regard de mon père a toujours été dirigé vers l'avenir. S'inquiéter du passé, ou s'appesantir sur des problèmes insolubles, c'est contre ses principes. Une de ses devises est : « Ce qui compte, c'est l'arrivée, pas le trajet. » « R pour réussite et E pour effort » en est une autre. Mais dans quelle mesure s'agit-il de sa nature, et dans quelle mesure cette attitude a-t-elle été dictée par les événements de cet après-midi-là ?

« Le sentiment prédominant était que ce qu'il y avait de mieux à faire, c'était de repartir de zéro », dit-il, comme s'il parlait des sentiments de quelqu'un d'autre, des décisions de quelqu'un d'autre.

« Le sentiment prédominant, répète-t-il, était que ce qu'il fallait garder, c'était son livre. C'était sa réussite. »

Il a près de quatre-vingts ans lorsque nous avons cette conversation. Que voit-il lorsqu'il repense à près d'un demi-siècle plus tôt ? Reconnaît-il l'homme qu'il était à l'époque ? « Je suis resté sonné pendant longtemps, après, dit-il. J'étais tellement sonné que je n'arrivais pas à réfléchir correctement à quoi que ce soit. »

Même si tant de choses évoquant Hannah ont été jetées, mes grands-parents et mon père ont gardé les lettres de condoléances reçues après sa mort. Ces lettres ne m'apprennent pas grand-chose sur elle, mais en voyant à quel point leurs auteurs semblent sidérés, impuissants, je comprends un peu mieux le besoin de se détourner.

« Je ne puis imaginer ce que je pourrais faire ou écrire pour vous aider », dit une lettre qui ressemble à toutes les autres. « On voudrait en écrire plus long, mais en de telles circonstances, les sentiments l'emportent sur les mots », dit une autre. « Je suis forcé d'accepter qu'on n'annonce pas une nouvelle de cette nature à la légère, écrivait un troisième, mais je la trouve presque impossible à croire. »

Même Anna Freud, à la clinique de laquelle ma grand-mère travaillait à l'époque, à Hampstead, ne put rien trouver de mieux à écrire que ceci : « Je crois que je peux sentir le poids de ce drame car j'ai eu une sœur qui est morte à l'âge de votre fille, laissant elle aussi deux enfants en bas âge. Nous avons tous essayé de combler son absence auprès des enfants, et les vicissitudes de ce combat sont très présentes à mon esprit en ce jour. »

Peu des auteurs de ces lettres tentaient d'évoquer Hannah, de chercher un réconfort dans la mort en célébrant des aspects de la vie, comme les lettres de condoléances le font en général. Le message semble être : comment se souvenir de quelqu'un qui a choisi de s'éliminer ? Comment pleurer quelqu'un qui vous a rejeté si complètement ? Comment continuer sa propre vie face à un acte pareil ?

Dans *The Savage God*, son étude de 1971 sur le suicide, Al Alvarez écrit que, après des siècles durant lesquels il était considéré comme un péché mortel (les suicidés étaient enterrés à des carrefours, un pieu dans le cœur ou des pierres sur le visage) et un crime (jusqu'à la fin des années 1950, en Angleterre, on était encore emprisonné pour tentative de suicide), le suicide était devenu dans les années 1960 « un vice privé, un "sale petit secret" de plus, un geste honteux – à éviter et à occulter soigneusement, impossible à mentionner et légèrement salace, moins meurtre de soi qu'automutilation ».

Si des mots tels que « petit », « soigneusement » et « légèrement » me semblent étrangement évasifs, à croire qu'Alvarez décrit un adultère de banlieue pavillonnaire plutôt que les retombées dévastatrices du suicide d'une jeune mère, le silence dont il parle s'applique certainement au cas de Hannah. Pas une seule des lettres de condoléances ne mentionne les causes de son décès, quelques-unes y font seulement vaguement allusion.

Les seules lettres qui tentent d'offrir un semblant de compréhension ou de consolation sont signées par deux des amies d'enfance de Hannah, Jill Steinberg et Sonia Jackson. « J'ai vraiment le sentiment que Hannah a apporté une telle aide à tant de gens – elle en a fait davantage pour ses proches, dans un sens profond, réel, en si peu de temps, que la plupart d'entre nous en soixante ans – que, lorsque le temps est venu, elle n'avait plus rien pour elle-même », écrivait Jill.

« Où qu'elle aille, elle était toujours la vedette, et elle jetait des étincelles dans toutes les directions, écrivait Sonia. Ce que Frieda disait de (D. H.) Lawrence est vrai de Hannah – elle vivait chaque instant de sa vie au maximum. Peut-être est-il impossible de vivre à une telle intensité pendant soixante-dix ans. »

En mai 1966, six mois après la mort de Hannah, *L'Épouse captive* sortit enfin. C'était une étude réalisée en solo par une femme de moins de trente ans, à partir de sa thèse de doctorat, et publiée par une maison d'édition universitaire, mais les découvertes impliquées par son titre accrocheur furent reprises par presque tous les journaux et magazines, de l'*Evening Standard* au *Morning Star*, du magazine féminin *Nova* au *British Medical Journal* : certaines femmes se sentaient piégées et déprimées et non heureuses et satisfaites à la maison avec leurs enfants.

« Votre femme n'est-elle qu'un oiseau dans une cage en plastique ? » titrait le *Sunday Express* au-dessus d'un article d'une demi-page laissant entendre que, « sur la question du bonheur, *L'Épouse captive* pourrait bien être le livre le plus important de 1966 ». « La mère est-elle une enquiquineuse ? demandait une colonne du *Daily Mail*. Et si elle ne l'est pas, pourquoi l'Angleterre s'acharne-t-elle à la traiter comme telle ? »

L'*Observer* publia un extrait du livre en une, sous un dessin représentant une femme regardant à travers des barreaux. La semaine suivante, la plupart des lettres du journal étaient consacrées à des réactions ; une femme, notamment, expliquait que son mari considérait son désir de travailler « comme un souhait compréhensible, comme une envie de vacances en Grèce, mais non comme une nécessité que la société serait en obligation de prendre en compte ». Elle signait : « Une autre épouse captive ».

Cette expression fut largement reprise. Tant de gens pensaient à « l'épouse captive », affirmait un article, que, « loin d'être le membre le plus invisible de la société, elle en est maintenant l'un des plus controversés, étudiés et discutés ». « Ô épouses captives, bouclez-la », disait un autre papier, moins sensible à la cause.

Beaucoup de ces articles mentionnaient la mort « prématurée » ou « tragique » de la jeune auteure du livre. Mais pas un ne révélait comment elle était morte, ni ne demandait, comme les journaux le feraient sûrement de nos jours, s'il était possible qu'il existe un lien entre le sujet du livre et le destin de son auteur.

Dans bien des cas, les rédacteurs des articles devaient ignorer qu'elle s'était tuée. Mais certains d'entre eux devaient bien le savoir. L'enquête sur sa mort avait été relatée par au moins deux journaux locaux du nord de Londres, où vivaient beaucoup de journalistes et de critiques de livres. Il n'y avait pas Internet, pas de textos ni de réseaux sociaux pour disséminer les rumeurs, mais les nouvelles circulaient tout de même. La critique parue dans *New Society* était signée par Donald MacRae, le sociologue qui avait reçu Hannah à dîner deux soirs avant sa mort, et dont la lettre de condoléances à mon grand-père montrait bien qu'il en connaissait les circonstances. Mais dans sa critique, il n'en parlait pas. Le silence, qu'il soit dû au respect, aux bonnes manières, ou à l'évitement et à l'effacement soigneux pointés par Alvarez, était la réaction naturelle de l'époque.

Mon grand-père fit appel à une agence de presse pour s'assurer qu'il ne manquait aucun article sur sa fille, mais à ce qu'il semble, le succès de *L'Épouse captive* ne fit qu'ajouter à son tourment. « Si tu étais encore en vie, écrit-il dans son journal, comme tu aurais apprécié ça ! Qu'aurais-tu donc pu accomplir ? »

Ses journaux des mois suivant la mort de sa fille sont une lecture déchirante. Il se rappelle « son corps froid à la morgue. J'ai caressé son front. Aurais-je dû l'embrasser ? » Tout est poignant. En quittant notre maison après une visite, il entend mon père allumer la radio, et ce simple geste domestique le bouleverse.

Certaines de nos expressions, à Simon et à moi, lui rappellent Hannah, mais nous ne sommes pas Hannah, ni des « substituts ».

Ses journaux étaient principalement un réceptacle pour son désespoir, mais ici et là, ils se font la chronique de ses tentatives d'y trouver un sens. Il a dû entendre parler, peut-être par Anne Wicks lorsqu'elle est venue leur annoncer la mort de Hannah, d'une dispute avec John Hayes, car début janvier, il mentionne une conversation avec Susie, qui lui a dit que Hannah « ne supportait pas le rejet ». Il revient sur ses souvenirs de la visite de Hannah le soir précédant sa mort. Elle a parlé calmement, « en détail », de son travail à elle, de son travail à lui, de mon père, de Susie. « La seule conclusion possible, décide-t-il, c'est que ce qui s'est passé n'avait pas été planifié avant mardi. »

Le 29 janvier, six semaines après la mort de Hannah, on sonna à sa porte. C'était encore Anne Wicks, « qui voulait parler ».

Il avait noté dans son journal que mon père était en colère contre Anne Wicks. Il mentionna, cette fois-ci, l'« angoisse sur le visage » de ma grand-mère. Heureusement, peut-être, Simon et moi étions là. « Anne s'en rend compte – c'est gênant – elle file en douce. » Mais mon grand-père décida qu'il lui fallait s'entretenir avec elle et, une semaine plus tard, ils prirent rendez-vous. « Souriante. Jeune. Maîtresse d'elle-même », écrivit-il.

« Hannah et John Hayes se sont engueulés », confirme-t-elle. Hannah « voulait presser John, une révolution dans sa vie, mais il ne voulait pas être précipité ». Hannah « est partie en claquant la porte », mais John « ne pensait pas que c'était définitif. Ils allaient s'appeler, reparler ». Mais lorsque John a essayé de la recontacter, c'était trop tard.

Anne l'avait trouvé « sur le pas de sa porte dans la soirée. Hystérique. Il a fallu appeler un médecin pour lui administrer un sédatif ». Il voulait écrire à mes grands-parents pour leur « présenter ses excuses », leur « exprimer son désespoir d'avoir été trop faible pour aider Hannah quand elle en avait le plus besoin », mais Anne l'en avait dissuadé.

D'après elle, il n'était pas nécessaire que mon grand-père le rencontre. Il ne découvrirait qu'un « brave jeune homme, bien de sa personne, et affectueux ». Anne était « fermement opposée à leur fréquentation », mais Hannah ne l'avait pas écoutée.

Mon grand-père lui raconta que ma grand-mère disait qu'il n'y avait « personne qui ait une cervelle si bien faite et si peu de maîtrise de ses émotions », et Anne « en convint ».

Hannah avait prévenu Anne que, si John la repoussait, elle se tuerait, mais elle ne l'avait pas crue. Hannah était, il est vrai, « complètement terrifiée à l'idée d'être seule – elle allait finir vieille fille si John ne l'épousait pas – trouverait difficilement un homme qui la supporterait, avec son caractère ingérable, et en plus elle était très exigeante ».

Anthony Storr, le psychiatre, avait été « inepte », dit Anne. Elle avait « envie de lui écrire une lettre pour manifester sa colère ».

Elle avait passé le premier mois à fantasmer des « scénarios dans lesquels elle sauvait Hannah – la ramenait à la raison ». « Comme moi », ajoutait mon grand-père.

« Pas aussi méchante » que mon père l'avait laissé entendre, écrivait-il. « Lui ai fait mes adieux. »

En dépit du conseil d'Anne Wicks, mon grand-père écrivit à John Hayes et, deux semaines plus tard, les deux hommes se retrouvèrent pour déjeuner au club de mon grand-père.

« Jeune, un physique agréable. Il m'a reconnu, écrivait mon grand-père. Oui – prenez un verre. Un double gin. Nous parlons. »

« Je découvre : un ancien de Rochdale Grammar School. Puis Oriel, instituteur, à présent une maîtrise de sociologie. »

Mon grand-père lui demanda ce que Hannah voulait de lui. « Eh bien, le mariage et une déclaration. Le projet de se marier d'ici à Noël. Elle, et elle seule, faisait de [lui] un être humain complet. »

Et la dispute ? « Hannah voulait qu'il passe une nuit à Jacksons Lane. Lui, non – Jean, les enfants. Une "semi-dispute". Mais Hannah était sortie en claquant la porte. Furieuse. »

Dans la soirée, « comme Hannah était tellement en colère », il l'avait appelée à la maison, avec l'intention de « lui dire que oui, il resterait la nuit suivante ». Sauf qu'il était tombé sur mon père « qui avait répondu » – sans doute l'appel dont Jeanie avait fait mention : « Elle est morte », avant de raccrocher.

À partir de là, les notes de mon grand-père sont de plus en plus elliptiques :

« Il n'était pas prêt – les enfants – peur. »

« Sa "nature". »

« N'avait pas soupçonné un tel geste. Hannah plaisantait : se promenait toujours avec des somnifères, son poison. »

« Conduisait imprudemment. Riait. Prenait la vie à la légère. »

« Je parle de sa mort. Il s'effondre. Sanglote. Je lui tiens la main. »

« Je dis au revoir à John Hayes. Dévasté. Pulvérisé. Un garçon tellement ordinaire. »

« Le mystère s'est approfondi ! » écrivait mon grand-père, et pour moi, également, ces conversations soulèvent davantage de questions qu'elles n'apportent de réponses. Hannah avait-elle vraiment peur, à vingt-neuf ans, de finir vieille fille si John Hayes ne l'épousait pas ? En quel sens exactement Anthony Storr avait-il été « inepte » ? Pourquoi de nouveau Noël ? Comment se fait-il que Hannah « se promenait toujours avec des somnifères » ? Et comment un incident si anodin en apparence a-t-il pu provoquer la décision de se donner la mort, l'acte, le pas, le saut, de la mettre à exécution ?

À en croire les journaux de mon grand-père, ses démarches d'enquêteur s'arrêtèrent là, même s'il continua à demander leur opinion aux autres – suscitant, presque comme si c'était ce qu'il cherchait, des jugements négatifs.

Elle était « narcissique », lui dit une amie. « Les autres n'avaient de réalité pour elle qu'à travers le rôle qu'ils jouaient. Toute l'affaire avec John était une fiction. »

« Est-ce que ses sentiments envers les autres étaient limités ? demandait sa belle-sœur, Eva (celle qui avait observé que Hannah était intelligente dans les heures qui avaient suivi sa naissance). Sans doute. Pour laisser un tel fardeau. »

« Oh, ma chérie, ajoute-t-il. Je sais bien que tu pouvais être intraitable. »

L'homme que Susie avait épousé quelques mois plus tôt lui dit : « Hannah, tellement énergique (il a déchif-

fré sa personnalité après seulement quatre rencontres !).
Nous n'avions que des rôles de figurants dans sa vie. »

Un autre homme dont je ne reconnais pas le nom
« veut parler de Hannah (il a déjà rencontré des suicidés) ». Il dit « qu'elle avait peu d'amis, qu'elle avait
des difficultés dans ses relations avec les autres. Le
savions-nous ? »

Il déjeuna avec Fred Warburg, son vieil ami éditeur,
qui apportait un message de sa femme, Pamela. « Hannah
était toujours une outsider, spéciale, solitaire, etc. – elle,
Pamela, comprenait. »

Dans les mois suivant la mort de Hannah, mon
grand-père commença à voir un psychanalyste : « Il
ne se lasse pas de poser des questions sur Hannah »,
et conclut : « Une jeune femme douée et schizoïde. Je
suis d'accord – schizoïde. »

Les journaux de mon grand-père n'étaient pas faits
pour être lus, j'en suis conscient. C'était un endroit sûr
pour déverser ses pensées les plus sombres. Mais en
lisant ses commentaires, je me hérisse. Qui étaient ces
gens, dont certains ne connaissaient pour ainsi dire pas
Hannah, pour décider qu'elle était narcissique, qu'elle
n'avait pas d'amis, qu'elle ne pensait qu'à elle-même ?
Qui était ce psychanalyste qui se hasardait à la diagnos-
tiquer « schizoïde » *post mortem* ?

Le mot lui-même ressemble à une insulte. Je le
cherche dans le dictionnaire Oxford : « Ressemblant
à ou tendant vers la schizophrénie, mais avec des
symptômes plus légers ou moins développés ; en
relation avec ou affecté par un trouble de la personnalité marqué par la froideur et l'incapacité à former des
liens sociaux. » Est-ce là la Hannah dont j'ai entendu
parler par des amies telles que Tasha, Shirley, Carol
Cutner, Erica, Gunilla Lavelle ? Ambitieuse, volontaire,

exagératrice, même égoïste par moments, oui – mais un trouble de la personnalité marqué par la froideur ? Incapable de former des liens sociaux ?

De tous les amis avec lesquels mon grand-père rapporte s'être entretenu à son sujet, une seule – Cherry Marshall – s'exprima avec douceur et générosité. Elle lui conseilla d'être compréhensif, de pardonner.

Cherry lui raconta qu'elle-même était tombée amoureuse d'un autre homme alors qu'elle était déjà mariée : « Mari, enfants, travail – tout a disparu. C'était comme attraper un virus. Soudain, ma vie avait changé d'axe, elle n'était plus épanouissante, c'était une histoire complètement différente. Soyez indulgent avec Hannah, plaida-t-elle. Son amour passionné, sans espoir. Pour une femme intelligente, c'est pire, ajouta-t-elle. Elle ne peut pas s'accrocher, supplier, faire du chantage, elle ne peut même pas se consoler. »

C'est la seule de ces conversations que je parviens à lire sans peine, mais elle semble, par sa gentillesse, avoir été la plus difficile pour mon grand-père, avoir attisé sa pitié, sa culpabilité, car il écrit : « Cette discussion m'a mis dans tous mes états. »

La culpabilité est l'un des héritages les plus accablants du suicide. Phyll Willmott écrivit dans ses journaux qu'elle se sentait « coupable de ne pas en avoir fait davantage, vu davantage, de ne pas avoir compris le désespoir qui était le sien ». Pour mon grand-père, la culpabilité dut par moments être écrasante. Il s'accuse : « J'avais une fille merveilleuse, et je ne m'en suis pas occupé correctement. »

Le fardeau de la culpabilité explique, je crois, pourquoi il était si prêt à croire ces jugements sévères sur le caractère de sa fille. En novembre 1966, il écrit que la perspective d'un déjeuner qu'il avait prévu avec Donald MacRae l'« oppresse. Peut-être que cela m'oppresse de voir tous ceux qui aimaient H. »

Se rappeler Hannah sous les traits de son « enfant chérie, le petit lutin le plus enchanteur qui soit », comme il l'a décrite une fois, était trop perturbant. Il était plus facile de la voir affligée de défauts fatals, incapable de maîtriser ses émotions, schizoïde. S'il y avait bien eu quelque chose de brisé en elle, il n'aurait pas pu l'aider, il n'avait pas besoin de se sentir tellement coupable.

Dans ses journaux, il ne cesse de revenir à des souvenirs des scènes qu'elle faisait enfant, de son obstination :

« Deux ans : joyeuse, surexcitée. Trop excitée pour tenir en place. »

« Quatre ans : nous la forçons à céder, à venir à nous. Elle pleure, pleure, puis nous rejoint en courant, submergée par ses émotions. »

« Tu devais avoir six ou sept ans, c'était sur la pelouse des Edelman, tu jouais à un jeu où Sonia, Natasha et une autre fille devaient t'attraper, et comme elles venaient sur toi de tous les côtés, soudain tu t'es immobilisée et tu as hurlé – de panique. Pas d'issue ? »

« La mère (de ma grand-mère) était morte, le télégramme était arrivé, tu avais douze ou treize ans et tu allais à Londres avec ton amie, tu ne désirais qu'une seule chose, être loin, tandis que Susie consolait sa mère. »

L'un de ces souvenirs – ou plutôt le souvenir de quelque chose qu'on lui a dit – est même l'unique référence au principal que l'on trouve dans son journal : « Hannah, à ce qu'on me dit, s'est blessée à quinze ou seize ans en faisant du ski. K. l'a enlacée pour l'aider à repartir – ce qui a conduit à sa liaison. »

EXTRAIT DE *WHAT ARE YOU DOING TO ME,* DE T. R. FYVEL, ANNÉES 1950

Ce déménagement longtemps retardé dans la plus grande maison était rendu indispensable par l'évolution de la carrière de Desmond.

De plus, précoce comme elle était, Ann allait sans doute commencer à ramener des jeunes gens à la maison d'ici un an ou deux. Lucille fit la grimace : cette idée était comme un petit nuage noir, comme une infiltration de l'ennemi.

Oui, Ann, à quatorze ans, était la seule tache sur son bonheur. John, en revanche – bien sûr il était plus jeune –, John était une joie parfaite.

Lucille sursauta. Les accords d'ouverture de la *Polonaise en si* de Chopin que l'on jouait au piano à l'étage en dessous s'engouffraient par la porte ouverte. Puis un silence mortel, puis une voix jeune, claire, trop forte.

« Maman. »

Lucille se raidit, mais garda sa contenance. Elle sortit sur le palier et lança d'une voix calme : « Qu'y a-t-il, Ann ? Tu sais combien de fois je t'ai demandé de ne pas crier dans la maison. »

« Je peux jouer du piano ? »

« Vraiment, ma chérie, tu es obligée ? Les déménageurs seront là dans une demi-heure. »

Une pause. « Maman, tu comprends, déménager est un événement plein de mélancolie et il a plu tout l'après-midi et j'ai le sentiment que je dois vraiment jouer du Chopin. »

De retour dans sa chambre, elle constata que la réflexion absurde d'Ann sur la mélancolie avait déjà perturbé son humeur.

Elle se rassit et se pencha sur le tiroir ouvert.

Bon sang, quelle surprise ; elle avait complètement oublié qu'elle se trouvait là. Rollo, se dit-elle : Rollo était parti avec la jumelle de cette jarretière dix ans plus tôt. Pendant quelques secondes, Lucille resta complètement immobile. Non, elle n'avait pas de vrais regrets concernant les trois liaisons qui avaient ponctué sa vie respectable de femme mariée.

Et là – là était rangée une série de photos de famille.

Ann avait bruyamment insisté pour poser avec son papa, comme si la place convenable pour une enfant sur ce genre de portraits de famille n'était pas sur les genoux de sa mère.

Lucille soupira. Pourquoi avait-elle eu la malchance d'hériter d'une fille si difficile ?

Elle s'était contentée de continuer patiemment, chaque fois que c'était nécessaire, à faire remarquer à Ann les défauts de son caractère et à lui montrer que si elle persistait à traiter les gens sans considération, elle serait la seule à souffrir, en plus de gâcher ce qui aurait pu être une charmante vie de famille.

Ann apparut, hors d'haleine, sur le seuil. Elle était aussi grande que sa mère, et non sans une certaine ressemblance avec celle-ci, mais en plus pâle et plus vivante à la fois, avec le sens du mélodrame de ses quatorze ans.

« Oh, laisse-moi voir, c'est quoi, ces vieilles photos ? »

« Tu vois, chérie, même à cet âge-là, tu étais trop égoïste. Tu vois, c'est ton principal défaut – l'égoïsme. »

« Mais c'est quoi ? » Du fond du tiroir elle retira une minuscule paire de chaussures rouges usées et les lui tendit.

« Oh, ça ? » Lucille elle-même regarda les chaussures avec surprise. « Ce sont les chaussures que tu portais lorsque tu as fait tes premiers pas. »

« Oh, maman, maman, c'est adorable ! » s'exclama Ann, frottant sa joue contre celle de Lucille avec effusion.

John, entrant joyeusement dans la pièce, observa la scène avec la désinvolture d'un garçon de dix ans.

« Moi je dis, ça sert à quoi ? »

Lucille le regarda. Avec son blazer de l'école et ses joues rebondies, il était irrésistible, se dit-elle. « Ces chaussures de bébé ? Tu sais, je viens de faire une drôle d'erreur à l'instant. Je pensais que c'étaient les premières chaussures d'Ann, mais en les regardant plus attentivement, je vois que ce sont les tiennes. »

Ann était déjà à demi sortie de la chambre. Pâle, jeune, belle, mais son assurance évanouie en un éclair, elle se tenait dans l'embrasure de la porte et observait sa mère.

11

En dépit de son insistance sur les failles de la personnalité de Hannah, il n'y a presque rien, dans le journal de mon grand-père, sur l'origine possible de ces fêlures, les influences, nature et éducation, susceptibles de l'avoir modelée. Ce n'était pas que ces questions dépassaient son entendement. Ses écrits prouvent qu'il avait de solides connaissances en histoire, en sociologie, en psychologie. Sa femme était une inconditionnelle de Freud : Hannah avait été reçue par une freudienne à l'âge de deux ans. Il a fait lui aussi une analyse dans les années qui ont suivi la mort de Hannah. Dans son livre de souvenirs d'enfance et dans son journal, il revient à plusieurs reprises sur l'influence que ses propres parents ont eue sur lui. Mais quand il s'agissait de Hannah, je pense que c'était un territoire qu'il n'était tout simplement pas en mesure d'aborder. S'accuser de n'avoir pas su l'aider au dernier moment représentait un fardeau suffisamment lourd ; imaginer que ma grand-mère et lui avaient pu échouer dans leur rôle lorsqu'elle était enfant, que leur propre sang avait pu lui nuire, c'était davantage que ce qu'il était capable d'envisager.

Sur l'ensemble de ses journaux, il n'y a qu'un unique passage où son cerveau l'entraîne par cette porte interdite. En avril 1970, quatre ans après le décès de Hannah, mes parents apprirent une autre mort soudaine dans la famille. Zelda, la jeune sœur de ma grand-mère, souffrait d'un cancer de l'intestin, mais elle semblait avoir récupéré après une opération lorsqu'on la retrouva morte. « On soupçonne fortement, leur apprit leur belle-sœur Eva depuis Israël, qu'elle a pris une overdose de somnifères avec l'intention d'en finir. »

Zelda avait repris le travail, écrivait Eva, mais si « physiquement elle allait beaucoup mieux, son moral était très bas et elle ne cessait de répéter qu'elle avait affreusement peur que sa maladie revienne ». Toutefois, cela avait dû être une « décision très soudaine, car elle avait de nombreux rendez-vous et réunions prévus pour les jours suivants ». Une note « gribouillée sur une enveloppe d'une écriture hâtive, en grosses lettres », disait « qu'elle souffrait beaucoup et qu'elle avait pris quelque chose pour dormir ». « Ne me dérangez pas », finissait-elle. Elle avait un « courage énorme et elle avait fait tout son possible pour revenir à la vie, concluait Eva. Mais derrière cette façade, il y avait un profond désespoir ».

« C'est vraiment comme Hannah, écrivit mon grand-père, choqué par le caractère familier des circonstances du décès, dans son journal. La décision soudaine ! Avec des projets en instance ! Le mot griffonné sur une enveloppe ! En grosses lettres maladroites ! Je suis atrocement ébranlé. »

Mais cette porte semble s'être refermée aussi brusquement qu'elle s'était ouverte. En poursuivant la lecture de son journal, je ne trouve rien de plus sur ces parallèles, aucun développement suggérant qu'il se soit interrogé sur l'existence d'une tendance héréditaire. En toute logique, s'il imaginait que Hannah puisse être comme sa tante, il aurait dû se demander si elle n'était pas comme son père.

Cependant, l'histoire de Zelda, que je n'avais jamais entendue, me fait l'effet d'une décharge. En soi, malgré ses similitudes avec celle de Hannah, la mort de Zelda ne prouve pas nécessairement quoi que ce soit. Le caractère délibéré de son geste n'était pas établi ; sa mort avait pu être accidentelle. Mais on ne peut pas en dire autant de sa sœur Ruth : une dizaine d'années après Zelda, elle eut à son tour un cancer de l'intestin, alla elle aussi à l'hôpital pour subir une opération, à Johannesburg, où elle vivait, et bien que l'opération fût là encore une réussite, quelques jours plus tard, elle se leva de son lit d'hôpital, sortit de son sac le revolver qu'elle avait apporté en douce, et se tira une balle dans la tête.

Mes grands-parents ne m'ont jamais parlé de la mort de Ruth, et je n'ai appris son histoire que par hasard. En outre, lorsque Ruth est morte, en 1980, mon grand-père avait cessé de tenir son journal, donc il n'y a pas de trace des réflexions que ce suicide a provoquées chez lui. La fille aînée de Ruth, Naomi, au mariage de laquelle Hannah faisait des grimaces pour la caméra, est morte d'un cancer de l'intestin. Mais Donna, sa cadette, habite à Londres.

Je ne l'ai pas vue depuis longtemps, et lorsque je l'appelle et qu'elle m'invite à son appartement, je suis stupéfait d'apprendre qu'elle vit à Chalcot Square – l'emplacement de l'appartement d'Anne Wicks. Depuis les quinze dernières années, j'habite à seulement trois kilomètres de là. Mes filles sont allées à la maternelle dans le quartier. Un de mes plus vieux amis habite au coin de la rue. Mais ce n'est que maintenant, en route pour chez Donna, que je vais voir la maison où ma mère est morte.

À l'époque de Hannah, c'était un quartier bohème, et la plupart des maisons étaient divisées en appartements bon marché. Mais aujourd'hui, c'est une des zones les plus chères du nord de Londres, et l'adresse d'Anne Wicks n'existe plus. L'appartement en sous-sol qu'elle louait a été réintégré à la majestueuse bâtisse d'angle de période mi-victorienne aux peintures impeccables qui n'héberge plus désormais qu'une seule famille.

Je m'appuie contre les grilles noires luisantes et jette un œil aux fenêtres du sous-sol. Si M. Popjoy, ou l'un de ses successeurs, était appelé pour enquêter sur une fuite de gaz à l'heure actuelle, il ne pourrait pas dépasser les barreaux. J'envisage de frapper à la porte pour demander à jeter un œil à l'intérieur, mais qu'y aurait-il à voir ? Et que dirais-je ? Est-ce que les gens qui habitent là aujourd'hui ont envie d'entendre parler du suicide d'une jeune femme dans leur maison ?

En fin de compte, je traverse la place et sonne à la porte de Donna.

Elle est au courant que Hannah est morte ici, même si elle ignore dans quelle maison et n'a jamais cherché à le savoir – elle ne s'est jamais penchée sur la question, pour être honnête. Elle a rencontré Hannah quand elle est venue à Londres pour le mariage de Naomi, mais elle n'était encore qu'une fillette, et lorsqu'elle est revenue à l'âge adulte, Hannah était morte et personne ne parlait d'elle. C'était « le grand non-dit », explique-t-elle, et d'ailleurs notre famille est « pleine de grands non-dits ».

Le grand non-dit de Donna, c'est qu'elle a grandi en croyant que son père était le premier mari de sa mère, et non, comme c'était le cas en fait, son second mari, avec lequel Ruth avait eu une longue liaison avant de l'épouser finalement. Elle voulait que personne ne sache que Donna était une « bâtarde ».

Ce n'est que des années plus tard, en thérapie à Londres, que Donna a deviné la vérité. C'était comme si une « taie » était tombée de ses yeux. Elle est rentrée en Afrique du Sud pour interroger le second mari ; il a reconnu qu'il était son père, mais l'a suppliée de ne pas dire à Ruth qu'elle avait compris, et Donna ne l'a jamais fait. C'est « notre façon de faire, dans la famille », dit-elle. Garder les secrets, occulter les vérités que nous ne voulons pas voir.

Donna vivait à Londres au moment de la mort de Ruth, et même si, à l'époque, elle avait déjà plus de trente ans et des enfants, on ne lui a pas dit, dans un premier temps, qu'elle s'était donné la mort. En outre, on l'a persuadée de ne pas rentrer en Afrique du Sud pour les funérailles – un choix qu'elle n'a cessé de regretter depuis.

Nous parlons de ces cachotteries, du suicide de Ruth, et Donna suggère qu'on y retrouve un même schéma de comportement : le refus d'affronter les choses désagréables, que ce soit la honte de l'infidélité ou les indignités du cancer. Ajoutez à ça un côté intraitable, peut-être, comme mon grand-père l'écrivait au sujet de Hannah, une dureté ; car toutes les mères ne seraient pas capables de mentir à leur fille au sujet de leur père une vie durant, et toutes les femmes de soixante-dix ans ne seraient pas capables d'emporter un revolver à l'hôpital et d'en faire usage.

C'était son second mari, le père de Donna, qui lui avait offert cette arme. Tout cela était monnaie courante en Afrique du Sud – les liaisons extraconjugales et les revolvers.

Quelques jours après la mort de Ruth, Donna a reçu une lettre d'elle. Elle l'avait rédigée avant d'entrer à l'hôpital, au cas où quelque chose se produirait en salle d'opération, ou après. « J'ai pris ma décision : "pas de larmes" », écrivait Ruth.

Plus tard, lorsque je lui rapporte cette conversation, Susie insinue que les suicides de Ruth et de Zelda ne sont peut-être pas les seuls dans la famille. Rosie, leur mère – la grand-mère de Hannah –, souffrait de « mélancolie » sévère. Elle faisait constamment des séjours au sanatorium, et fut finalement envoyée en Suisse, où, officiellement, elle mourut d'une crise cardiaque en subissant une séance d'électrochocs – mais Susie pense qu'il est possible qu'elle se soit donné la mort.

Le mari de Rosie, Nicolai, n'avait pas la mélancolie dans le sang. En Afrique du Sud, où il était président de la South Africa Zionist Federation, il était connu sous le sobriquet de « tsar Nicolai ». Après la mort de Rosie, Nicolai alla s'établir en Israël où, à en croire une nécrologie, il passa le procès Eichmann à « parader dans les rues de Jérusalem avec une pancarte clamant qu'on ne devait pas souiller la Terre sainte en y enterrant le corps de cet infâme meurtrier ».

Mais sur la mort de Nicolai aussi, il y a une anecdote. Dans sa vieillesse, il vint à Londres afin de faire traiter son cancer de la gorge par un médecin qui était bien connu, dit Susie, pour « faire le maximum ». À ce qu'on raconte, Nicolai recommanda au médecin de ne pas le réveiller après l'opération si le cancer s'était propagé. Il mourut sur le billard en juillet 1965, six mois avant Hannah.

Cette difficulté à affronter les choses désagréables, à tolérer les bassesses, et aussi cette férocité, ou cette dureté, sont des choses que j'ai connues chez ma grand-mère. Bien qu'elle fût affectueuse et généreuse, elle refusait d'aller aux enterrements – y compris celui de sa propre fille. C'était une amie loyale et compréhensive jusqu'à un certain point, mais une fois ce point dépassé, elle coupait les ponts.

« Là, tu me pousses à bout ! » disait-elle, même sur les sujets les plus insignifiants.

Elle ne s'est pas suicidée comme ses sœurs, mais une fois vieille et malade, elle en parlait souvent, et elle a été pendant des années membre de la Voluntary Euthanasia Society. Ce n'était pas la mort qu'elle redoutait, expliquait-elle, mais l'« attirail sordide de la mort », et c'est peut-être seulement la démence qu'elle avait toujours appréhendée qui l'a empêchée de choisir son moment pour tirer sa révérence.

Est-ce ce qui s'est passé avec Hannah ? A-t-elle été poussée à bout ? A-t-elle refusé de tolérer l'humiliation d'un mariage raté, d'un amant qui la rejetait ? C'est une explication, et ce n'en est pas une. Ruth, Zelda, Rosie, Nicolai étaient âgés, ou du moins beaucoup plus âgés que Hannah, et ils souffraient de maladies atroces. Hannah avait vingt-neuf ans, et elle était en parfaite santé. C'est une chose de choisir son moment pour quitter la scène ; c'en est une autre de faucher une vie dans la fleur de la jeunesse.

Au cours de ces conversations sur l'histoire familiale, d'autres thèmes se dessinent. La tendance à l'infidélité, par exemple. Ruth et Zelda, me dit Susie, avaient toutes deux des liaisons extraconjugales – et Nicolai aussi, sans doute. Déjà, le père de mon grand-père, Berthold Feiwel, auquel sa contribution au sionisme a valu de donner son nom à une rue de Tel-Aviv, était réputé pour son goût de la bagatelle. Mes grands-parents, eux aussi, avaient des aventures : ma grand-mère avec un homme qu'elle fréquentait lorsqu'elle se rendait en Afrique du Sud, me dit Susie, et mon grand-père lorsqu'il était à la guerre, et plus tard en voyage. Je me rappelle une promenade avec mes grands-parents à New York. Mon grand-père, qui avait alors plus de soixante-dix ans, a désigné un hôtel et m'a demandé d'un air espiègle s'il devait parler à ma grand-mère de la femme avec laquelle il y avait couché.

Sur le moment, j'ai ri, et ça me fait encore sourire, mais dans quelle mesure Hannah était-elle au courant des aventures de ses parents, de ses tantes, de ses grands-parents ? Normalisèrent-elles l'infidélité à ses yeux ? Était-ce pour suivre leur exemple qu'elle s'embarqua dans la liaison qui se conclut par sa mort ?

À en croire Susie, ma grand-mère eut même une aventure, ou du moins un flirt, peu de temps après son mariage. Elle et mon grand-père étaient partis en vacances en Yougoslavie avec un ami poète et sa femme et, au bout de deux jours, ma grand-mère s'était enfuie avec le poète. La « morosité » de mon grand-père l'avait démoralisée, lui dit-elle en revenant, et il lui promit d'essayer de se montrer plus joyeux.

J'avais toujours cru que la tristesse de mon grand-père était une conséquence du suicide de sa fille. Mais, en lisant les volumes plus anciens de son journal, j'ai appris qu'elle était en lui bien avant la mort de Hannah. Il évoque des périodes de mélancolie, de dépression, de panne d'inspiration. La « longue route du retour », c'est ainsi qu'il décrit sa vie au cours de l'un de ces épisodes.

Dans ses souvenirs d'enfance, il met ce trait de caractère sur le compte des « liaisons constantes » de son père, qui rendaient sa mère « négative et irritable », ce qui se répercutait sur lui. Mais une autre source laisse entendre que sa morosité avait peut-être une origine génétique. Pendant les premières années du mouvement sioniste, ses parents étaient des amis et collègues de Chaim Weizmann, et on relève des dizaines d'allusions à eux dans sa correspondance. On y lit que la mère de mon grand-père était une « terrible *Grublergeist* », c'est-à-dire qu'elle broyait constamment du noir, avant même d'avoir rencontré Berthold. Et « Toldy », comme l'appelait Weizmann, bien qu'il soit un « homme merveilleux, extrêmement doué », était sujet à ce qui, je trouve, ressemblait étrangement à de la dépression. « Toldy est vraiment affreusement malheureux », dit une lettre parmi d'autres du même genre. Il « a passé la journée au lit et n'a pas prononcé un mot ».

À ce qu'il semble, les gènes mélancoliques et le *Grublergeist* furent épargnés à Hannah. De l'avis général, elle jouissait d'une nature globalement joyeuse, positive, énergique. Du reste, même s'il est plus facile de voir dans le suicide une conséquence de la maladie mentale, rien ne prouve qu'elle ait souffert de dépression ; il n'est question nulle part de journées au lit, et personne n'a suggéré qu'elle ait jamais passé un jour entier dans le silence. Mais les caractéristiques familiales auxquelles nous échappons sur le plan génétique peuvent tout de même imprégner l'environnement dans lequel nous grandissons.

Du temps où je me les rappelle, quand j'avais entre dix et trente ans, mes grands-parents n'étaient pas en conflit. Avec le temps, la mort de Hannah semblait les avoir rapprochés, les avoir aidés à se satisfaire de moins, à se contenter l'un de l'autre. J'étais conscient de leur tristesse sous-jacente, mais ils étaient aussi drôles ensemble, ils aimaient bien se taquiner, s'amuser de leurs différences. En tant que grands-parents, ils étaient affectueux et généreux, et leur amour a été vital pour mon frère et moi. Mais je peux imaginer qu'ils n'étaient pas toujours comme ça en tant que parents.

Lorsque mon grand-père est rentré au cottage de London Road en 1945, ils avaient tous deux passé une « bonne guerre » chacun de leur côté, et ma grand-mère, raconte Susie, l'a fait dormir sur le canapé ; ils n'ont plus jamais partagé un lit. Bientôt, il s'est mis à travailler à Londres, et j'imagine qu'il passait souvent la nuit en ville.

La morosité et la mélancolie de mon grand-père ne peuvent pas avoir fait bon ménage avec la difficulté de ma grand-mère à accepter qu'on la pousse à bout. Ils sont restés ensemble, mais il n'est pas sorcier de comprendre l'empressement de Hannah à s'échapper en pension. Mes grands-parents, eux aussi, profitaient de la moindre occasion pour s'éloigner de la maison familiale. Lorsque Hannah avait quinze ans, mon grand-père a passé plusieurs mois en Amérique avec sa bourse Fulbright ; et peu après son retour, ma grand-mère s'est rendue en Afrique du Sud, elle aussi pour plusieurs mois. Hannah était en pension, mais il n'y a peut-être pas lieu de s'étonner que ces absences parentales aient coïncidé avec sa « liaison » avec le principal.

Je sais par expérience combien il peut être déstabilisant d'être confronté à des adolescentes butées. Mes filles ont traversé l'adolescence l'une après l'autre pendant que je travaillais à reconstituer l'histoire de Hannah ; elles m'ont aidé à la comprendre, et en apprendre plus long sur elle m'a peut-être aidé à les comprendre. À l'époque de Hannah, les adolescents étaient plus systématiquement incompris. (Ce n'est peut-être pas un hasard qu'une fois Hannah adulte mon grand-père ait rédigé l'un des premiers ouvrages sur les teenagers en Angleterre – *The Insecure Offenders*, sur les Teddy Boys.) En outre, ils n'étaient pas autorisés à être eux-mêmes comme aujourd'hui ; il est vrai cependant que Hannah ne s'est jamais tellement préoccupée de ce qui était autorisé ou non, et qu'il est facile de l'imaginer en train de pousser ses deux parents à bout.

Le journal de mon grand-père ne couvre pas cette période, mais je retrouve dans ses papiers un recueil de nouvelles inédites, dont l'une s'inspire visiblement de Hannah et de ma grand-mère. Dans ce récit, la fille s'appelle Ann, le nom officiel de Hannah. Elle a quatorze ans le jour où a lieu la scène, le jour où ils déménagent, or Hannah avait quatorze ans elle aussi lorsque la famille est revenue s'installer à Londres. Les mots employés pour décrire Ann – précoce, égoïste, difficile, mélodramatique, belle – sont des mots utilisés par mon grand-père, parmi d'autres, pour décrire Hannah.

Il s'agit d'une fiction, non de la réalité, et je ne crois pas que ma grand-mère ait été capable d'autant de méchanceté que Lucille dans la nouvelle. Je ne peux pas l'imaginer en train de décrire Hannah comme une « tache » dans sa vie, ou de lui faire le coup que Lucille lui fait à la fin avec les chaussures. Mais je la vois bien en train d'expliquer patiemment à Hannah que son égoïsme lui nuit et nuit à la famille.

C'est un mélange détonant – des attentes considérables, comme Hannah en a suscité dès le début, et un flux constant de critiques. Celles-ci ont-elles sapé sa confiance en elle ? L'ont-elles rendue, malgré sa nature optimiste, vulnérable à l'échec, au rejet ?

Il faut y ajouter la relation souvent difficile de ses parents, un foyer malheureux. Cet élément a-t-il entamé sa foi dans le mariage, dans la vie de famille ?

PRINTEMPS 1954/AUTOMNE 1956

Chère Tash, je suis vraiment sincèrement amoureuse (sortez les violons !) mais je le suis vraiment pour la première fois de ma vie − et laisse-moi te dire, Tash, c'est le paradis sur terre. Pop m'a fait une demande en mariage ouverte que je peux accepter quand ça me chante et franchement, Tash, si j'éprouve toujours la même chose pour lui l'année prochaine à cette période, je pense que je vais dire oui. J'aurai presque dix-neuf ans à ce moment-là, et je crois que si ça dure un an, avec moi, ça sera pour toujours. Vraiment, je n'ai jamais éprouvé une chose pareille. Le seul hic, c'est que j'ai la frousse − parce qu'il a vingt-trois ans, qu'il a eu des millions de petites amies, et si je me sens certaine de l'aimer complètement maintenant − qu'est-ce que je penserai d'ici un an ?

Le week-end dernier a été le plus beau de ma vie. Pop a dormi dans mon lit toute la nuit − sans que Shirley ou Neville soient au courant. Dans la soirée, nous sommes allés au bal. Ah, Tash, j'aimerais pouvoir te décrire à quel point c'était sublime. C'était une nuit douce, très claire, le bal se tenait en plein air, les jardins étaient tout illuminés, Pop a dansé divinement, on se serait cru dans un article de *Women's Own*[1].

1. Célèbre magazine féminin britannique. *(N.d.T.)*

Le moment le plus merveilleux de tout le week-end, c'est quand la patronne du pub m'a recommandé de bien rappeler à mon mari de signer la note.

Chère Tash, désormais tu dois avoir l'impression d'avoir passé toute ta vie à Oxford et que tu n'en partiras plus jamais. Moi, en tout cas, c'est l'impression que j'ai au sujet de la sténo et de la fac de secrétariat (quel mot affreux), je deviens de plus en plus nulle en dactylo de jour en jour et je vois mes chances de trouver un jour un travail s'amoindrir à grande vitesse. Ma prof est une lesbienne qui nous cajole et nous fait les cours en roucoulant dans un état de caprice charmeur – je ne sais absolument pas ce que je veux dire par là – sans doute que j'ai le sentiment de devoir m'élever à ton niveau dans mon usage de la langue anglaise. Quoi qu'il en soit, la morale de cette triste histoire, c'est qu'il ne faut jamais devenir secrétaire.

Chère Tash, je suis sûre que l'anglo-saxon est un vrai paradis comparé aux joies de la sténo ! Je n'ai jamais vu un truc aussi difficile de ma vie (tu vois, j'en oublie mon orthographe), il n'y a pas d'âme, c'est complètement creux.

Chère Tash, j'aimerais bien que tu m'écrives de temps en temps – ne serait-ce que pour me décrire la vie que je me suis débrouillée pour rater, je ne sais comment. Je suis au lit avec la grippe et Pop souffre d'une attaque de sciatique qui le force à une immobilité presque totale, donc nous restons étendus dans notre lit à deux places, assez pathétiques, pendant que différents médecins, mères et belles-mères nous apportent de grands paniers de nourriture et des cachets, des médicaments au goût infect et des bouteilles d'eau chaude.

Mon avenir de secrétaire se fait, je suis ravie de le dire, plus improbable de jour en jour. Je suis vraiment complètement nulle en dactylo. J'aimerais juste que tu en fasses aussi, parce que comme je l'ai déjà dit je suis sûre que tu serais encore plus mauvaise.

Chère Tash, j'envisage sérieusement d'aller à l'université après tout. Je pense que si je ne le fais pas je vais le regretter toute ma vie, et j'ai vraiment honte que mon éducation universitaire se soit arrêtée alors que je n'avais même pas dix-sept ans. Le genre de travail que je pourrais trouver en ce moment avec mes qualifications limitées et qui serait susceptible de m'intéresser est très difficile à obtenir et le fait que je sois mariée, ce qui me forcerait à regarder la pendule avec insistance passé dix-sept heures trente, n'est pas pour arranger les choses.

Chère Tash, tu t'abstiens toujours de me dire quoi que ce soit, mais j'ai entendu dire par le téléphone arabe, comme d'habitude, que tu as renoncé à M. J'espère que tu n'es pas trop malheureuse car je suis certaine que tu trouveras quelqu'un de beaucoup plus sympa. L'une des pires choses que Frensham nous a inculquées, c'est ce sentiment que si l'on n'est pas amoureuse de quelqu'un en particulier, la vie est affreusement morne, je ne crois pas que ce soit nécessairement vrai, mais je suis très mal placée pour en parler.

Il ne s'est rien passé de bien excitant ces derniers temps. Nous recevons notre médecin et sa femme à souper ce soir, il est très gentil sauf qu'on dirait tout à fait l'un des sept nains. Nous sommes allés à la première de *Hamlet* avec Alan Badel. C'était complètement nul, Badel est tout petit et un peu gros et il était en pantalon de ski, ce qui n'arrangeait rien.

Chère Tash, en fait, maintenant que je suis étudiante moi aussi, je vois tout sous un angle différent (ma vision est légèrement obscurcie par mon foulard de la fac, et j'ai mal à la tête à cause de mon béret de la fac, heureusement je suis jolie et j'ai chaud grâce à mon blazer de la fac et à ma superbe robe noire).

Le travail cependant s'avère fascinant. Pour la première fois, je parviens à comprendre ce qu'il se passe dans le monde. Nos cours magistraux doivent être très différents de ceux qui sont donnés à Oxford : ça ressemble plutôt aux cours du lycée, et on a le droit de poser des questions à tout moment.

Chère Tash, pourquoi est-ce que je ne te vois jamais et que je n'ai jamais de tes nouvelles ? Est-ce que c'est parce que Pop est dans les affaires ? Ou parce que je n'aime pas la *Universities and Left Review* ? Ou parce que je n'aurai qu'un *fourth*[1] ?

---

1. Il y avait alors quatre classes d'honneur à l'université, la quatrième équivalant à la plus basse « mention ». *(N.d.T.)*

12

Ce qui manque dans tout cela, c'est une contribution de Hannah elle-même – sa voix, ses propres mots. Je pense de plus en plus à ses lettres à Tasha ; j'en parle à Susie, et nous échafaudons un plan. Nous allons nous rendre ensemble chez Tasha afin de la persuader de nous laisser chercher les lettres. Mais deux jours avant la date prévue pour notre expédition à Oxford, Susie m'appelle. Tasha a encore eu une attaque, et elle est morte.

Une semaine plus tard, nous allons donc à son enterrement. Les enfants avec lesquels elle était fâchée ne viennent pas, mais je fais la connaissance d'Esther, sa fille de son second mariage.

Ce n'est pas le moment de m'enquérir des lettres, et je me retiens d'y penser. Mais environ deux mois plus tard, Susie m'informe qu'elle va voir Sonia, et je lui demande de poser la question ; quelques jours plus tard, je reçois un mail d'Esther. Elle a les lettres, mais ne sait pas trop qu'en faire. Il y a des choses personnelles dedans – rien de particulièrement révélateur, mais des choses privées sur sa mère, sa tante.

Je comprends son hésitation, la tentation du secret. Mais maintenant que les lettres ont été retrouvées, je ne peux penser à rien d'autre. J'écris à Esther pour lui expliquer à quel point elles sont importantes à mes yeux, et que c'est à Hannah que je m'intéresse, pas aux secrets de Tasha ou de Sonia. Elle répond qu'elle part en voyage, et suggère que nous nous parlions à son retour. Les jours passent lentement, mais finalement, elle appelle pour dire que je peux les avoir.

Lorsque j'arrive à son appartement, elle les a étalées sur le sol. Il y en a une trentaine, la plupart écrites à la main, quelques-unes tapées à la machine, sur différentes sortes de papier. J'en choisis une et j'essaie de la lire, mais je ne parviens pas à me concentrer. Je suis comme un homme qui n'a jamais lu un livre en entier et qui se retrouve dans une bibliothèque. J'ai trop le vertige pour lire.

Esther a trouvé les lettres, me dit-elle, non pas cachées au grenier, mais sous la lettre H dans le classeur à tiroirs de Tasha. J'ai dû passer devant ce classeur lorsque je lui ai rendu visite.

Comme elle veut faire des photocopies des passages concernant Tasha et sa famille, nous allons dans une boutique de reprographie. Une fois que nous avons terminé, je prends possession des lettres dans l'enveloppe blanche avec le nom de Hannah entouré à l'encre noire, là où Tasha les avait rangées, quelque dix ans après avoir appris leur existence. Je marche jusqu'à la station de métro dans un état de confusion totale, et je commence à les lire dans le wagon. Elles vont des quinze ans de Hannah à ses vingt ans. L'écriture pleine de boucles, qui ne m'est déjà plus inconnue, se fait plus nette, plus petite à mesure que les années passent. L'orthographe et la ponctuation s'améliorent un peu, mais pas beaucoup.

Je suis encore en train de lire lorsque j'arrive à ma station. Je descends et m'assois sur un banc tandis que d'autres rames de métro défilent devant moi.

Dans les jours qui suivent, je ne sais qu'éprouver ni que penser. J'en ai rêvé pendant si longtemps, de ces lettres, de ce qu'elles pourraient m'apprendre, des voies qu'elles pourraient m'ouvrir pour pénétrer l'esprit de Hannah. Tant qu'elles étaient hors de portée, elles pouvaient être n'importe quoi. Mais maintenant que je les ai, elles sont ce qu'elles sont – des lettres d'une adolescente. C'est le plus près de Hannah que je me trouverai jamais, le plus de Hannah que je tiendrai jamais, et ça ne semble pas bien conséquent.

Je les pose sur une étagère, et pendant deux semaines, je ne parviens pas à me résoudre à les regarder de nouveau. Mais en définitive j'y retourne, et je les relis, plus lentement. Il n'y a peut-être pas d'indice décisif, rien qui sorte de l'ordinaire, mais n'est-ce pas ce que je souhaitais – la Hannah de tous les jours, la vraie Hannah ?

La Hannah qui me fait sourire maintenant lorsque je lis que « Sonia n'avait qu'une réplique – mais elle a été très prometteuse » ; qui me fait rire lorsqu'elle écrit : « je ne veux pas trop sortir car j'ai beaucoup de travail à faire – me coucher sur le sol et m'efforcer de respirer ». Ma mère, je le découvre, était drôle.

Je découvre, aussi, qu'elle me plaît bien. Elle pouvait être mégalomane, autoritaire, dédaigneuse, mais il y a aussi dans ces lettres une franchise, un naturel qui me la rendent sympathique. J'ai entendu dire qu'elle était « excessive », qu'elle avait constamment besoin de se mettre en avant, mais s'il est indubitable qu'elle ressentait fortement les choses et qu'elle disait ce qu'elle pensait, elle est plus calme et plus douce que je ne m'y étais attendu – plus adepte de l'ironie et de l'autodérision que du mélodrame (« à part le fait que je suis morte de fatigue et affreusement grosse, la vie est plutôt agréable »). Son naturel la portait peut-être vers l'ironie et l'irrévérence, ce que j'apprécie, mais je suis aussi touché par son sérieux juvénile lorsqu'elle parle du théâtre, du principal, de mon père, de l'université, ou qu'elle donne des conseils à Tasha (« tu n'as pas l'air en forme, mais Tash, s'il ne t'a pas répondu, ne lui réécris sous aucun prétexte »).

C'est agréable de lire ses mots à elle sur des choses dont j'ai entendu parler par ailleurs, comme l'école de secrétariat, qui fait davantage sens maintenant que je vois dans ces lettres à quel point elle était jeune, encore indécise, ou la RADA, qui prend corps pour moi pour la première fois.

Il y aussi des déceptions. Le bal costumé chic qu'elle évoque dans l'une des lettres doit être, à en juger par la date, celui où j'ai établi qu'elle a rencontré mon père, mais elle ne parle pas de lui, et il ne figure pas dans les lettres avant plusieurs mois. À contrecœur, je dois me résoudre à l'idée que ce n'est pas à cette occasion que mes parents se sont rencontrés, ou retrouvés.

Lorsqu'elle finit par écrire sur mon père, je trouve son emballement à son égard, ses allusions à leurs nuits un peu embarrassants. Mais c'est en soi une nouvelle sensation pour moi – le fait d'en apprendre trop long sur ma mère, et par ma mère.

De toute évidence, elle était plus avancée sexuellement que la plupart des filles de la classe moyenne à cette époque où la pilule n'existait pas encore ; cela dit, ce n'était pas difficile. Jessica Mann, qui est née la même année que Hannah, écrit dans *The Fifties Mystique* qu'elle a fait un sondage parmi des femmes de sa promotion à Cambridge ; elle a découvert que l'âge moyen des premiers rapports sexuels était de 23,6 ans. Toutefois les lettres laissent entendre que

Hannah passait plus de temps à repousser les garçons qu'à faire quoi que ce soit avec eux.

Elles semblent également confirmer ce que je soupçonnais – qu'elle voyait ses « toquades » pour des garçons et sa relation avec le principal comme deux choses séparées qui pouvaient coexister. « Veille sur K., écrit-elle à Tasha. En vacances, il est beaucoup plus gentil qu'on ne l'imagine. J'ai reçu une gentille lettre de Mike. »

Les lettres corroborent, avec ses mots, que quelque chose s'est bien passé avec le principal. Comme me l'avait dit Shirley, il lui écrivait, il l'a suivie jusqu'à Londres. Il est même passé chez elle à l'improviste. Mais les lettres ne m'éclairent pas tellement sur le sens profond de la chose. Il est « chou », écrit-elle quand elle est bien disposée. C'est réconfortant de savoir qu'« il croit si profondément » en elle. Il lui manque « affreusement ». Mais lorsqu'il apparaît à la soirée des anciens de Frensham, elle a la sensation qu'elle va « se liquéfier », et lorsqu'il tente de se retrouver seul avec elle dans sa Rolls : « Oh Tash, ça m'a mise dans tous mes états… Dieuduciel – ce n'est pas bien tout ça. »

Je cherche des indices. Qu'est-ce que cela signifie qu'elle utilise le mot « aventure » pour décrire ce qui n'était manifestement qu'un flirt dans l'avion pour Paris ? Je cherche le Macmurray qu'elle décrit comme l'un des auteurs préférés du principal. John Macmurray était un philosophe écossais qui avait pour thèse centrale que c'est « dans la communauté avec les autres que nous découvrons qui nous sommes vraiment ». Était-ce ce que le principal faisait avec Hannah ? Il communiait avec elle ?

J'ai besoin d'aide, et je confie les lettres à une voisine psychologue et psychanalyste. Sa première impression est « celle d'une jeune femme vive, au tempérament excitable, en quête d'un rôle convaincant dans sa relation avec les hommes – femme fatale ou ingénue vulnérable, femme du monde ou adolescente frivole. Il paraît impossible à partir de ces seules lettres de dire s'ils avaient réellement des relations sexuelles ou pas, car Hannah semble exagérer certains aspects de ses activités pour en minimiser d'autres ».

Mais quand je lui expose les autres preuves que j'ai rassemblées – le journal de Shirley, les souvenirs de Bill Wills, le renvoi du principal, le fait que sa femme était une lycéenne et lui un professeur lorsqu'ils s'étaient rencontrés –, elle m'explique qu'il arrive qu'une jeune personne soit « initiée » par une figure d'autorité. La vision du bien et du mal de la victime est tellement subvertie qu'elle ne se rend pas compte que « ce qui se passe est mal, car on lui apprend à parler d'un abus comme s'il s'agissait d'amour ».

Elle me décrit dans ses grands traits la dynamique de l'abus, et je lis des articles sur le sujet. La figure d'autorité convainc ses victimes qu'elles sont spéciales, comme le principal, dont Hannah écrit qu'il l'idéalisait ; il les isole sous prétexte de cours privés, comme le principal, qui invitait Hannah dans son bureau pour du « soutien » en allemand ; il leur inculque ses idées, comme il le fit avec Macmurray. Il peut être difficile, suggère la documentation sur le sujet, de faire la distinction entre des enseignants passionnés et passionnants et des enseignants abusifs ; les auteurs d'abus sexuels peuvent être passionnants, en même temps, ce qui peut être particulièrement perturbant pour les enfants.

Ma voisine explique aussi la corrélation entre les abus sexuels et les problèmes psychologiques à l'âge adulte, dont le suicide – ces problèmes apparaissent souvent entre vingt et trente ans, les expériences de l'enfance laissant une « fragilité » chez la victime. La forte personnalité de Hannah n'aurait pas nécessairement joué le rôle d'un rempart, dit-elle : « cette force exceptionnelle peut se retourner contre elle-même ».

Est-ce ce qui s'est passé pour Hannah ? Ses lettres ne le disent pas, ne révèlent pas une telle noirceur, et de toute façon, elles ne m'emmènent que jusqu'à l'âge de vingt ans. C'est tout ce que j'ai de sa voix, sa voix « rauque », comme disait mon grand-père dans son journal. Avec son « léger accent sud-africain », écrivait Hannah à Tasha. « Une voix tellement agréable, bien modulée », note Phyll Willmott dans son journal. « Une partie extrêmement expressive de toute sa personnalité. Elle pouvait "l'enjouer" lorsqu'elle était contente, glousser ou sourire avec lorsqu'elle était amusée, ou en user comme d'un marteau lorsqu'elle défendait férocement son point de vue sur tel ou tel sujet. »

Mais il reste encore quelques voix à entendre – parmi lesquelles celles des deux témoins de ses derniers mois, de ses derniers jours, que mon grand-père est allé trouver après sa mort. Je ne peux pas davantage parler à Anne Wicks que je ne peux parler à Hannah, mais après avoir lu les lettres de Hannah, je me fais la réflexion qu'Anne a pu laisser des lettres ou des journaux intimes susceptibles de donner un éclairage sur l'histoire de Hannah. Une nécrologie mentionne une amie proche dans le monde de la publicité. Je l'appelle, et elle me propose de faire passer un message aux enfants d'Anne.

En attendant, je relis les passages la concernant dans les journaux de mon grand-père. Après s'être entretenu avec elle, il admet qu'elle n'est « pas aussi méchante » que mon père l'a laissé entendre ; mais avec le temps, ses allusions redeviennent plus critiques. Au départ, il écrit seulement qu'elle était une « influence hypnotique », mais en avril 1966, quatre mois après la mort de Hannah, il donne un détail plus précis : Anne avait dit à Hannah que la publication de *L'Épouse captive* aurait des « conséquences irréparables » sur sa carrière. En décembre 1967, lors du deuxième anniversaire de la mort de Hannah, il développe ce point : Anne « a déprimé Hannah au sujet de son livre, de son mariage, de ses perspectives d'avenir ». Et en 1969, il se fait encore plus spécifique : « Anne Wicks a dit : a/ quitte ton mari b/ John ne t'épousera jamais c/ ton travail est grotesque. »

Armé de ces allégations, je retourne voir mon père. Il était en colère contre Anne, dit-il, car elle avait « encouragé » Hannah à avoir une liaison. Anne avait quitté son mari, « elle profitait de sa liberté toute neuve, et à cause d'elle, Hannah s'est imaginé qu'elle passait à côté de la vie ». Mais le mariage d'Anne avec Tony n'était pas « sérieux » comme le leur ; il n'a duré que quelques années, et il n'y avait pas d'enfants.

Quant à savoir si Anne avait dit à Hannah que John Hayes ne l'épouserait jamais, il n'est pas au courant, mais elle avait raison. Il sait en revanche qu'Anne avait « éreinté » *L'Épouse captive*, et que « Hannah prenait ces critiques très à cœur ». Elle lui avait dit que le livre allait « ruiner sa réputation », mais il ne peut donner d'explication.

À ma grande surprise, il m'apprend qu'Anne lui a écrit une lettre peu de temps avant de mourir. Elle voulait le voir. Qu'a-t-il fait ? Déchiré et jeté la lettre, répond-il. A-t-il pensé qu'elle avait écrit parce qu'elle se savait atteinte d'un cancer ? Il ne se doutait de rien, dit-il, il ne voulait pas la voir. À quoi bon ?

Je n'en suis que davantage intrigué, cependant. Quel genre d'amie était Anne Wicks ? Quel genre de personne ? Les accusations de mon père et de mon grand-père sont-elles fondées ?

Mon grand-père n'a conservé que deux des entretiens qu'il a retranscrits pour son ouvrage sur les intellectuels : celui avec Hannah, et celui avec Anne Wicks. C'est Hannah, j'imagine, qui la lui avait recommandée.

« Originaire de Bromley, dans le Kent, notait-il. Père, maçon. 11-plus. A fréquenté la Bromley Grammar School. Pourquoi n'avoir pas tenté Oxbridge ? Semblait hors de portée. »

Comme Hannah, elle avait commencé un PhD en sociologie à Bedford « mais laissé tomber. Sentiment de travailler dans un trop grand isolement ».

Au lieu de ça, Hannah lui avait présenté un ami de mon grand-père, Mark Abrams, dont le nom l'avait aidée à entrer à Bedford. Anne avait reçu une « bonne formation de base » en recherches sociales et études de marché dans l'entreprise d'Abrams, et elle était partie travailler chez Thomson Newspapers, où elle avait été nommée chef du département des études de marché à l'âge de vingt-six ans.

« Je ne prête pas attention au fait que je suis une femme, disait-elle, et je ne laisse personne s'arrêter là-dessus. » Elle n'avait plus « tellement de contacts avec les filles de Bedford College », mais savait qu'« une forte proportion d'entre elles avait un mari et deux enfants et avait complètement arrêté de travailler ». Quant à elle, de nouveau célibataire, elle disait avoir l'impression que, lorsque les femmes se marient, elles « se transforment en bonnets de nuit du jour au lendemain ».

Au lieu d'avoir des nouvelles de ses enfants, je reçois un appel de Di Hibel, une amie d'Anne à laquelle ils ont demandé de me contacter. Di était à Bedford également, m'explique-t-elle lorsque nous nous rencontrons, mais deux niveaux en dessous de Hannah et d'Anne. Elle se souvient d'avoir vu Hannah une fois à la bibliothèque. Elle était enceinte de moi, et elle portait une chemise d'homme.

« Annie », comme elle l'appelle, comme Hannah l'appelait sur sa lettre de suicide, « était très en colère contre Hannah pour ce qu'elle lui avait fait, raconte Di. Elle m'a dit qu'elle l'avait fait dans son appartement, et qu'elle ne voulait pas en parler ».

Anne ne s'est jamais remariée – « elle était mariée avec son travail » –, mais elle a eu trois enfants de deux pères différents. Elle a fait une carrière brillante dans les études de marché et la budgétisation. Elle est devenue thatchérienne dans les dernières années de sa vie, et a même envisagé d'essayer de se faire élire comme députée tory.

Di n'est pas au courant de l'existence de journaux ou de lettres – les enfants d'Anne n'en ont rien dit –, mais par un hasard heureux, une autre porte s'ouvre. Tony Wicks avait parlé d'un couple qui vivait dans Chalcot Square, des amis d'Anne, mais j'avais presque oublié leur existence jusqu'à ce que j'entende ma belle-sœur mentionner leur nom, qui est peu commun. Il se trouve que Margaret et Rainer Schuelein sont ses voisins immédiats – ils ont été les voisins de mon frère pendant les quinze dernières années de sa vie.

Je les ai vus souvent, je m'en aperçois, je les ai même salués dans la rue. Je les appelle, et ils m'invitent à passer. Ils sont gentils, posés. « Annie était une amie exceptionnelle », disent-ils. Elle était « charmante, brillante, avec des opinions très arrêtées, pleine de vie ».

Ils connaissaient un peu Hannah – ils ont dîné avec elle, mon père, Anne et Tony à deux ou trois reprises. Ils se sont installés dans cette maison avant la mort de Hannah, et Margaret se souvient même qu'elle est passée un jour. Elle ne pense pas qu'elle soit entrée, mais elle la revoit debout dans l'allée avec Anne. Elle était avec son fils en poussette – avec moi, sans doute.

Je leur demande s'ils en ont jamais parlé à Simon. Non, répondent-ils, ils ne savaient pas trop s'il l'aurait bien pris. « Une fois qu'une chose est dite, on ne peut pas faire qu'elle n'ait pas été dite. » Cela aurait pu provoquer un malaise entre voisins.

Étaient-ils encore amis avec Anne lorsque mon frère vivait à côté ? « Oh oui, confirment-ils. Annie venait souvent ici. »

J'essaie de l'imaginer assise dans cette pièce tandis que mon frère était à quelques mètres à peine, de l'autre côté du mur de séparation. Peut-être s'installait-elle dans le jardin lorsqu'il faisait beau pendant que mon frère et ses fils jouaient sur leur pelouse. Est-il arrivé que les garçons lancent une balle de l'autre côté de la clôture ? L'a-t-elle ramassée, l'a-t-elle rendue au fils de son amie, à l'un des petits-fils de son amie ? Peut-être est-ce après un épisode de ce genre qu'elle a écrit à mon père pour lui demander une entrevue. Je pose la question aux Schuelein, mais ils ne peuvent pas dire, ils ne savaient pas qu'Anne avait écrit à mon père ; en revanche, elle savait très bien qui était leur voisin.

Ils me montrent quelques photos d'Anne jeune – une jeune femme de haute taille, bien charpentée, au physique agréable, avec une robe courte qui souligne un ventre arrondi par la grossesse, et une coupe au bol à la Mary Quant, comme Hannah.

Ils ont autre chose à me montrer, aussi : le journal de Margaret de 1965. Anne et son petit ami, révèle-t-il,

235

ont dîné chez eux le soir où Hannah est morte. Elle me trouve la page : « Dîner Ghriam et Annie et faisan ici. »

Je fixe ces mots, ahuri. Bien sûr, après avoir annoncé la chose à mes grands-parents, il était logique qu'Anne n'ait pas eu envie de rentrer à son appartement, qu'elle soit allée se réfugier auprès de son petit ami et de ses amis, en quête de compagnie et de réconfort. Je comprends que Margaret n'ait pas eu envie de parler du suicide de Hannah dans son journal. Mais il y a quelque chose qui me dérange dans ce « faisan » – que ce soit le détail qu'elle ait choisi de noter dans son journal le jour du suicide de Hannah, qu'ils avaient mangé du faisan.

Je me reprends : je peux difficilement accuser de simples relations des dérobades dont ma propre famille s'est rendue coupable, dont je me suis rendu coupable. Et il faut encore que je les interroge sur les allégations de mon père et de mon grand-père.

C'est vrai, disent-ils, Anne encourageait ma mère à avoir une liaison, elle trouvait mon père « trop viril et autoritaire », mais selon eux, c'est plutôt les deux femmes qui « se poussaient mutuellement à rejeter leurs maris respectifs ».

Cependant, ils conviennent qu'Anne avait une opinion « négative » du livre de Hannah. « Elle estimait que Hannah l'avait basé sur un groupe d'individus trop restreint, trop restreint pour obtenir des résultats sérieux. » À leur façon de l'expliquer, je crois que je comprends ce qui a pu se passer. *L'Épouse captive* était un travail de recherche qualitative, effectué à partir de conversations avec quatre-vingt-seize femmes. Anne, à l'inverse, était une spécialiste des études de marché, de la recherche quantitative, et avait l'habitude de sonder des milliers d'individus. Pour elle, le livre de Hannah ne devait avoir aucun poids du point de vue statistique.

Mais ce n'est que plus tard que je prends conscience de l'ironie de la chose : c'était Hannah qui avait présenté Anne à Mark Abrams, qui avait assuré sa formation en recherches statistiques.

En prenant congé, j'évoque mes espoirs au sujet des papiers d'Anne, espérant que les Schuelein pourront plaider ma cause auprès de ses enfants, mais au lieu de ça, Margaret m'apprend qu'elle a quelques lettres d'Anne – datant de la période juste après la mort de Hannah. Ils sont allés passer un an à l'étranger, et Anne s'est occupée de leur maison et de leurs affaires courantes, a traité leur courrier ; « elle a imité notre signature sur tous les papiers », affirment-ils.

Il va lui falloir chercher un peu, dit Margaret, et le lendemain, elle m'appelle, j'y retourne et je lis les lettres sur une table située contre le mur qui nous sépare de la maison de mon frère.

La première est datée du 14 janvier 1966, un mois exactement après la mort de Hannah. Anne écrit qu'elle a été invitée à dîner par Michael Kidron, le collègue de Hannah à Hornsey, et sa femme, Nina. « C'était une soirée plutôt agréable, un peu assombrie pour moi car Nina n'avait appris la mort de Hannah que la veille et elle voulait absolument savoir le pourquoi du comment. Je lui ai un peu expliqué le contexte, car elle connaissait déjà l'histoire dans ses grandes lignes, de toute façon. »

Anne s'« en veut un peu d'avoir rompu une sorte de promesse » à mon père, sans doute celle de ne pas parler de la mort de Hannah, « mais la version de Nina le présentait sous un jour encore plus mauvais, car elle pensait qu'il l'avait quittée ». Elle attendait un peu pour revoir d'autres amis, ajoutait-elle, « parce que je n'ai pas envie de répéter la saga Hannah encore une fois ».

« Au fait, écrit-elle, tu ne trouves pas que le monde est petit ? :

Wicks connaît les Schuelein.

Les Schuelein connaissent les Kidron.

Wicks connaît les Gavron.

Les Gavron connaissent les Kidron. »

Dans la lettre suivante, à peu près un mois plus tard, elle explique qu'elle a décidé de rester dans son appartement plutôt que d'acheter, « car c'est vraiment trop compliqué, et je me suis dit que ce serait agréable d'avoir un peu de quoi voir venir plutôt que de prendre encore un lourd engagement financier pour l'instant ». Elle a eu un « passage à vide » lorsqu'elle a « remplacé [ses] problèmes avec Hannah » par des problèmes avec les deux hommes qu'elle fréquente, mais ça va mieux. Pour finir, elle envoie ses bons baisers au fils des Schuelein, Max. « Je regrette terriblement de manquer plusieurs mois de la croissance de Max. »

Je comprends bien que, comme le journal de Margaret, ces lettres ne racontent pas toute l'histoire, que ce que nous disons et ce que nous éprouvons, c'est rarement la même chose. Mais je ne peux quand même pas m'empêcher d'être déconcerté par certaines des choses qu'elle écrit, par son ton, par ce qu'elle n'écrit pas. La « saga Hannah », par exemple, comme si le plus important dans la mort de Hannah, c'était qu'elle lui causait de menues contrariétés. La ronde des gens qui se connaissent, qui ne mentionnent pas que quelqu'un dans la farandole a cessé de danser. Lorsqu'elle parle de sa tristesse à l'idée de manquer plusieurs mois de la vie du fils de son amie, je me demande s'il lui est venu à l'esprit que Hannah allait manquer toute la vie de ses deux fils – et que nous allions manquer toute la sienne.

La dernière lettre est du 14 décembre, la date de la mort de Hannah, et au départ je suppose qu'elle a été rédigé un an plus tard, mais en lisant, je réalise qu'elle remonte à une année plus tôt. Anne est allée au ballet avec Hannah, et a « positivement adoré ça ». Elle a aussi « trouvé un appartement – à Chalcot Square. Il y avait un panneau à louer donc j'ai appelé l'agent immobilier, et je suis allée le visiter ce matin ». C'est l'appartement où Hannah est morte, et je lis ses descriptions des pièces – la cuisine « plus petite que la tienne mais plus grande que la mienne et tout à fait suffisante pour y manger à l'aise ».

Cela fait maintenant un an que j'ai le numéro de téléphone de John Hayes, mais je n'ai pas trouvé le courage de l'appeler. Une amie de ma belle-mère le connaît. Il vit toujours avec le même homme que lorsqu'il fréquentait Hannah, me dit-elle. Il se nomme John, lui aussi. Les deux John, c'est comme ça qu'elle les appelle.

Je suis assis, le numéro dans les mains et le téléphone devant moi, et ce n'est pas la première fois. Rien que ça, ça me rend nerveux. C'est l'homme qui a eu une liaison avec ma mère, qui a fait mon père « cocu ». L'homme pour qui elle s'est donné la mort.

C'est le milieu de la matinée. Je me raisonne : il est sans doute sorti. Et si je faisais simplement le numéro, histoire d'écouter sa voix sur le répondeur ?

Je regarde mon doigt se déplacer d'une touche à l'autre, j'écoute l'écho des sonneries. Une, deux. Avant que je puisse raccrocher, une voix d'homme répond : « Ici John. »

Je panique. Lequel des deux John est-ce ? Je cherche John Hayes, dis-je.

« C'est moi, John Hayes. »

La voix est plus douce, plus guindée, plus veloutée que je ne l'avais imaginée – même si ce que j'avais imaginé, je n'en sais rien, en tout cas pas ça, peut-être rien du tout.

Je pourrais encore raccrocher, mais je ne le fais pas. J'explique, du mieux que je peux, la main tremblante, qui je suis, ce que je veux, et la voix veloutée me répond lentement, calmement. Oui, il veut bien me voir. Il va chez le kiné pour son cou le lendemain, et il a toujours mal pendant plusieurs jours après les séances, il propose donc que nous nous retrouvions un jour de la semaine prochaine au Charing Cross Hotel, dans le café à l'étage.

Une heure plus tard, il rappelle. Maintenant, sa voix tremble un peu. Il a été perturbé par mon coup de téléphone. Nous devrions nous voir plus tôt. Demain. Il viendra dans le centre après son rendez-vous chez le kiné. Au même endroit.

C'est tout juste si je dors. J'arrive en avance à l'hôtel et je monte à l'étage, mais il y a une réception dans le café, donc il est fermé au public. Je redescends dans le hall et fais les cent pas jusqu'à ce que je réalise que je suis passé deux fois, trois fois devant un homme voûté en écharpe et manteau, assis dans un fauteuil dans une alcôve.

Je le regarde. Il me regarde. John ? Oui.

Il se lève ; nous nous serrons la main. Il est plus petit que je ne pensais – je me l'étais toujours représenté comme quelqu'un de grand. Il est plus vieux, aussi – je m'attendais, en fait, à un homme plus jeune. Il ne fait pas plus que son âge, pourtant. Cheveux blancs, visage un peu carré, yeux bleus larmoyants. Dans un mail, après coup, il m'avouera que lui aussi, c'est tout juste s'il a dormi la veille.

Nous nous asseyons. Peut-être parlons-nous boissons, commandons-nous des verres. Je ne me rappelle pas. J'explique de nouveau mon besoin d'en savoir davantage sur Hannah. Il répondra à toutes mes questions, dit-il, même s'il semble effrayé lorsque je demande si je peux prendre des notes. Il vaut mieux pas, dit-il. Sa voix semble moins veloutée qu'au téléphone ; elle est plus triste, plus chaleureuse.

Je propose que nous commencions par le début, sa première rencontre avec Hannah, et il dit que c'était en 1964 – non, 1965 ? « Quelle année c'était, déjà ? » bafouille-t-il.

Ma nature de journaliste prend le dessus ; je l'aide à retrouver la date. C'était à l'automne 1964 – il est arrivé à l'école un an après Hannah.

Quelle impression lui a-t-elle faite ?

« C'était la princesse de l'école.

— Il faut que j'écrive ça », dis-je, il accepte, et à partir de là je prends des notes.

Qu'entend-il par princesse ?

« Un, elle était très belle, et deux, elle avait une intense clarté d'esprit qui brûlait comme le soleil. Par princesse, je veux dire que c'était elle qui commandait – elle s'est rapidement imposée comme chef de file de notre groupe, et elle faisait de l'ombre aux autres. »

Il est plus sûr de lui maintenant, et il parle de Hornsey avec une éloquence calme, par saccades. Le cursus d'études générales étant nouveau, lui, Hannah et les autres lui donnaient forme tous ensemble, ils avaient des discussions, des disputes. Lui et Hannah étaient « très opposés au départ, jusqu'à l'hostilité ». En tant que rejeton du système élitiste des *grammar schools* qui avait étudié la philosophie à Oxford, dit-il, « j'étais moi aussi très sûr de moi, assez brillant et insolent ».

« Du haut de nos vingt-huit, vingt-neuf ans, Hannah et moi, nous étions les enfants du département, les plus jeunes, poursuit-il. L'hostilité s'est muée en affection. »

Il faut que je comprenne l'époque, explique-t-il « L'atmosphère était effervescente. Nous avions le sentiment que nous pouvions faire des choses, l'Angleterre elle-même, à ce moment-là, paraissait capable de créer une culture, un cinéma et un théâtre neufs et dynamiques. Hannah et moi, nous nous soûlions de ces idées, métaphoriquement parlant, et ça a créé un lien entre nous. »

C'était d'abord un lien qui n'allait pas de soi. « Hannah débarquait au beau milieu de mes cours magistraux, s'asseyait au fond et faisait en sorte que tout le monde la voie, ce qui était bien son style. La première fois que ça s'est produit, je lui ai demandé : "Qu'est-ce que tu fabriques à venir fureter dans mes cours ?", et elle a fait : "Je veux voir comment tu es. Tu es nouveau, je veux voir ce que t'as dans le ventre." »

Il se rappelle une scène. « Nous faisions passer des entretiens à des candidats, des élèves, et elle m'a dit de commencer. J'ai donc demandé à un étudiant s'il pensait que les fleurs ressentaient la douleur. Je voulais lui poser une question à laquelle il n'était pas préparé. Et Hannah a reniflé avec mépris. Je l'ai ignorée, j'ai posé mes questions, elle a posé les siennes, mais à la pause je lui ai demandé pourquoi elle s'était montrée si impolie, et elle a dit que j'étais vraiment un pur produit d'Oxford, pédant au possible. » Ils ont ri ; la glace était brisée.

Lui et l'autre John s'étaient rencontrés à Oxford et ils étaient ensemble depuis dix ans lorsqu'il fit la connaissance de Hannah. Ils avaient tous les deux eu des liaisons, mais John Hayes n'avait jamais couché avec une femme avant Hannah, et n'a jamais recommencé après. Alors pourquoi elle ? « J'étais grisé par son mélange de beauté, de clarté et de franchise. »

Il avait « toujours été attiré par les femmes sur le plan intellectuel et émotionnel ». Mais avec Hannah il y avait une « intensité physique », une passion qui l'intriguaient.

Hannah se chargea de l'aspect pratique et arrangea leurs rendez-vous dans l'appartement d'Anne Wicks, mais ils ne s'y retrouvèrent que trois ou quatre fois au total. Il ne s'en sortait pas très bien au lit ; elle devait l'encourager, car il trouvait ça un peu sordide. « C'est une étape que je n'aurais pas dû franchir, je crois », dit-il. Avant l'été, la relation était « purement affaire de tendresse, une tendresse cachée, ce qui produit une intensité en soi ». Ce n'est qu'après l'été qu'elle avait pris un tour sexuel.

Ce qui plaisait à John, c'était la « merveilleuse réciprocité » de leurs sentiments, les débats intellectuels passionnés. « Nous nous enflammions complètement pour des idées. Nous étions persuadés que ce dont nous parlions était important. »

Mais une fois qu'ils eurent franchi l'étape du lit, Hannah a commencé à s'engager davantage. Il ne savait pas que mon père avait quitté la maison, et lorsqu'il l'a appris, John a été « perturbé sur le plan moral ». « Je viens d'un petit village du Lancashire, et je tenais beaucoup à mon éthique de vie. » Il s'est laissé entraîner par Hannah – « mais au bout d'un certain temps, j'ai su que je ne voulais pas aller plus loin, et j'ai commencé à reculer ».

Deux samedis avant sa mort, Hannah donna une fête dans notre maison pour le personnel et les étudiants de Hornsey. Mon père était là aussi. « C'était la première fois que je rencontrais votre père, ou du moins que je le voyais. Je ne crois pas que nous ayons été présentés à proprement parler. Mais je le voyais, à l'autre bout de la pièce, et je savais qui c'était, et j'étais sûr qu'il savait qui j'étais. »

Ce moment a été « crucial » pour John – venir chez nous, voir mon père, voir la brosse à dents de Simon et la mienne dans la salle de bains. « J'ai vu sa famille, et j'ai réalisé que j'étais en train de commettre l'adultère. » Il a bu « comme un trou ; puis je suis allé à la salle de bains et j'ai couvert le miroir de messages à la mousse à raser ».

Il y eut un autre épisode la semaine précédant la mort de Hannah. Il était sorti déjeuner avec elle, et elle lui a dit qu'elle voulait lui montrer quelque chose. « Nous avons pris une rue, et elle m'a désigné les fenêtres d'un appartement en disant : "C'est ici que nous allons vivre", et j'ai dit : "Nous ?", et elle a fait : "Oui, toi et moi ! On peut tenter le coup. J'aurai les enfants avec moi, bien sûr." »

John a fait un « bond en arrière ». Il a soudain réalisé qu'elle était sérieuse, que, pour elle, c'était plus qu'une aventure.

L'après-midi de la mort de Hannah, ils avaient prévu de se retrouver à l'appartement d'Anne Wicks, mais il lui a téléphoné la veille au soir ou dans la matinée pour lui annoncer qu'il ne viendrait pas, qu'il fallait qu'ils arrêtent. « Nous nous sommes disputés, et elle a dit : "Je serai là si tu changes d'avis." »

Il avait un cours à six heures, mais ensuite, il a décidé qu'il « avait agi avec maladresse » et qu'il devait lui parler en personne. « J'ai pris le métro jusqu'à la station Chalk Farm, et en sortant, je me suis dit que j'allais appeler à l'appartement pour voir si elle y était, mais ça n'a pas répondu. Alors j'ai appelé chez elle, et c'est votre père qui a décroché. Il m'a dit qu'elle était morte. »

Anne Wicks avait dit à mon grand-père qu'elle avait trouvé John sur son perron. C'est peut-être vrai, mais spontanément, ça ne lui évoque rien. Il sait qu'il a fini par rentrer chez lui ce soir-là. L'autre John était au courant de l'existence de Hannah, alors il a pu lui dire ce qu'il s'était passé, mais ils n'en ont jamais reparlé. Pourquoi ? « On poursuit sa vie. »

Il y a souvent repensé, en revanche. « À force d'essayer de comprendre ce qui s'est passé, j'en suis arrivé à la conclusion qu'elle avait joué à quitte ou double et qu'elle avait perdu. » Il pense que l'acte en lui-même était un « coup de tête », mais se dit qu'elle « avait cette éventualité à l'esprit, sous forme abstraite, depuis un certain temps », et quand elle a vu que son fantasme de commencer une nouvelle vie avec lui « se dégonflait comme un ballon », elle a « foncé ».

« Je suis mortifié par ma propre stupidité, ma négligence », fait-il en secouant tristement la tête.

De la personnalité de Hannah il dit : « *Aut Caesar aut nihil* » – soit César, soit rien.

« Elle voulait la clarté, explique-t-il. Elle ne pouvait pas vivre avec l'imperfection, le compromis. » Plus tard, en tapant mes notes, une idée me vient : nous avons tous été forcés de vivre avec les compromis qu'elle a laissés pour nous.

Son rendez-vous avec mon grand-père a été « civilisé », dit-il. Il était toujours en état de choc, rongé par une culpabilité sans mélange, mais mon grand-père lui avait tendu une « perche pour se remonter un peu » – le « portrait de quelqu'un qui était en détresse psychologique ».

Il a demandé s'il pouvait avoir un de ses bijoux, mais mon grand-père a déclaré la chose « impossible ».

Je l'interroge sur les somnifères dont il a dit à mon grand-père qu'elle les gardait sur elle, mais il ne se souvient pas d'avoir dit ça – ni de somnifères d'aucune sorte.

Il a revu mon père une fois, lors d'un vol qui partait de Venise tôt le matin. « Je l'ai reconnu, il était avec sa nouvelle femme, nos regards se sont croisés – rien de plus. »

Il a eu d'autres amies intimes depuis Hannah, mais jamais tout à fait comme elle, et jamais rien de sexuel. Il mentionne la romancière Angela Carter, et l'éditrice Carmen Callil, une vieille amie de mon père.

A-t-il jamais parlé de Hannah à Carmen ?

C'est la toute première fois qu'il parle d'elle, m'assure-t-il.

Nous avons tous deux passé une grande partie de la conversation en larmes, et ses joues sont trempées, maintenant. « Elle est toujours là, dans ma tête, dit-il. Le fantôme revient. »

EXTRAITS DE *L'ÉPOUSE CAPTIVE*, 1966

Cette étude porte sur les femmes, et en particulier les femmes jeunes.

Avec la révolution industrielle, les hommes ont suivi le travail du foyer à l'usine, et les femmes sont devenues dépendantes des hommes, non seulement en termes économiques, mais aussi en vertu de tout un ensemble de subtilités psychologiques qui se sont imposées au sein de leurs relations.

Ce que l'on tenait pour constitutif de la « féminité » essentielle de la femme révélait avec quelle force l'idée que son infériorité faisait partie de l'ordre naturel des choses était ancrée dans les esprits.

Le concept d'amour romantique, qui tire en grande partie son inspiration des légendes chevaleresques, a toujours cours parmi nous.

L'ambivalence de notre société à l'égard de la sexualité, avec un degré de permissivité qui augmente dans le domaine privé, tandis que dans le domaine public l'attitude victorienne fait toujours loi.

En 1960, plus d'un quart des jeunes mariées avaient moins de vingt ans.

« Il fallait que je sois folle, dit l'une d'entre elles. Je ne savais pas du tout ce qui m'attendait. »

« J'étais trop jeune. Mais je n'avais pas le choix. Je voulais à tout prix m'éloigner de mes parents, et cela me semblait la meilleure solution pour y parvenir. »

Le rôle d'une fille dans la famille, par sa nature, est tel qu'elle est davantage exposée aux perturbations familiales que le garçon.

Rien n'a préparé les jeunes mariées à l'ennui implacable de leur nouvelle fonction : récurer les sols et repasser des chemises.

« Participer au ménage, mon mari est contre, c'est tout. »

La naissance du premier enfant, cependant, provoquait un bouleversement encore plus important que le mariage.

Elles cessaient d'être un nouveau type de femme pour se muer en la femme traditionnelle.

« Bien sûr, je dois être avec eux constamment, expliquait la femme d'un professeur, mais je dois avouer que, par moments, je *brûle d'envie* de m'échapper. »

Ce n'est que récemment que la femme mariée a tenté de combiner vie de famille et travail.

Elles veulent travailler, et se sentent étrangement inutiles lorsqu'elles ne travaillent pas, mais en même temps, elles sont très conscientes de leurs énormes responsabilités vis-à-vis des enfants.

Pression constante sur les filles : minimiser et discipliner une ambition que la société, dans le même temps, ne cesse de stimuler.

Un nuage de confusion plane sur toute la question des femmes et de leur place dans la société.

Sur ce qui, au juste, constitue la psychologie de la femme.

À l'heure actuelle, nous sommes dans une situation de conflit et de stress.

13

Je ne me rappelle pas quand j'ai découvert pour la première fois les exemplaires de *L'Épouse captive* sur leur étagère haute dans notre maison, mais pendant une période, dans mon adolescence, lorsque j'étais certain que je n'allais pas être dérangé, je grimpais sur le dossier du canapé et les descendais. Il y avait l'édition Pelican, de poche, avec sur la couverture une femme et deux jeunes enfants, lesquels, pour une raison ou pour une autre, n'étaient pas ma mère, mon frère et moi ; l'édition japonaise, délicate, avec sa feuille de protection en papier de riz et ses colonnes de hiéroglyphes ; et l'édition brochée, chez Routledge & Kegan Paul, avec son allure officielle, sa couverture bleu clair et la liasse de coupures de presse à l'intérieur.

Je n'ai jamais tenté de me lancer dans la lecture du livre, mais j'aimais bien lire les remerciements au début : à mon grand-père, mon père, et notre nourrice « pour l'aide qu'elle m'a apportée en partageant la garde de mes enfants ». Je n'ai pas lu attentivement les coupures de presse, non plus, mais les parcourir à la recherche du nom de Hannah, et des références à un « jeune talent exceptionnel » ou à une « vie tragiquement écourtée », faisait naître dans mon estomac une boule étrangement agréable.

Lorsque j'étais à la fac, on a publié une nouvelle édition de *L'Épouse captive*, avec une introduction de la sociologue et romancière Ann Oakley. Je n'étais pas au courant de cette publication jusqu'à ce que Susie m'en offre un exemplaire. C'était le premier exemplaire du livre de ma mère que j'aie possédé ; le premier que je tenais dans mes mains sans l'avoir descendu furtivement d'une étagère haute.

Je ne l'ai toujours pas lu, mais j'ai regardé l'introduction. J'avais rencontré Ann Oakley une fois chez Susie – elles étaient amies depuis la fac –, et Susie avait mentionné à cette occasion qu'Ann était fascinée par Hannah, ce qui l'avait rendue suspecte à mes yeux. Mais j'ai tout de même été choqué de constater qu'elle révélait dès la première phrase que Hannah s'était donné la mort.

Je sais maintenant que c'était bien connu, que même certains de mes amis d'enfance le savaient, mais à l'époque je croyais encore que c'était un secret de famille bien gardé. Pour ma part, je n'en avais parlé qu'une fois depuis que mon père me l'avait révélé ; ça m'avait échappé au cours d'une dispute avec une petite amie et, après coup, j'avais eu honte de moi. J'ai vu l'acte d'Ann Oakley comme une trahison vis-à-vis de notre famille.

Je n'ai pas aimé, non plus, la familiarité avec Hannah dont elle se targuait, écrivant que sa vie avait « touché » la sienne parce qu'elle était amie avec Susie et avait suivi Hannah dans le département de sociologie de Bedford, puis rédigé un doctorat, également devenu un livre, sur les travaux ménagers.

Je n'ai pas aimé la façon dont elle essayait de s'approprier le livre de Hannah, comme j'en avais l'impression alors, pour servir sa propre cause féministe : la « problématique des besoins propres des femmes ».

Et ce qui m'a le plus déplu, c'est qu'elle écrive que la mort de Hannah « ne pouvait pas ne pas être liée aux dilemmes et contradictions de la condition des femmes ». J'avais vingt et un ans, j'en étais encore à essayer de comprendre ce que cela signifiait d'être un homme, et j'ai eu le sentiment qu'elle insinuait quelque chose au sujet des hommes, des hommes de ma famille, et peut-être même de moi – même si quoi exactement, je ne pense pas que j'aurais pu le dire.

J'ai pris le livre avec moi dans mes voyages, je l'ai rangé sur mes étagères à chaque nouvel appartement, mais je ne l'ai toujours pas lu. Je ne l'ai pas lu non plus lorsque je suis rentré en Angleterre et que j'ai trouvé la lettre d'adieu de Hannah et le rapport d'enquête sur son suicide. Même après la mort de Simon, lorsque tous ces sentiments sont remontés à la surface, je ne l'ai pas lu. Lorsque j'ai écrit mon article sur Hannah dans le *Guardian*, je ne l'avais toujours pas lu.

C'était en partie, je crois, parce que j'avais peur de ne pas le trouver intéressant. C'était le seul écrit significatif de ma mère dont je disposais, et je ne voulais pas placer en lui des attentes démesurées pour découvrir que c'était juste un vieux livre comme tant d'autres. Mais peut-être aussi que je me méfiais, même avant d'avoir lu l'introduction d'Ann Oakley, de l'accusation que je voyais moi-même dans le titre – qui laissait entendre une critique des hommes. J'avais déjà été rejeté une fois par ma mère. Avais-je vraiment besoin de lire le seul écrit qu'elle ait laissé pour m'y trouver, en tant qu'homme, rejeté à nouveau ?

Au début de l'été qui a suivi la parution de mon article, je suis passé à mon ancienne maison pour récupérer les exemplaires de son livre et les coupures de presse dans l'édition brochée. Je suppose que j'avais déjà remarqué qu'il y avait d'autres ouvrages sur des questions de sociologie ou apparentées sur les étagères, mais c'est seulement ce jour-là que j'ai réalisé que c'étaient sans doute les livres de Hannah. Debout une fois de plus sur le dossier du canapé – un canapé neuf, mais dans la même position –, je les ai examinés.

La plupart n'avaient sans doute pas été ouverts depuis la dernière fois que Hannah les avait consultés. À l'intérieur de l'un d'entre eux, maintenue en place par un trombone rouillé, j'ai trouvé une lettre du responsable de la section livres de l'*Economist*, datée du 31 mai 1965, demandant un compte rendu de cinq cents ou six cents mots. Dans un autre, j'ai trouvé un brouillon de critique. La signature de Hannah figurait sur la page de garde de beaucoup de livres, avec une écriture devenant moins fleurie avec l'âge. Sur l'une de celles-ci, il y avait une autre signature, d'une écriture plus pointue – J. F. Hayes. Je n'avais pas encore parlé à l'amie de ma belle-mère qui connaissait John Hayes, et Susie m'avait dit qu'elle pensait que son nom était Haynes, mais je savais qui c'était. J'ai fixé des yeux la signature, surpris que le livre ait déménagé avec nous, qu'il soit demeuré là pendant toute mon enfance, pendant toutes les années où mon père avait vécu là. Je ne sais pas si, jusqu'à cet instant, j'avais vraiment compris que cet homme, l'amant homosexuel du récit de mon père, était un être réel.

Dans certains ouvrages, Hannah avait souligné ou coché des passages dans la marge, comme je fais quand je lis – comme mon père, ancien imprimeur et bibliophile, ne ferait jamais. Dans l'un des livres, il y a même un gribouillis : son stylo avait dû sécher et elle a enfoncé la plume dans le papier pour refaire couler l'encre.

Chaque fois que je tombais sur un de ces passages annotés, je le lisais, cherchant des indices sur son état d'esprit. Y avait-il un sens caché dans son intérêt pour les rites de la puberté chez les Apaches ? Pour le sentiment d'isolement du personnel pénitentiaire ? Pour le confort et la sécurité perdus de la jeunesse viennoise de Bruno Bettelheim ?

Après avoir parcouru la moitié d'une étagère, je suis arrivé à un livre ayant la même couverture bleu craie que l'édition brochée de celui de Hannah : *Le Suicide, étude de sociologie*, le classique d'Émile Durkheim de 1897, édité chez Routledge & Kegan Paul, dans la même collection que *L'Épouse captive* le serait quelques années plus tard.

En tournant les pages, j'ai vu des marques de stylo, et je me suis assis sur le canapé pour lire :

« Aucun être vivant ne peut être heureux ou même exister à moins que ses besoins ne soient en harmonie avec ses moyens. »

« Un homme de moralité médiocre tue plutôt qu'il ne se tue. »

« Chaque individu possède ce que l'on pourrait appeler un potentiel suicidaire, une tendance au meurtre de soi. »

« Quand même on aurait établi que les sujets moyens ne se tuent jamais et que ceux-là seuls se détruisent qui présentent quelque anomalie, on n'aurait pas encore le droit de considérer la folie comme une condition nécessaire du suicide. »

Que pensait Hannah en lisant ces passages ? L'édition date de 1963, et elle peut l'avoir lue à n'importe quel moment entre la sortie du livre et sa mort. Avait-elle déjà des idées suicidaires à ce moment-là ? Ou la lecture de ce livre a-t-elle contribué à leur apparition ?

Entre les dernières pages du texte, j'ai trouvé autre chose : les restes desséchés d'une fleur minuscule. Elle est toujours là, dans le livre. La sève a depuis longtemps été absorbée par le papier, laissant une trace marron fantomatique sur les deux pages, ce qui rend la fleur difficile à reconnaître. Mais j'ai l'impression que ça devait être, autrefois, une pâquerette, cueillie, je suppose, dans notre jardin et rangée là – mais par qui, et pourquoi, je n'en sais rien.

Plus tard dans l'été, pendant que mes recherches sur Hannah avançaient, je me suis enfin contraint, ou peut-être autorisé, à lire *L'Épouse captive*. J'ai été agréablement surpris par la limpidité du style, la ponctuation soignée. La première partie, une enquête sur la place des femmes dans la société et la famille depuis l'époque victorienne, était impressionnante : une mine de renseignements, très intéressante. Mais la partie principale, dans laquelle étaient détaillés les résultats de ses entretiens, je l'ai trouvée plus indigeste.

J'ai lu, comme Hannah l'aurait fait, un stylo à la main, mais je n'ai pas trouvé grand-chose à souligner. J'ai tracé un petit trait à côté d'un passage sur les mariées de moins de vingt ans, et j'ai souligné les remarques de la « femme d'un chef d'entreprise », comme l'avait été Hannah, qui s'était mariée à dix-huit ans et regrettait de n'être pas allée à l'université. « Parfois, j'ai l'impression que mon cerveau se désagrège », disait-elle, à en croire Hannah. À côté de ces mots, j'ai écrit : « Hannah ? » Mais son cerveau était loin de se désagréger – elle était allée à l'université, elle avait obtenu une licence, puis un doctorat, elle avait écrit ce livre.

J'ai même été déçu, malgré toutes mes craintes de trouver un livre anti-hommes, de constater sa modération. Les journaux, qui titraient « La solitude terrible de la vraie *Coronation Street* », s'étaient concentrés sur les trouvailles les plus spectaculaires. Mais la plus grande partie du texte était constituée de sections plus scolaires sur l'enfance, le mariage, le ménage, l'amitié, les loisirs, le travail. La matière du livre portait autant sur les rapports de classes que de sexes ; les choses étaient plus dures pour les femmes de la classe ouvrière, qui n'avaient pas de jardin, n'avaient pas les moyens de faire garder leurs enfants, étaient moins qualifiées pour retourner sur le marché du travail par la suite.

Dans sa conclusion, elle ne demandait même pas l'égalité avec les hommes – seulement de meilleurs dispositifs de garde d'enfants, davantage d'emplois à temps partiel, et une éducation qui préparerait mieux les femmes à leur « multiplicité » de rôles.

C'était très décevant, mais il semblait y avoir très peu de Hannah dans ce livre. Il s'agissait d'un ouvrage de sociologie universitaire, ne contenant rien, à mon sens, de sa propre voix, de ses propres sentiments et idées, de sa personnalité.

Si je pensais ainsi, je le vois maintenant, c'était pour plusieurs raisons : d'une part, mon manque de connaissances sur Hannah et son univers ; d'autre part, les peurs et les préjugés auxquels je me raccrochais encore, ma réticence à accepter que Hannah ait pu être, à sa façon, une *Épouse captive*. On peut mesurer, d'ailleurs, l'étendue des découvertes que j'ai faites dans les années suivantes, à la fois sur Hannah et sur son environnement, et sur moi-même, au fait que, lorsque je relis le livre aujourd'hui, je l'y retrouve davantage, avec ses propres conflits.

Lorsque je le lis maintenant, par exemple, je pense que ce n'était pas une coïncidence si l'âge moyen de ces mères était de vingt-six ans, son âge lorsqu'elle commença à les interviewer, si le nombre moyen d'enfants qu'elles avaient était deux.

Lorsque je découvre ses mots sur l'« ennui implacable de leur nouvelle fonction : récurer les sols et repasser des chemises », je pense aux premiers mois de son mariage, lorsqu'elle apprenait à tenir un foyer ; à ce que m'a dit Jeanie, à savoir que Hannah tenait toujours le dîner prêt sur la table pour mon père ; qu'elle utilisait toujours un chiffon pour essuyer les meubles et un autre pour la vaisselle.

Lorsque je lis que le « tournant psychologique majeur » des jeunes femmes n'était pas le mariage mais le premier enfant, je pense au psychisme de Hannah en tant que jeune mère, aux difficultés qu'elle a éprouvées à créer un lien avec Simon lorsqu'elle l'a eu, à vingt et un ans. Lorsqu'elle écrit qu'absolument toutes les femmes qu'elle a interrogées se sentaient « forcées de rester à la maison avec leurs enfants », quelles que soient « leurs aspirations personnelles », je pense à la phrase qu'elle a glissée avec désinvolture à un journaliste de l'*Evening Standard*, comme quoi ça ne la dérangeait pas que « Simon pense qu'il a deux mères », et je me demande si c'est ce qu'elle éprouvait réellement. Ou si l'histoire du bébé à deux têtes est une ouverture plus vraie sur ses pensées et ses sentiments.

Lorsqu'elle évoque la conception victorienne de l'« infériorité féminine » et ajoute que « dans le contexte professionnel », à sa propre époque, « il est très courant que les attitudes envers les femmes soient fermement enracinées dans des idéologies passéistes », je pense à ses expériences dans le monde universitaire, aux difficultés qu'elle a rencontrées pour faire approuver le sujet de sa thèse, au retard avec lequel son doctorat a été reconnu, à son rejet par la LSE, qui l'accusait de « manquer d'envergure ».

Mais si je vois maintenant qu'il y a davantage de Hannah dans *L'Épouse captive* que je ne l'avais d'abord saisi, le livre demeure tout de même, ainsi que l'écrit Ann Oakley dans son introduction, une « énigme frustrante dans ce qu'il ne dit pas, dans ce qu'il n'est pas en mesure de nous dire de sa propre conception, de sa gestation et de sa naissance, et de la manière dont son auteur le voyait, et se voyait elle-même ».

À vingt et un ans, j'avais mal pris les protestations de familiarité d'Ann vis-à-vis de Hannah, mais à présent, je vais la voir en quête de ses impressions sur elle et l'époque qu'elles ont vécue.

À quelques années près, elle approche de l'âge qu'aurait eu Hannah, mais le temps ne semble pas avoir de prise sur elle, elle n'a pas perdu sa flamme. Lorsqu'elle a accepté d'écrire l'introduction, me dit-elle, elle a décidé qu'il lui fallait en apprendre davantage sur la mort de Hannah, et elle est allée voir mes grands-parents et mon père. Ils se sont montrés « accueillants, pas hostiles ni désagréables », mais elle a senti qu'elle « pouvait seulement aller jusqu'à un certain point, pas au-delà » – que même dix-sept ans après la mort de Hannah, il y avait des questions auxquelles ils n'étaient pas prêts à répondre.

Mon grand-père lui avait tout de même fait lire la lettre d'adieu de Hannah. Elle a été « choquée » d'apprendre qu'il ne l'avait pas montrée à mon frère ou à moi, et elle a essayé de le persuader de le faire, mais la lettre est restée dans ses papiers, où je l'ai trouvée.

Dans son introduction, elle écrivait que la date de publication de *L'Épouse captive*, plusieurs années avant la seconde vague du féminisme, rendait l'ouvrage « plus remarquable », mais aussi « plus limité ». C'était un « titre magnifique », dit-elle maintenant, mais une étude plus prosaïque. Elle s'est toujours demandé dans quelle mesure Hannah avait été freinée par ses superviseurs, par leurs remarques, ou par sa crainte de leur jugement. Repoussant les frontières par son choix de sujet, peut-être se sentait-elle obligée de redoubler d'objectivité universitaire dans son traitement.

Il faut que je garde à l'esprit, me dit Ann, à quel point c'était difficile pour une femme universitaire dans les années 1960, et en particulier pour une femme universitaire écrivant sur la condition des femmes. Lorsque Ann s'est inscrite pour commencer son propre PhD à Stanford en 1969, « tous les membres dirigeants du corps enseignant étaient des hommes, et aucun d'entre eux n'était ouvert à l'idée que les travaux ménagers constituent un sujet d'études valide ». (« L'homme qui m'a finalement servi de directeur de thèse s'imaginait, dans un premier temps, que ce dont je parlais, c'était l'harmonie ou la disharmonie du lit conjugal, a-t-elle écrit, ou, à tout le moins, les choses merveilleuses que l'on pouvait faire avec la poignée d'un aspirateur. »)

Ann a eu de la chance : les premiers groupes de femmes apparaissaient. Il y en avait un à Bedford, où elle a pu partager ses frustrations et recevoir un soutien moral, mais même ainsi, son directeur d'études l'a souvent fait pleurer à chaudes larmes. Pour Hannah, qui avait commencé sa thèse une décennie plus tôt, les choses avaient dû être « bien plus difficiles ». Elle devait être « très seule dans le monde universitaire – il n'y avait tout bonnement pas d'autres femmes qui travaillaient sur des sujets voisins, et les professeurs hommes pouvaient nous compliquer énormément la vie ».

Il y a deux professeurs hommes sur lesquels je voudrais interroger Ann, mais l'idée d'évoquer le premier – Richard Titmuss, le professeur de la LSE qui a, paraît-il, déclaré que Hannah portait trop d'ombre à paupières – me rend nerveux : car c'était le père d'Ann. Mais lorsque je lui rapporte cette histoire, elle répond : « Oh oui, c'était bien le genre de mon père. » D'ailleurs, on lui a déjà fait ce récit, mais à propos d'une autre femme – et je me demande tout haut si cette mésaventure n'est pas attribuée faussement à Hannah. À ma connaissance, et aussi d'après ce que suggèrent les photos, Hannah ne portait presque jamais de maquillage.

Ann hausse les épaules : « Si ce n'était pas le fard à paupières, il a dû trouver autre chose. » En théorie, son père était un grand défenseur de la justice sociale, dit-elle, mais « il n'aimait pas les femmes, et surtout pas les femmes qui travaillaient » – il pouvait être « assassin » avec elles, et il ne supportait pas d'en voir à la LSE. Elle n'a pas de mal à imaginer qu'il ait inventé un prétexte quelconque pour éviter d'engager Hannah.

L'autre homme sur lequel je l'interroge, c'est O. R. McGregor, un maître de conférences et plus tard le professeur que Hannah a eu à Bedford – l'« ennemi », comme l'appelait mon grand-père dans son journal au moment du rejet de la candidature de Hannah par la LSE. Après la mort de Hannah, mon grand-père écrit qu'il a vu un article de McGregor promouvant l'égalité pour les femmes ; il a eu « envie de lui écrire pour le mettre face à ses mensonges ».

J'ai interrogé mon père, mais il se souvenait seulement que McGregor avait provoqué des retards dans sa thèse et enrayé son parcours universitaire. McGregor « a dû se sentir coupable », a-t-il ajouté, car après la mort de Hannah, il s'est retrouvé dans le même train que McGregor, qui s'est « enfui à toute vitesse » lorsque leurs regards se sont croisés.

Pour sa part, Ann s'entendait bien avec McGregor. Lorsqu'elle a eu des problèmes avec son directeur de recherches, il l'a soutenue. Il n'était pas particulièrement misogyne, contrairement à son père, mais « quand il n'aimait pas quelqu'un, il pouvait lui rendre la vie très, très dure ». C'était « un homme difficile, un grand manipulateur ».

Elle me suggère de prendre contact avec un autre ancien professeur de sociologie de la LSE, Terrence Morris, qui était de la même génération que Hannah. Je lui envoie un mail, et il me répond immédiatement : « Je pourrais peut-être vous aider par mes souvenirs de la LSE d'il y a presque cinquante ans, d'autant que je connaissais bien Oliver McGregor et Richard Titmuss. Ils étaient très différents, mais aussi puissants l'un que l'autre. Il aurait fallu être dépourvu du moindre instinct de conservation pour avoir envie de les contrarier. »

Il n'a jamais rencontré Hannah, mais il avait entendu parler d'elle, et il se rappelait qu'« on soupçonnait qu'elle n'avait pas été traitée équitablement lorsqu'elle avait posé sa candidature à la LSE. L'époque n'était pas facile pour les jeunes universitaires, notamment du fait que de nombreux professeurs abordaient les relations humaines dans leurs départements d'une manière qui avait à voir avec la culture du patronage au Moyen Âge. C'était encore plus dur pour les femmes ».

Au début des années 1960, les choses commençaient à changer, m'explique-t-il lorsque je vais le voir. Mais l'élite était toujours constituée d'une « vieille garde d'universitaires, dont beaucoup avaient été dans le service civil pendant la guerre, et qui avaient importé dans les facultés une attitude patricienne qui en venait directement ». McGregor a causé « beaucoup de malheurs », dit-il. « C'était un intrigant. Je peux vous dire d'expérience personnelle qu'il disait une chose et en faisait une autre, selon ce qui l'arrangeait. » Il pouvait être très « vindicatif ».

Il ne connaît aucun détail précis au sujet de Hannah. « Il y avait beaucoup de présomptions, dit-il, mais je n'ai pas le fin mot de l'histoire », même si le scénario s'est répété avec d'autres femmes. Il parle d'Eileen Younghusband, une éminente spécialiste du travail social, qui fut « poussée hors de la LSE par Titmuss », et de Nancy Seear, qui fut elle aussi « malmenée ». Une plaisanterie circulait : « C'est quoi, ces bruits de lutte ? – C'est [une telle] qui essaie d'avoir une promotion. »

Il me donne le nom d'une sociologue, Bernice Martin, qui pourra peut-être m'en dire plus long. Il propose de lui envoyer un mail de ma part, et me transmet sa réponse. Il se révèle que Bernice était à Bedford avec Hannah, la considérait comme une amie, et y a enseigné plus tard avec McGregor. Elle savait, écrit-elle, qu'il y avait des « problèmes » entre « Mac » et Hannah :

« Le jour où il a appris sa mort, Mac m'a fait venir dans son bureau pour me demander de le rassurer : il voulait que je lui dise que ses recommandations plutôt tièdes, dont il savait qu'elles l'avaient empêchée d'obtenir un poste à la LSE, ne pouvaient pas être la cause de son suicide. Je n'ai pas pu le rassurer, parce que je ne savais pas du tout ce qu'il avait pu se passer dans la vie de Hannah. Il s'est dédouané en disant qu'elle était plutôt une brillante journaliste qu'une véritable universitaire, et que Hornsey était l'endroit idéal pour elle, mais j'ai senti que c'était une excuse pour échapper à sa mauvaise conscience plutôt qu'une vraie conviction. »

« Je n'ai que de bons souvenirs de Hannah, conclut-elle. Elle était tout ce que je n'étais pas – cosmopolite, cultivée, naturellement charmante, tandis que j'étais une fille de la classe ouvrière, boursière et déterminée, qui découvrait le monde dans la douleur. Mais nous nous admirions et nous appréciions mutuellement, même si c'était à peine si nos univers se croisaient. Jeremy devrait savoir quelle adorable jeune femme était sa mère, et quelle tragédie et quel gâchis tant de gens ont vus dans sa mort. »

Je réponds, et nous nous retrouvons à la station de Clapham Junction avant de sortir dans la rue pour trouver un café. En marchant à ses côtés, je me sens joyeux. L'enthousiasme avec lequel elle a écrit au sujet de Hannah, la chaleur avec laquelle elle en parle maintenant n'y sont pas pour rien, cependant, j'ai ressenti cette même joie en rencontrant d'autres anciennes amies de Hannah. Dans ma quête de ma mère, suis-je en train d'absorber toutes les bribes de maternité que je peux trouver ?

Bernice n'a pas beaucoup vu Hannah après qu'elle eut quitté Bedford, mais un an ou deux avant sa mort – vers l'époque où sa candidature a été rejetée par la

LSE –, elle l'a croisée dans Baker Street, et Hannah lui a dit : « Tu ne penses pas que Mac aurait fait exprès de m'écrire une lettre de recommandation négative, si ? » Elle ne sait plus ce qu'elle a répondu à Hannah sur le moment, mais elle dit à présent qu'elle est « tout à fait convaincue » que McGregor était capable d'avoir saboté sa candidature à la LSE.

Je lui demande s'il est possible qu'il se soit agi d'un choc des volontés – entre deux fortes personnalités. Mais elle explique que c'était plus compliqué, plus insidieux que ça. « L'université était une élite, un empire. » McGregor « aimait contrôler le marché du travail dans le monde de la sociologie à Londres, et c'était un homme qui préférait les gens qui lui étaient redevables », or le travail et la personnalité de Hannah sapaient et défiaient sa position d'autorité.

D'une part, les sociologues plus âgés, comme McGregor, se méfiaient de l'approche qualitative de Hannah. D'autre part, si, publiquement, il était pro-femmes, il était « mal à l'aise avec les premiers frémissements de la revendication féministe d'affirmation de soi que représentait Hannah ; les hommes de sa génération, même de gauche sur tous les autres plans, avaient tendance à n'y voir que les pleurnicheries de jeunes femmes privilégiées ».

En outre, McGregor voulait influencer les idées et les lois votées par le Parlement, « être comme Sidney et Beatrice Webb ». Même si son œuvre maîtresse était une étude sur le divorce, il tenait la famille contemporaine pour « saine et heureuse dans l'ensemble », tandis que le travail de Hannah révélait un modèle de vie familiale plus contraignant pour les femmes.

Le travail de Hannah « n'était peut-être qu'une gêne mineure sur le plan politique » pour McGregor, mais cela aurait suffi pour qu'il cherche à « l'empêcher de gagner une place suffisamment importante risquant de mettre à mal ses prédictions optimistes sur la famille stable juste au moment où son influence était en train de s'accroître ».

Bien sûr, dit Bernice, il est fort possible que Hannah « l'ait agacé par sa façon d'être ». Elle se rappelle que, lors d'un spectacle de cabaret à la fête de remise des diplômes de Bedford en 1959, Hannah avait monté un sketch sur McGregor et un autre professeur à partir d'un calypso. On n'avait jamais vu ce genre de choses à Bedford, et elle imagine mal que la plaisanterie ait été du goût de McGregor.

« Il n'était pas habitué à ce que les gens lui résistent et se démarquent. Hannah s'était engagée dans une autre direction, c'était une pionnière, ses travaux étaient assez novateurs en Angleterre, et elle les réalisait de façon très indépendante, en puisant au fond d'elle-même.

« L'impression qu'elle nous donnait, à moi et aux filles de mon âge, c'était que la vie avait davantage à offrir que tout ce qu'on avait vu jusque-là, et qu'elle était déterminée à ne pas se laisser léser, dit-elle. Mais elle se battait contre des hommes forts. Même les femmes fortes capitulaient devant une telle pression. »

On imagine en général que les années 1960 furent une période de libération et d'avancées pour les femmes ; mais en m'entretenant avec les contemporaines de Hannah, en lisant leurs livres, je découvre que ses dernières années, les premières années de la décennie, ont coïncidé avec des défis exceptionnels et exceptionnellement vifs pour les femmes, et en particulier les femmes fortes, brillantes et ambitieuses comme Hannah.

Dans les années 1950, au moins, la situation était plus claire. Si une femme voulait travailler, elle était forcée de sacrifier quelque chose. « C'était épuisant d'être même modérément "hors normes" dans cette décennie », écrivait Sheila Rowbotham dans une recension de *Her Brilliant Career : Ten Extraordinary Women of the Fifties*, de Rachel Cooke, et « le coût était exorbitant ». L'activité de ces femmes « les isolait des autres femmes », et si elles avaient des enfants, elles les « expédiaient souvent en pension ».

Un article publié dans le *Historical Research* de 2003 par Elizabeth Kirk, « Women Academics at Royal Holloway and Bedford Colleges, 1939-1969 », examine le vécu de la génération précédant Hannah.

L'article cite Gertrude Williams, la première femme présidente du département de sociologie de Hannah, qui avoue « dans un moment de tristesse que, si elle a réussi, c'est en grande partie parce que, malheureusement, elle n'a pas pu avoir d'enfants ». Deux autres femmes professeurs confirmées enseignaient la sociologie à Bedford dans les années 1950 : Barbara Wootton était sans enfants, et Marjorie McIntosh, qui en avait trois, « en avait subi les conséquences ; une mort prématurée » des suites d'un AVC à la cinquantaine. Sa mort « envoyait un message clair à ses étudiantes : "avoir tout" (un travail stressant et une famille) pouvait déboucher sur une issue fatale ».

Au fil des années 1960, les choses ont commencé à changer. Aidées par le nouveau système de bourses, plus de femmes allaient à l'université. Davantage d'emplois s'ouvraient à des jeunes femmes telles qu'Anne Wicks dans les secteurs des médias et de la publicité, en pleine expansion. Grâce à l'arrivée de la pilule, les femmes pouvaient avoir une sexualité sans craindre une grossesse. Mais si un pied s'avançait vers une ère nouvelle, l'autre était toujours fermement planté dans les années 1950.

C'était l'époque où l'avortement était illégal, où les hommes remplissaient la déclaration d'impôts de leur femme, où le viol conjugal n'était pas reconnu par la loi. Lorsque Jessica Mann, une diplômée de Cambridge, alla vivre à Édimbourg avec son mari au début des années 1960, elle postula pour un emploi à l'université ; l'homme qui lui faisait passer l'entretien lui demanda : « Pourquoi voulez-vous un emploi ? Vous êtes mariée, non ? »

La plupart des contemporaines de Hannah à Bedford, des promotions 1959 et 1960, se sont orientées, conformément à la tradition, vers le secteur du soin, et elles ont cessé de travailler lorsqu'elles ont eu des enfants. L'une d'entre elles a tout de même réussi à devenir la première femme à entrer dans le programme de formation pour jeunes diplômés d'Ogilvy & Mather, et elle a par la suite fait carrière dans la publicité – mais elle se souvient qu'elle partageait un appartement avec plusieurs femmes qui suivaient le programme de formation pour jeunes diplômés de Shell : elles étaient en formation pour devenir les secrétaires de leurs homologues de sexe masculin.

Les comportements sexuels changeaient, mais les mentalités restaient à la traîne. Sheila Rowbotham, qui est arrivée à Oxford en 1961, raconte dans *Promises of a Dream*, son livre de souvenirs sur les années 1960, qu'une fille de sa connaissance s'était fait surprendre au lit avec un garçon. La fille « a été virée de la fac, elle a perdu sa bourse et n'a pu entrer dans aucune autre université ». Le garçon « a été expulsé pour deux semaines ».

C'était encore une époque où la BBC pouvait envoyer Christopher Brasher interviewer des étudiantes à l'université de Birmingham pour une émission consacrée à la question suivante : « Que préfèrent les femmes ? Être en compétition avec les hommes, ou que les hommes soient en compétition pour elles ? ».

Ces messages ambivalents s'infiltraient dans la vie conjugale des femmes de la génération de Hannah. Une page du journal de Phyll Willmott en octobre 1965, quelques semaines avant la mort de Hannah, donne un aperçu fascinant de la dynamique d'un ménage de la classe moyenne londonienne dans les années 1960. C'était le mari de Phyll, Peter (« Petie »), un sociologue renommé, qui gagnait le plus d'argent, mais Phyll était elle-même une autorité dans les services sociaux – *The Social Worker*, un livre dont elle a codirigé la publication, est paru chez Penguin vers l'époque de cet extrait :

« Petie m'a bien remontée ce matin avant d'aller travailler ! Je lui ai expliqué que j'étais un peu déboussolée – je ne savais pas vers quoi m'orienter à partir de là, je me demandais un peu si je ne devrais pas plutôt me consacrer à un "vrai boulot" maintenant que les garçons sont presque grands. Sentiment de culpabilité, peur d'être un parasite, etc. Petie, lui, préférerait, idéalement, que j'en fasse moins, pas plus. Il dit qu'il a besoin de moi pour le soutenir dans les responsabilités qu'il assume lui-même, et même s'il est content que j'aie mes propres centres d'intérêt et qu'il voit que j'en ai besoin, il ne veut pas que ça me prenne davantage, etc. En d'autres termes, il préférerait que je continue sur le même rythme que ces deux dernières années. ME LAISSER VIVRE, m'intéresser à son travail, me contenter de ma petite "réputation". La discussion m'a aidée. »

À certains égards, Hannah était mieux lotie que Phyll et les autres femmes de son âge. Le succès professionnel de son mari lui avait permis d'engager une nourrice à plein temps, puis une fille au pair, et tant que ses activités n'interféraient pas avec le bon fonctionnement de la vie familiale, mon père l'encourageait à étudier et à travailler.

En outre, elle avait la chance d'avoir une volonté de fer et une forte personnalité. L'une des contemporaines de Hannah à Bedford est retournée à la fac en vue d'effectuer une recherche sur les bébés battus. « Mais McGregor m'a convoquée pour me signifier que personne ne s'intéressait à la question, et il a tellement fait pression sur moi que j'ai dû abandonner. »

Hannah n'a pas abandonné. « Ce n'était pas du tout dans sa nature de plier devant l'autorité, dit Bernice Martin. Pour réussir, à cette époque, les femmes devaient renoncer à quelque chose – les enfants, le travail, la féminité –, mais Hannah voulait tout avoir, et elle en semblait capable. »

Mais tout avoir, comme le nouveau monde des années 1960, dans toute sa splendeur, semblait le promettre pour la première fois, n'était pas chose facile. Être une mère, une épouse et une femme au travail, cela demandait beaucoup d'efforts, comme c'est toujours le cas aujourd'hui. La vie de Hannah était assez verrouillée, m'a dit Gunilla Lavelle. Et selon Erika, il n'y avait pas de place pour la spontanéité dans son quotidien. Il y avait aussi la vieille patriarchie, pas bien reluisante, qui n'attendait que de faire trébucher la femme nouvelle, de la diminuer, de la renvoyer de force dans ses foyers.

Vers la fin 2010, à peu près au moment où ont eu lieu ces conversations, je suis allé avec ma femme dans notre cinéma de quartier voir *We Want Sex Equality*. Le film raconte l'histoire vraie de la grève des employées de l'usine automobile Ford de Dagenham en 1968 pour réclamer l'égalité des salaires. Je me disais que j'y retrouverais peut-être quelque chose de l'histoire de Hannah, mais ce n'était pas notre principale raison d'y aller. Les critiques avaient été bonnes, on parlait d'un « agréable divertissement à l'anglaise », donc la soirée promettait d'être relaxante.

Le film était gai, insolent, et bien vite nous avons ri avec les autres spectateurs. (« Vite, vite, ou on va rater le buffet », disait l'une des jeunes travailleuses à son petit ami pendant qu'il couchait avec elle dans sa voiture.)

Mais à mesure que le film avançait, même si le ton restait léger et que les plaisanteries continuaient à fuser, mon humeur s'est assombrie. Plus les travailleuses – et en particulier le personnage principal, une jeune femme qui, avec sa coupe au bol brune et son grand sourire, ressemblait même un peu à Hannah – affirmaient leur militantisme et leur détermination, plus elles se heurtaient à la condescendance, à la colère et au rejet que manifestait la majorité des hommes du film. En regardant les affronts qu'elle essuyait de la part d'un instituteur tyrannique, de chefs de syndicats et de patrons paternalistes, d'un mari d'abord incompréhensif, et même de ses propres amies – sans parler des incertitudes auxquelles elle doit faire face –, j'ai eu l'impression de voir ce qu'il se passait dans le cœur de Hannah, d'assister aux batailles de ma mère, et pendant toute la dernière heure, je n'ai pu empêcher les larmes de couler le long de mes joues.

AUTOMNE 1965

Un changement important s'est produit dans les thèmes abordés par le cinéma anglais. Ces dernières années, les difficultés du jeune garçon de la classe ouvrière ont occupé une grande part des écrans. Dans ces films, les femmes étaient des silhouettes fantomatiques.

Ces six derniers mois, cependant, sont sortis deux films aux sujets fort différents. Le premier est *Darling*, dont le personnage principal est une femme libre au sens où Doris Lessing emploie ce terme. C'est une femme qui veut faire le même genre de choix que les hommes et posséder le même type de liberté. L'erreur de l'héroïne était de croire qu'être une femme libre revenait simplement à jouir de la liberté sexuelle, ce qui ne faisait qu'élargir le champ de ses activités mais ne lui donnait pas la moindre liberté.

Toutefois, un second film vient de sortir, dont on peut dire sans se tromper qu'il est pour les femmes, et sur les femmes, en ce qu'il traite de leur désir de liberté, et, étant donné à la fois la structure de notre société et leur propre constitution émotionnelle et biologique, de leur incapacité à retenir cette liberté si elles l'obtiennent. Ce film, c'est *Four in the Morning*, qui juxtapose trois histoires tristes dont le personnage principal est une femme. Les intrigues s'emboîtent si ingénieusement qu'en définitive il pourrait s'agir de la même fille à différents stades de sa vie. Il y a la femme d'un couple balbutiant et mal assorti, un jeune couple dont le mariage est devenu un piège, et la découverte dans la Tamise, puis l'enregistrement à la morgue, d'une jeune femme non identifiée âgée d'environ vingt-six ans qui s'est donné la mort.

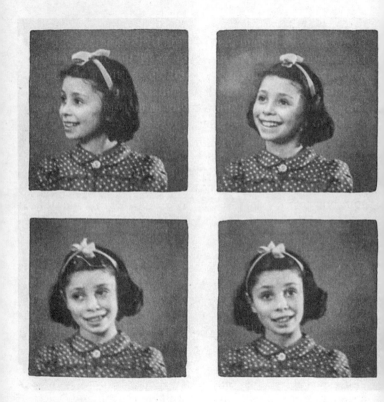

14

Quant à moi, j'ai commencé à tutoyer l'idée du suicide lorsque je suis revenu à Londres à l'âge de vingt-neuf ans, le dernier âge de Hannah. J'avais rompu avec ma petite amie, et je passais beaucoup de temps seul car je travaillais sur un livre. Des scènes auxquelles j'avais assisté en tant que journaliste se mêlaient dans ma tête avec des pensées sur Hannah, sa mort, et le soir, pour m'endormir, je me berçais d'images de balles sifflant vers moi, et de couteaux, parfois tenus par ma propre main, plongeant dans ma poitrine.

Depuis lors, ces pensées ne m'ont jamais tout à fait quitté ; je garde par-devers moi, pour le meilleur et pour le pire, la possibilité du suicide, son réconfort, sa voix de sirène. Mais toutes ces années, je n'ai jamais sérieusement envisagé de me tuer, et je n'ai pas fait le moindre geste en ce sens.

En discutant avec les amies de Hannah, peut-être parce que je les encourageais à briser un premier tabou, je me suis souvent retrouvé dans le rôle du confesseur, au courant de leurs chagrins secrets. J'ai entendu des histoires de viol, de violence conjugale, de combats contre l'alcool, la dépression. Une femme m'a raconté qu'elle s'était enfermée dans les toilettes et bourrée de Valium à son propre mariage. Une autre m'a parlé de son fiancé qui s'était noyé dans l'Arctique ; son corps n'avait jamais été retrouvé.

Mais malgré tous leurs problèmes, elles sont toutes ici pour parler d'elles. Alors pourquoi pas Hannah ? Pourquoi cette « crise ordinaire de la vie » l'a-t-elle poussée à la mort ?

Il y a de nombreuses théories sur le suicide. Pour Camus, « juger que la vie vaut ou pas d'être vécue » est la « question fondamentale de la philosophie ». Pour Freud, *thanatos*, ou la pulsion de mort, est le désir de retourner à l'état de quiétude qui précède la naissance. Pour Durkheim, le suicide est un produit des forces sociales : soit les liens avec la communauté sont trop faibles, soit ils sont trop forts, ou encore le suicidé est piégé par un changement social abrupt.

Des explications plus spécifiques du suicide de Hannah, on m'en a donné, j'en ai lu, dans le journal de mon grand-père et ailleurs. Elle était dépressive. Elle était narcissique. Elle était schizoïde. Elle était intraitable. Elle était trop ardente pour vivre une vie entière. Elle ne supportait pas le rejet, l'imperfection, le compromis.

À en juger par ses constants retours sur le tempérament excessif de son enfance, mon grand-père semble avoir voulu croire que son « potentiel suicidaire », comme disait Durkheim, l'habitait depuis le début, même si à d'autres moments il rejetait la faute sur Anne Wicks ou O. R. McGregor. Pendant un certain temps, j'ai été convaincu, ou j'ai essayé de me convaincre, que la réponse était à chercher dans les abus perpétrés par le principal – que c'était lui l'arme du crime.

Mais, bien sûr, un suicide n'est jamais le produit d'une cause unique. En 2004, on a introduit dans les cours des coroners d'Angleterre et du pays de Galles un nouveau type de verdict, le verdict narratif. On a recours aux verdicts narratifs lorsque la cause de la mort, ou la

responsabilité de cette mort, résiste aux catégorisations :
par exemple, lorsqu'un homme identifié à tort comme
un terroriste est abattu, ou lorsqu'on ne peut pas dire
avec certitude si une personne s'est suicidée ou non.

Les verdicts narratifs n'existaient pas du temps de
Hannah – et même s'ils avaient existé, ils n'auraient pu
s'appliquer ici. Comme l'a écrit le coroner, il n'y avait
pas de doute sur le fait que Hannah s'était donné la
mort « délibérément et efficacement ». Mais l'enquête
ne portait que sur les circonstances du décès de Hannah
– pas sur le pourquoi de son geste.

Moi, en revanche, je peux recourir à un verdict
narratif. Cette histoire n'est pas parfaitement aboutie.
Elle peut se constituer en partie de questions ou de listes.
Elle accepte le fait qu'elle ne fournit pas un récit complet
ou incontestable. Elle expose l'état de ce qui est connu,
de ce qui peut être déduit des informations disponibles.

Ce qui suit est mon verdict narratif, ma tentative
de comprendre ce que le coroner a décrit comme un
« état d'esprit que nous ne pouvons connaître ».

« Nous étions trop jeunes pour nous marier », m'a
confié mon père lors de l'une de nos conversations.
Pourtant il avait vingt-quatre ans, presque vingt-cinq.
Depuis qu'il avait quitté le lycée sept ans plus tôt, il
avait accompli son service national dans l'armée, en
partie à Berlin pendant le pont aérien, une époque dont il
parle avec nostalgie. Deux fois, il a été nommé caporal,
et deux fois, il a été dégradé au rang de simple soldat.
Il conduisait une moto, a fait un saut en parachute,
avait une petite amie allemande, se faisait enseigner le
fox-trot et le quickstep par la femme du sergent-major.

Après l'armée, il est allé à Oxford, où il faisait
l'acteur dans des sketchs comiques, jouait au rugby et
au cricket dans l'équipe de son *college*, s'occupait des

pages « livres » du journal de l'université. Il a eu une histoire sérieuse avec une fille qu'il a envisagé d'épouser. Il a obtenu un diplôme de droit. Il s'est fait des amis et des relations qui devaient durer sa vie entière.

Après Oxford, il enseigna pendant un an dans une pension, où il eut sa liaison passionnée avec l'infirmière en second. Il passa l'examen du barreau. Au moment de son mariage, il travaillait dans l'imprimerie de son cousin par alliance depuis un an et demi et venait d'être promu au poste de directeur des ventes, avec un bon salaire.

Il était jeune pour cet emploi, mais il voulait ce qui allait avec l'âge, le succès, le fait d'être installé dans la vie. Lorsque, peu de temps après, il fut nommé directeur général de l'entreprise, il alla chez un coiffeur à qui il demanda une coupe de cheveux qui le vieillisse. Le coiffeur lui suggéra de teindre ses rouflaquettes en gris, avec pour résultat que « les secrétaires le traitaient avec plus de respect ». Il avait trop honte pour recommencer, mais il se mit à fumer le cigare pour se donner l'air sérieux.

« J'étais pressé d'avancer », déclarait-il à un intervieweur dans une émission de BBC Home Service en novembre 1963. En outre, il était heureux d'être marié, casé. Il adorait Hannah et voulait des enfants. Phyll Willmott se rappelle qu'il lui a dit après la mort de Hannah : « Avoir une famille, ça avait toujours été mon désir le plus cher. »

Hannah, elle aussi, avait toujours voulu être plus âgée, elle était impatiente de grandir. Elle insista pour quitter le lycée avant d'avoir terminé ses *A-levels*. Elle voulait se marier à dix-sept ans, à en croire ma grand-mère, et je peux imaginer que, comme certaines des femmes dont elle parle dans *L'Épouse captive*, elle « n'avait qu'une hâte » : quitter le nid familial, échapper aux contraintes qui pesaient sur elle chez ses parents.

Mais malgré sa précocité et son vernis de sophistication, ses lettres soulignent encore son extrême jeunesse. Sa façon d'écrire que c'était le « paradis » de conduire la voiture de mon père. Son excitation lorsqu'elle raconte à Tasha que mon père a dormi dans son lit « toute la nuit ». Était-ce la première fois qu'elle passait une nuit avec un homme ?

Ses lettres révèlent également la nervosité que provoquait chez elle la rapidité de l'évolution de ses relations avec mon père. Dans la première lettre où elle parle de lui, il lui demande déjà « de venir vivre avec lui (j'ai refusé) », et moins de deux mois après, il lui fait une « demande en mariage ouverte ». Elle a « peur », écrit-elle.

Elle avait dix-huit ans quand elle s'est mariée. Sa demande de nouveau passeport avec son nom d'épouse parle d'elle-même. Sur la première page d'une lettre à Tasha (le reste est manquant), elle écrit : « notre lune de miel a été tout bonnement divine, sans la moindre des complications habituelles ».

Mais une lettre dans son dossier de la RADA, quatre mois plus tard, semble indiquer que la vie conjugale n'était peut-être pas seulement un « paradis ». « La représentation de fin d'année, écrivait-elle au secrétariat de la RADA, sera jouée principalement par des membres de mon ancienne classe, et j'aimerais beaucoup avoir la possibilité de les voir sur scène de nouveau, aussi je me demandais si vous pourriez éventuellement me réserver deux places. » Regrettait-elle, quelque part, d'avoir quitté la RADA si hâtivement, laissant son effervescence et son esprit de camaraderie pour aller repasser des chemises, faire la cuisine et attendre que son mari rentre à la maison ?

« J'aimerais bien que tu m'écrives de temps en temps – ne serait-ce que pour me décrire la vie que je me suis débrouillée pour rater, je ne sais comment », écrivait-elle à Tasha, qui se trouvait maintenant à Oxford.

Il ne semble pas que ces sentiments aient été trop durables ou trop pesants à ce stade. Elle était jeune, elle avait la vie devant elle, rien n'était trop grave. Elle était amoureuse de mon père, et pour préserver l'enthousiasme, il y avait les vacances dans le sud de la France et dans les Alpes, les week-ends dans des hôtels au bord de la mer. Et d'ailleurs, elle entra bientôt à l'université à son tour, et si des doutes ou des regrets se manifestèrent dans les années suivantes – lorsqu'elle se retrouva mère à vingt et un ans puis à vingt-quatre, pendant ses entretiens avec ses femmes captives, au cours de dîners avec les associés de mon père –, ses journées étaient trop remplies par ses enfants, ses études, la nécessité de s'occuper de mon père et de gérer la maisonnée pour qu'elle s'y attarde.

Le changement se produisit, ou commença à se produire, lorsqu'elle débuta au Hornsey College of Art. Manifestement, elle employa sa première année à s'intégrer, à apprendre à tenir une classe, à faire un cours magistral. Elle travaillait encore d'arrache-pied sur sa thèse, et une bonne partie de son énergie était aussi employée à soutenir mon père, qui se préparait à acheter sa propre imprimerie. Dans l'un des mots qui lui étaient adressés et que j'ai trouvés dans le meuble classeur de ma belle-mère, Hannah écrivait : « Je me suis mise complètement entre parenthèses pour me consacrer entièrement à t'aider à obtenir ce que tu voulais. »

Mais au moment où elle commença sa deuxième année à Hornsey, en septembre 1964, l'affaire de mon père était sur les rails, et il se concentrait sur la restructuration de sa nouvelle entreprise, ce qui exigeait moins de Hannah. Elle avait achevé sa thèse et attendait qu'elle soit validée. Simon allait à l'école, et à trois ans, j'allais à la crèche toute la journée. Pour la première fois, peut-être, depuis la naissance de Simon, chaque minute de ses journées n'était pas comptée.

L'école de Hornsey elle-même, adoptant et contribuant à créer la mentalité et les idées nouvelles des années 1960, connaissait une rapide métamorphose. « Beaucoup des évolutions culturelles caractéristiques de cette période » ont pris leur source dans les facultés d'art, écrivait Brian Marwick, un historien des années 1960, dans le *Sunday Times*. « À Salford, Hornsey, Norwich et St Martins », on parlait « Sartre, on jouait du rock'n'roll et on dessinait des vêtements ».

D'autres jeunes professeurs, dont John Hayes en septembre 1964, furent engagés pour le cursus d'études générales. Un mois plus tard, le 11 octobre, mon grand-père nota dans son journal que Hannah avait changé. « Allure exotique : cheveux noirs lissés, robe rouge, peau bronzée. »

Mes parents, leurs voisins et leurs amis partageaient pour la plupart des idées en avance sur leur temps. Ils étaient la génération qui préparait le terrain pour les années 1960. Mais ils avaient déjà trente, voire quarante ans passés, lorsqu'elles arrivèrent : pour eux, les années 1960 venaient « juste un peu trop tard ».

Hannah, en revanche, avait ces quelques années de moins qui faisaient toute la différence : elle était encore du bon côté de la trentaine. Elle passait ses journées à Hornsey à frayer avec des gens plus jeunes, à donner des cours à de jeunes artistes, à les voir profiter de leur jeunesse, d'une sexualité libérée, et de « ce jeu auquel il était impossible de perdre », comme l'a dit

Larkin de la nouvelle ère qui se profilait. En outre, elle avait passé la dernière année à rédiger ses entretiens avec des jeunes mères qui se lamentaient d'avoir renoncé trop tôt à leur jeunesse. « J'aurais aimé avoir plus de temps pour aller danser », disait l'une d'entre elles. « J'aurais bien voulu voyager », disait une autre.

Dans les papiers conservés par ma belle-mère dans son meuble à tiroirs, il y a une page déchirée dans un magazine féminin. C'est un extrait d'un article intitulé « Le beat de 64 », et il montre une jeune femme avec la coupe au bol à la Mary Quant que Hannah adopta cet automne-là – la « Boop-Oop-a-Doo », comme la décrit le magazine. « Le fait de changer de style vestimentaire, écrit Angela Carter dans un essai de 1967, *Notes for a Theory of Sixties Style*, permet de se déprendre de sa propre personnalité et de découvrir de nouvelles identités peut-être insoupçonnées. » Revêtue de sa robe rouge, ou de sa minijupe, et de cuissardes Courrèges, avec sa coiffure Boop-boop-a-Doo, Hannah était une nouvelle personne, avec une jeunesse toute neuve. Elle fumait ses cheroots dans les couloirs de Hornsey, comme se le rappelle David Page, et elle regardait les jeunes garçons avec convoitise. Et, un jour, comme tous les jeunes gens, elle est tombée amoureuse.

À la façon dont John Hayes décrit sa relation avec Hannah – les discussions passionnées, l'exploration de la sexualité –, on croirait une histoire d'amour entre étudiants, et peut-être Hannah le vivait-elle aussi de cette façon, au début. Plus d'un témoin m'a rapporté que John était très séduisant avec ses cheveux blonds ondulés et son charme nordique. Il y avait l'excitation de la découverte, les rendez-vous secrets. De l'époque du lycée, elles avaient gardé le sentiment que « si l'on n'est pas amoureuse de quelqu'un en particulier, la vie est affreusement morne », avait-elle écrit à Tasha.

Mais si la liaison commença comme un moyen de reprendre possession de sa jeunesse trop vite abandonnée, de conjurer les regrets, elle semble s'être rapidement muée, du moins pour Hannah, en une chose plus sérieuse, plus pesante. Il faut dire qu'elle ne pouvait pas se permettre la même insouciance que John. Elle avait des enfants. Il n'y avait pas entre mon père et elle de tolérance pour les liaisons extraconjugales, comme entre John et l'autre John. Mais son histoire avec John ouvrit également les yeux de Hannah sur des possibilités nouvelles, sur un nouveau type de relations pour un nouveau type de femme dans le monde nouveau.

À mon avis, mon père n'avait pas beaucoup changé au cours des années de leur mariage. Il avait réussi, il avait gagné en confiance en lui, s'était affirmé. Mais Hannah, à vingt-neuf ans, était très différente de l'élève brillante qui rêvait de devenir actrice qu'elle était lorsqu'elle avait rencontré mon père. Elle avait fait l'expérience des réalités de la vie conjugale, de la maternité. Elle avait passé plusieurs années à étudier la condition des jeunes femmes dans la société. Par son travail à Hornsey, elle avait été exposée à de nouvelles façons de penser. Nina Kidron m'a raconté que son mari, Michael, théoricien marxiste et collègue de Hannah à Hornsey, avait « radicalisé Hannah, lui avait fait découvrir les idées de gauche ». Susie, elle aussi, se rappelle une rare conversation au cours du dernier été de Hannah : « un monde s'ouvrait pour elle grâce à son travail à Hornsey, elle rencontrait des nouvelles personnes passionnantes, avec des opinions radicales, et elle se retrouvait tout à fait dans ces opinions, pas seulement en sociologie, mais en philosophie, en design, en psychologie », lui avait-elle confié.

Mon père était atypique pour un homme d'affaires. Il votait travailliste et c'était un lecteur vorace. Mais son naturel le portait davantage vers Dickens que vers Saul Bellow, dont Susie m'a dit que Hannah appréciait les romans ; davantage vers Rossetti que vers Vasarely, l'artiste optique qui était le peintre préféré de Hannah selon Susie ; plus vers la musique classique que vers les chansons des Beatles que chantait Hannah à cheval sur la proue de leur bateau en France ; davantage vers les théories darwiniennes de la survie du plus fort que vers la psychiatrie psychédélique de R. D. Laing que Hannah, je le sais par Tasha, « admirait énormément ».

Hannah n'était pas une femme au foyer effacée, mais la différence d'âge de mes parents lors de leur rencontre et les premières années de leur mariage, au cours desquelles mon père était nettement plus avancé dans la vie, avaient établi un déséquilibre de pouvoir qui avait été renforcé par le succès de mon père en tant qu'entrepreneur pugnace (« il faut se montrer agressif, disait-il à l'intervieweur de l'émission de la BBC. Il faut attaquer ») et le contrôle qu'il avait sur les cordons de la bourse. L'une des contemporaines de Hannah à Bedford m'a raconté qu'un jour celle-ci était venue à la fac avec du rouge à lèvres ; elle avait expliqué qu'elle en portait parce qu'elle avait bronzé au ski. Son mari, avait-elle dit, n'aimait pas qu'elle se maquille, à moins d'être bronzée.

C'était la norme de l'époque. « L'idée que, dans le mariage, la femme doit se dédier entièrement à son mari persiste encore », écrivait Hannah dans *L'Épouse captive*. Une autre femme forte, Sheila Rowbotham, a expliqué les raisons qui l'ont poussée à rompre avec un homme plus âgé qu'elle aimait dans les années 1960. « Obscurément, j'ai deviné que je ne pourrais pas devenir moi-même parce que j'étais toujours dans

[son] ombre… Je ne pouvais pas trouver une voie indépendante en restant liée à lui. »

Mais c'était une norme que Hannah, tant dans *L'Épouse captive* que par la façon dont elle essayait de vivre, défiait ; une norme qu'elle sentait pouvoir être différente avec John. « Il y aura toujours une part de moi que tu as faite et qui t'appartient, écrivit-elle dans l'un de ses mots à mon père au cours de ses dernières semaines. Mais je ne peux pas être celle dont tu as besoin. » Avec mon grand-père, elle était plus virulente. Hannah « se bat pour son identité en tant qu'individu », notait-il dans son journal.

En octobre 1965, comme on la pressait d'aller voir un psychiatre, Hannah se rendit à l'université du Sussex pour parler à son ami généraliste Tony Ryle. Tony n'était pas psychiatre, mais c'était un médecin qui s'intéressait de plus en plus à la psychothérapie.

Près d'un demi-siècle plus tard, j'accompagne Hannah dans le Sussex, où vit toujours Tony Ryle. Son souvenir de la visite de Hannah est encore frais dans son esprit. Elle subissait une « pression très forte depuis longtemps ». Concilier « la féminité, la vie intellectuelle et la vie de famille n'était pas facile ». Trouver assez d'espace pour décrocher un diplôme prestigieux et un PhD, tout en ayant deux enfants, en tenant une maisonnée et en s'occupant de mon père, « lui avait demandé un effort énorme ». Le titre de son livre « n'était pas un accident ».

Son interprétation de l'aventure avec John Hayes, c'est qu'elle cherchait le « contraire absolu ». Mon père était une « figure masculine plus âgée, forte et déterminée, qui n'aimait pas être remise en question », tandis que John avait son âge, était « plus doux et sensible ». L'homosexualité de John faisait partie de son attrait aux yeux de Hannah. Elle pouvait « lui faire découvrir la sexualité hétérosexuelle, être la partenaire dominante, aux commandes de la relation ». La société, à cette époque, « préprogrammait les femmes à accepter un mode de vie où les hommes étaient dominateurs, et les femmes soumises, mais à la fin Hannah s'est rebellée contre cet état de fait ». Elle était « mal dans sa peau, et sa liaison avec John était une manière de trouver en elle-même un réconfort, une sérénité ».

John Hayes était en fin de compte une « fausse solution » pour Hannah, estime Tony Ryle. Lorsqu'ils ont des aventures, les gens « choisissent souvent quelqu'un qui leur fournit les aspects qui leur manquent dans leur mariage, au lieu de considérer la personne comme un tout ». Mais si Tony a fait cette observation à Hannah en 1965, elle ne semble pas avoir été convaincue. « Je sais qu'il y a très peu d'hommes qui pourraient être mariés avec une personne dans mon genre », écrivit-elle à mon père, et manifestement, elle avait décidé que John était l'un de ces hommes.

Mais lorsque l'idée prit davantage de consistance dans l'esprit de Hannah et qu'elle commença à parler de mariage et de cohabitation, John battit en retraite avec la même force, ce qui conduisit à leur dispute. Le déroulement exact des derniers actes n'est pas entièrement clair, mais tout est allé très vite. John a laissé entendre que la dispute a eu lieu le matin de sa mort, mais la veille semble plus probable, car après la visite de Hannah ce dernier soir, mon grand-père écrivit que mon père avait « une chance », car il n'y avait « pas d'autre homme ».

Elle avait peut-être raconté ça à son père, mais à John, elle avait dit qu'elle serait à l'appartement d'Anne Wicks s'il changeait d'avis. Peut-être que Sonia parlait de ça quand elle disait que Hannah s'attendait à ce que quelqu'un la trouve, peut-être qu'elle voulait dire que c'était John qu'elle attendait – même si une fois les robinets de gaz ouverts, il aurait fallu qu'il arrive dans un laps de temps très court pour la retrouver encore en vie. Il est plus plausible qu'elle ait attendu un certain temps ; lorsqu'elle a vu que John n'arrivait pas, elle a mis son plan à exécution.

Elle était « gaie », la veille au soir, a écrit mon grand-père, et même le matin de sa mort, elle était de « bonne humeur », selon Jeanie. Si cela pourrait nous inciter à penser qu'elle n'avait pas encore l'idée en tête, la demi-bouteille de vodka prouve le contraire, et sa bonne humeur pouvait avoir une autre explication.

Les gens qui ont survécu à des tentatives de suicide graves parlent parfois d'un sentiment de soulagement, voire d'euphorie, une fois la décision prise. Une sorte d'état de fuite dissociative s'empare d'eux, dans laquelle rien ne compte, si ce n'est la tâche à accomplir. La vodka est commandée, la fille au pair sait qu'elle doit aller chercher le fils. La lettre d'adieu de Hannah – la petite enveloppe, le court message, l'écriture brouillonne qui indique qu'elle était déjà ivre, ou peut-être abrutie par les somnifères, tout cela – incite à penser que l'idée même de dire au revoir lui est venue *in extremis*. « Dites aux garçons que je les aimais terriblement, je vous en prie ! » écrivit-elle au passé, comme si le monde s'était déjà retiré, ou comme si elle s'était déjà retirée du monde.

Comment les choses en étaient-elles arrivées là si soudainement ? Hannah, qui était tellement impliquée dans le monde. Qui seulement une semaine auparavant projetait une nouvelle vie avec John, moderne, libérée sexuellement, égale, non captive. Leur dispute fut le déclencheur qui fit tout à coup voler en éclats ces espoirs et ces projets, mais j'ai pu constater qu'elle avait subi d'autres pressions au cours de sa dernière année ou de ses deux dernières années, de ses derniers mois.

1. Ses parents. Ils l'aimaient, ils voulaient le meilleur pour elle, mais on devine à la lecture du journal de mon grand-père que, dès l'instant où Hannah leur a parlé de sa liaison, ils ont été submergés par leurs propres craintes et angoisses.

« Où sont mes espoirs ? » écrivait mon grand-père, avec son *Grublergeist* coutumier. Ma grand-mère était « déprimée ». Ils s'inquiétaient pour mon frère et moi : « elle doit commencer à les négliger ». Ils s'inquiétaient pour mon père : « on aurait dû en faire davantage pour Pop ».

Hannah, avec sa façon de conduire « insensée », « impénitente », comme la décrivait à un moment mon grand-père, était la cause de tout cela. Ils l'avaient pressée de renoncer à John Hayes, de faire une nouvelle tentative avec mon père. « Énorme soulagement », écrivit mon grand-père lorsqu'elle accepta. « Pas supportable », lorsqu'elle changea d'avis.

Ils avaient aussi fait pression sur elle pour qu'elle voie un psychiatre, comme si le fait qu'elle n'était pas heureuse dans son mariage, le fait qu'elle était tombée amoureuse d'un autre homme, son désir de s'accomplir en tant que femme étaient les symptômes d'une maladie mentale. « Peut-être que c'est que je suis malade, écrivit tristement Hannah dans un de ses mots à mon père. Mais je ne crois pas. »

Au moment où mon grand-père comprit que la personne la plus perturbée par tout cela, c'était sa fille, et qu'elle aurait sans doute eu davantage besoin de soutien que de critiques, il était trop tard. « J'aurais dû dire à H. de m'amener John, regrettait mon grand-père dans son journal quatre jours après sa mort. Je sais m'y prendre avec les jeunes hommes. J'aurais dû l'aider. Dans mon aveuglement, ma crainte de perdre Pop, je ne l'ai pas fait. »

2. Le travail. Les difficultés avec son doctorat, la LSE, McGregor, avaient entamé sa confiance en elle. Et ce n'était pas seulement une question de confiance. Bedford et la LSE étaient les seuls *colleges* de l'université de Londres à posséder un département de sociologie. Même s'il y avait eu un poste dans le Sussex, ou dans une autre faculté à l'extérieur de la capitale, avec ses deux jeunes enfants, il lui aurait été difficile de se déplacer.

Pour quelqu'un d'en principe si organisé et fiable, il est révélateur qu'elle ait apparemment abandonné l'écriture de l'introduction à la sociologie pour laquelle elle avait signé un contrat. « Si vous pouviez m'envoyer une note sur votre avancée et une date de remise probable », lui écrivit son éditeur quelques semaines avant sa mort. Mais lorsqu'il tria ses papiers de travail par la suite, mon grand-père ne trouva à ce sujet que quelques notes sommaires.

Même le livre qu'elle avait achevé, *L'Épouse captive*, ne lui donnait guère de motif d'optimisme. Les retards dans la validation de sa thèse en avaient bloqué la sortie, et son désir de le voir en librairie avant Noël s'en était trouvé contrarié. Sa meilleure amie l'avait avertie que sa publication allait ruiner sa carrière. David Page se souvient de l'avoir entendue elle-même « rabaisser » son livre, avec des phrases telles que : « Ils voulaient des statistiques, alors j'ai bricolé un assemblage de statistiques. » D'après lui, ses railleries montraient le peu de cas qu'elle faisait du « prestige professionnel », mais peut-être cette attitude indiquait-elle plutôt que sa confiance en elle était au plus bas.

Les deux dernières semaines, elle obtint finalement un emploi à l'Institute of Education. C'était un bon poste, mais pas le poste d'enseignement universitaire qu'elle voulait, et peut-être était-ce trop tard, car elle était déjà remontée contre les universitaires. Un an après sa mort, mon grand-père écrivit qu'elle avait demandé, après un dîner avec ses futurs employeurs : « Est-ce que les gens de la BBC sont aussi vaches que les profs de fac ? »

3. Défauts de caractère (A). La vie de Hannah ne l'avait pas préparée à l'échec, au rejet, à la désapprobation, à la honte. Les histoires que racontait ma grand-mère sur ses succès de poète, de cavalière, d'actrice et de femme étaient, c'est bien compréhensible, exagérées, mais au cours des vingt-neuf années de sa vie, elle avait en général obtenu ce qu'elle désirait, et réussi dans presque tout ce qu'elle entreprenait.

Elle n'avait pas hérité de la tendance familiale à la mélancolie, à la dépression, mais elle semblait sujette à l'anxiété, à la panique, à de soudaines « crises de désespoir », selon les mots de Sonia, dans les rares cas où les choses ne tournaient pas à son avantage. Sonia se rappelait des « torrents de larmes » si elle perdait aux courses hippiques. Susan Downes racontait que Hannah avait « verdi », et s'était « mise à trembler » en montagne avec le principal, et une autre fois en classe sous les remarques d'un enseignant. Dans son journal, mon grand-père ne cessait de revenir sur ces accès d'« émotion incontrôlée » – Hannah jeune « immobilisée et hurlant de panique » lorsqu'elle s'était retrouvée coincée en jouant à chat avec Sonia et Tasha, par exemple. « Pas d'issue ? » écrivait-il.

Était-ce le sentiment qu'avait éprouvé Hannah au cours de ses dernières heures ? La pression que mes grands-parents exerçaient sur elle pour qu'elle arrête de voir John, arrête d'être si égoïste, voie un psychiatre l'avait-elle renvoyée à son adolescence, lorsque son évasion avait consisté à partir en pension, à épouser mon père ? De quelle issue disposait-elle maintenant ?

4. Les amis. Pendant la plus grande partie de son existence, lorsqu'elle avait des moments de désespoir, il y avait quelqu'un pour la réconforter. Sonia et Tasha la « calmaient ». Susan Downes se comportait comme la « grande sœur » dont elle avait besoin. Mon père me racontait qu'il arrivait qu'un petit événement mette Hannah dans tous ses états ; il « passait tendrement un bras autour de ses épaules et sortait une plaisanterie, et ça retombait ».

Mais mon père n'était pas là ces dernières semaines, ces derniers jours – elle l'avait mis à la porte. Et où étaient les amies intimes sur lesquelles elle comptait autrefois ? Elle avait recommencé à voir Susan, mais en couple, sans leur ancienne proximité, et dans ses dernières années, elle ne vit guère Shirley, Sonia, ni même Tasha.

C'était en partie parce qu'elles avaient toutes des vies bien remplies. Mais c'était aussi que, poussée par sa hâte de grandir, elle avait devancé, bon gré mal gré, ses vieilles amies. « Pourquoi est-ce que je ne te vois jamais et que je n'ai jamais de tes nouvelles ? écrivait-elle à Tasha, qui était encore à la fac lorsque Hannah se fiança avec mon père. Est-ce que c'est parce que Pop est dans les affaires ? »

C'était également que, comme les femmes hors du commun du livre de Rachel Cooke sur les années 1950, les ambitions qu'elle nourrissait, les efforts qu'elle accomplissait pour être un nouveau type de femme l'avaient isolée des autres femmes. Phyll Willmott, une amie plus récente, mais chaleureuse, intelligente et vivant à proximité, aurait pu être susceptible de la soutenir et de l'aider à relativiser. Phyll avait même compris qu'il y avait « quelque chose qui n'allait pas » et se « demandait si Hannah avait envie d'en parler », mais comme elle s'est abstenue, Phyll ne l'a pas encouragée. Après la mort de Hannah, elle a écrit qu'elle se sentait coupable de n'avoir pas compris que Hannah était en péril, de ne l'avoir pas aidée, « culpabilité encore accentuée par les sentiments toujours un peu ambivalents que je nourrissais à son égard ».

C'était aussi, peut-être, sa fierté, comme l'a dit Gunilla Lavelle ; un refus de reconnaître qu'elle avait des problèmes. Hannah était celle qui avait conseillé Tasha sur ses problèmes de cœur, qui avait aidé Erica à avorter, qui était grimpée par la fenêtre de Katrin Stroh. Elle « paraissait toujours maîtresse de la situation, quoi qu'il arrive, si bien qu'on ne s'imaginait même pas qu'elle avait des problèmes de son côté », a écrit Sonia après sa mort.

La seule amie à laquelle elle se confiait, qui connaissait l'existence de John, qui lui prêtait son appartement pour qu'elle le retrouve, c'était Anne Wicks. Mais Anne était elle aussi une femme forte, intelligente, ambitieuse, pas le genre à lui passer un bras consolateur autour de l'épaule. Lorsque Hannah lui dit qu'elle se tuerait si John Hayes la repoussait, Anne ne prit pas la menace au sérieux. Au lieu de ça, elle lui assena que son livre n'était pas assez rigoureux, qu'elle allait ruiner sa réputation s'il était publié.

5. Défauts de caractère (B). Arnold Wesker, le dramaturge, est un vieil ami de la famille, or j'ai découvert que la relation existait déjà du temps de Hannah. « Sa mort m'a très profondément affecté, écrit-il après que je

lui ai laissé un message. Pas parce que nous la connaissions intimement, mais parce qu'elle était adorable, belle et sympathique, et sa mort était tout à fait inattendue – elle était si jeune. Ça m'a tellement touché que je l'ai recréée dans une de mes nouvelles, *Six Sundays in January*. Je ne peux pas jurer que Katerina Levinson soit une peinture exacte de votre mère, mais quelque chose de son esprit passe dans l'histoire. Elle pourrait vous donner une idée de sa façon d'être. »

Katerina n'est pas le personnage principal de *Six Sundays in January*. La nouvelle suit une autre jeune mère sur une série de dimanches ; au cours de l'un de ceux-ci, elle rencontre Katerina dans un café de l'East End. Le dimanche suivant, un coup de téléphone lui apprend que Katerina s'est suicidée.

Ce n'est pas un portrait exact, écrit Arnold ; il ne connaissait pas bien Hannah. Mais il la connaissait un peu, il connaissait l'époque, il connaissait des femmes de son âge qui, peut-être, se débattaient avec les mêmes problèmes qu'elle, il était un témoin intuitif du monde dans lequel il vivait.

Sheila Rowbotham, écrivant sur ses propres difficultés en tant que jeune femme dans les années 1960, emploie un langage étonnamment similaire à celui d'Arnold pour décrire son « identité qui se fendille, cherchant des mots qui ricochent, dirait-on, sur le bout de mes doigts, m'accrochant à un assortiment d'éléments isolés que je ne pouvais réunir ». On retrouve, aussi, dans les monologues de Katerina, un peu du rejet en bloc de ses contemporains que Hannah exprimait à son père : « Les jeunes techniciens sont trop occupés à faire l'acquisition de leur petite voiture. »

Était-ce là Hannah dans ses derniers jours ? Fragile, battue, fendillée. Hypersensible à la malhonnêteté (ces universitaires « vaches »). Désespérant de l'« image facile » des femmes « perpétuée par d'innombrables magazines ». Meurtrie par son propre jeune ami avec ses « chansons agréables », qui avait disparu et laissé une « grande confusion ».

« Je ne veux plus rien savoir de la douleur », disait Katerina. « Pardonne-moi, Annie, écrivit Hannah sur l'enveloppe. Mais la douleur était trop forte. »

Une autre femme aurait pu continuer à lutter, se résoudre à des compromis, se confier à des amis, attendre que les choses s'arrangent, qu'après l'hiver vienne le printemps, que son livre soit publié. Mais Hannah n'était pas très douée pour patienter, faire des compromis et appeler à l'aide. Ce qui était plutôt dans sa nature, c'était de n'être pas prête à être poussée au-delà d'une certaine limite, et avec ça, une inflexibilité, un côté intraitable. Un mépris, aussi, pour les règles habituelles, les codes tacites, de la vie. « Toute cette force formidable s'est retournée contre elle », dit ma voisine psychanalyste.

Par certains côtés, je suis la personne la moins qualifiée pour écrire sur Hannah. À l'inverse des gens que j'ai interrogés à son sujet, je ne possède pas de souvenirs d'elle, pas en propre. Mais, en même temps, je suis son fils. La moitié des gènes qui m'ont donné forme, c'est d'elle que je les tiens. Si je ne l'ai pas connue, j'ai connu ses parents, son autre fils, je connais sa sœur, ses cinq petits-enfants. Si la Hannah de ces pages est une construction émanant des souvenirs et points de vue d'autres individus et de ma propre imagination, cette imagination est néanmoins marquée par le savoir, la connexion instinctive, qui vient avec le sang.

J'ai fini, je le sens, par la comprendre. Son sens de l'humour me parle. Sa capacité à être à la fois égoïste et généreuse, émotive et rationnelle ne me semble pas illogique. Je comprends son irrévérence, son outrance, ses mélodrames, son intégrité morale, son sens de la justice. Je la comprends dans les moments où elle est difficile.

J'ai même le sentiment de comprendre son suicide, ou du moins les étapes qui ont mené à son suicide – à part un élément clé de l'histoire : comment a-t-elle pu s'investir si complètement dans un avenir avec John Hayes qui relevait si manifestement du fantasme, de la « fiction », comme l'a dit l'amie de mon grand-père ?

Il nous arrive tous de commettre des erreurs d'appréciation. Hannah était réputée, lorsqu'elle était plus jeune, pour voir de grandes histoires d'amour dans des idylles creuses. Mais c'était lors de son adolescence. La Hannah qui s'est trompée du tout au tout sur ce qui se passait avec John Hayes était une femme de près de trente ans, avec deux enfants, dix ans de mariage derrière elle. C'était la Hannah qui avait réussi à sauver son doctorat des eaux hostiles et à l'amener à une publication imminente, l'auteur de la prose lucide de *L'Épouse captive*. La femme que John Hayes lui-même décrivait comme ayant une « intense clarté d'esprit qui brûlait comme le soleil ».

Ce n'était pas que John ne méritait pas qu'on envisage un avenir avec lui. Il était beau, intelligent, charmant, un garçon issu des *grammar schools* qui avait réussi à entrer à Oxford. Plus tard, il développerait des amitiés intenses avec des femmes brillantes telles qu'Angela Carter et Carmen Callil, comme il aurait pu le faire avec Hannah en d'autres circonstances.

Ce n'était pas même, ou pas seulement, qu'il était homosexuel, qu'il n'avait jamais couché avec une femme avant Hannah. Il n'aurait pas été le premier individu à découvrir de nouveaux aspects de la sexualité à l'occasion d'une histoire d'amour. Mais si Hannah et mon père s'étaient séparés, et si Hannah parlait de divorce, John Hayes vivait toujours avec l'autre John, avec lequel il formait un ménage solide, comme c'est encore le cas aujourd'hui. Lorsque Hannah parla de mariage, de cohabitation, John fit un « bond en arrière ». Leurs quelques rapports sexuels furent « sordides », une « erreur ». Il ne nous avait jamais rencontrés, Simon et moi, et n'avait certainement pas envisagé de devenir notre beau-père. Et soudain, sans crier gare, Hannah parlait de se marier avant Noël.

L'amour peut conduire à l'aveuglement. Cherry Marshall a raconté à mon grand-père que, lorsqu'elle est tombée amoureuse d'un homme alors qu'elle était déjà mariée, « mari, enfants, travail – tout a disparu. C'était comme si j'avais attrapé un virus ». Mais pour induire si puissamment en erreur une femme d'une telle intelligence, observatrice si juste des autres, qui avait si bien réussi à organiser sa vie – c'est à croire qu'elle avait perdu la raison, perdu l'esprit.

Je reviens sur mes notes, en quête d'une explication. D'après ce qu'a dit Anne Wicks à mon grand-père, Hannah se plaignait qu'elle allait « finir vieille fille si John ne l'épousait pas », et elle était « complètement terrifiée à l'idée d'être seule ». Est-il possible que ce soit la réponse ? Pensait-elle vraiment que John Hayes était sa dernière chance ?

L'idée paraît ridicule pour une belle femme intelligente de vingt-neuf ans. Mais n'est-ce pas là une perspective du XXIe siècle ? Dans mes efforts pour comprendre Hannah, j'ai lu des écrits des femmes de son temps. Le grand roman féminin des dernières années de Hannah est *Le Carnet d'or*, de Doris Lessing, paru en 1962. C'est une bible du féminisme, le « puissant portrait d'une femme en quête de son identité personnelle et politique », comme le dit la quatrième de couverture de mon édition de poche. Mais en filigrane, dans tout le roman, pour chaque personnage l'un après l'autre, même celles qui tentent avec le plus d'ardeur d'être des « femmes libres », une question demeure entêtante : est-il possible pour une femme d'être heureuse sans un homme ?

« Les émotions des femmes sont encore adaptées à un type de société qui n'existe plus, dit Ella, un personnage de la fiction dans la fiction. Mes émotions les plus profondes, les plus réelles, ont trait à ma relation avec un homme. » Même l'héroïne du roman, Anna Wulf, avoue : « J'aimerais être mariée. Je n'aime pas vivre ainsi. » Être avec un homme revient pour elle à « s'annuler », mais être sans homme revient à être « seule, terrifiée et sans ressources ».

Les mémoires de vraies femmes libres de cette époque rapportent des craintes semblables. Sheila Rowbotham écrit : « je ne pouvais pas devenir moi-même », tant qu'elle vivait dans l'ombre de son petit ami, mais lorsqu'elle le quitta, elle découvrit qu'elle « ne savait pas bien comment être seule. Une angoisse diffuse qui prit une dimension physique une nuit où je fus terrassée par une impression d'étouffement qui me laissa hors d'haleine ».

Même Joan Bakewell, le type même de la femme à qui tout réussissait, connut une crise lorsque son mariage tomba à l'eau. « Je me suis retrouvée toute seule avec deux enfants en bas âge, raconte-t-elle dans *The Centre of the Bed*. Sur le plan émotionnel, j'étais désorientée et malheureuse, et je m'enfonçais de plus en plus dans la perplexité et le désespoir. »

J'essaie de trouver un sens à tout cela, lorsque le dernier numéro du *New Yorker* arrive dans ma boîte à lettres. Dedans, un article de Susan Faludi sur une féministe américaine qui vient de mourir. « Mort d'une révolutionnaire, dit le titre. Shulamith Firestone a contribué à créer une nouvelle société. Mais elle n'a pas su y vivre. »

Je suis immédiatement frappé par les similitudes entre Shulamith Firestone et Hannah. Passionnée et têtue, Firestone a raté sa dernière année de lycée pour échapper à ses parents juifs et apprendre la peinture. Elle a publié un des premiers textes féministes. Elle était à la fois d'une beauté saisissante – « une crinière de cheveux noirs jusqu'à la taille et des yeux bruns perçants » – et charismatique. « C'était électrisant d'être en sa compagnie », déclare une amie. « Elle a fendu le ciel de minuit comme une étoile filante, dit une autre à ses obsèques, puis elle a disparu. »

À mesure que je poursuis ma lecture, les deux histoires se séparent. Firestone ne s'est jamais mariée, elle n'avait pas d'enfants. Elle avait presque dix ans de moins que Hannah, et elle était nettement plus radicale. De plus, elle a sombré dans la schizophrénie. Peu de temps après la parution de son livre, elle s'est retirée du mouvement féministe et, peu à peu, de la vie. Elle est devenue une excentrique qui errait dans son quartier de New York. Elle a été hospitalisée plusieurs fois et elle est morte seule dans un taudis de l'East Village.

Ce n'était pas Hannah. Mais l'article poursuit par un examen de « toute la génération » des pionnières du féminisme américain, remarquant que beaucoup d'entre elles « furent incapables de s'épanouir dans un monde à la création duquel elles avaient tant contribué ». À part Firestone, il y avait Kate Millett, qui fit une dépression après avoir publié le best-seller *La Politique du mâle*, également en 1970, d'autres qui finirent dans « une douloureuse solitude, la pauvreté et l'infirmité », et deux au moins qui se suicidèrent.

L'article cite une autre pionnière du féminisme, Meredith Tax, qui employa l'expression « schizophrénie féminine » pour décrire un « royaume d'irréalité dans lequel la femme soit appartenait à un homme, soit n'était "nulle part, chancelant sur le bord d'un précipice" ». Il parle également du livre d'Elaine Showalter, *The Female Malady*, sur les femmes et la folie en Angleterre, et je vais le consulter. La thèse centrale de Showalter est que la folie des femmes est une construction de la société masculine, que, lorsque les femmes s'opposent au *statu quo*, on leur dit qu'elles sont folles (de même que Hannah s'est vu dire d'aller consulter un psychiatre lorsqu'elle est tombée amoureuse d'un autre homme). Mais Showalter ajoute que la condition des femmes dans un monde d'hommes peut effectivement les rendre folles.

Son chapitre sur les années 1960 se concentre sur R. D. Laing, l'« antipsychiatre » écossais qu'admirait Hannah. Elle a sans doute lu son ouvrage des années 1960 *Le Moi divisé*, qui soutient que la schizophrénie chez les femmes n'est pas une maladie, mais une réaction à une « situation invivable ». Sa nature étant en conflit avec son environnement, la femme est « scindée en deux ».

Est-ce que cela pourrait être l'explication ? Que Hannah était bien schizoïde, après tout ? Qu'elle a été rendue folle, scindée en deux, par sa situation conflictuelle ?

Dans les papiers retrouvés dans le meuble classeur de ma belle-mère, je trouve un brouillon d'une critique de deux films par Hannah. Elle est inachevée, et je n'ai pas pu découvrir si elle a jamais été publiée. La date manque également, mais les films sont sortis au milieu de l'année 1965, donc elle a dû rédiger l'article au cours de ses derniers mois.

Darling, avec Julie Christie et Dirk Bogarde, est une tragédie flamboyante sur une femme qui profite de ses charmes jusqu'à l'excès, mais se retrouve ensuite toute seule et se résout par désespoir à un mariage sans amour. *Four in the Morning* est un film plus modeste, plus sombre, qui n'offre que peu d'espoir d'accomplissement et de bonheur pour les femmes dans le monde moderne et se termine, comme l'écrivit Hannah, sur la découverte du corps d'une « jeune femme non identifiée âgée d'environ vingt-six ans qui s'est donné la mort ».

À part ses chèques retournés, ce sont les derniers mots de Hannah qui subsistent.

Les films, et l'article de Hannah, abordent le dilemme du désir des femmes modernes « d'être libres, et étant donné à la fois la structure de cette société et leur propre constitution biologique et émotionnelle, de leur incapacité à retenir cette liberté ». Mais Hannah n'essayait pas simplement de vivre en femme libre. Elle était, comme les pionnières du féminisme américain, immergée intellectuellement dans le sujet. Elle avait consacré une grande partie des dernières années de sa vie à parler à des « épouses captives », à penser, à chercher, et à écrire sur des moyens de libérer ces femmes de leur captivité.

Plus, peut-être, qu'aucune autre femme en Angleterre à l'époque, Hannah avait une vision claire de ce qui n'allait pas dans le monde du point de vue d'une femme, ce qu'il était nécessaire de changer, et elle avait fait l'expérience, aussi, dans son travail, des difficultés encourues à vouloir mettre en cause le *statu quo*. Les pionnières victoriennes de l'émancipation « pouvaient encore faire des vagues et changer les choses mais cela n'est plus possible pour nous, dit-elle à mon grand-père. Les intellectuels ne servent plus à rien ni à personne, de nos jours ».

« Il n'y a pas de réponse facile à la question de savoir comment vivre dans un monde que l'on veut changer radicalement », écrit Sheila Rowbotham. Si Hannah avait eu quelques années de moins, si elle avait écrit quelques années plus tard, elle aurait croisé le chemin de femmes telles que Rowbotham, Juliet Mitchell, Germaine Greer. Dans les derniers mois des années 1960, les premiers groupes de femmes ont commencé à apparaître, offrant un soutien à celles qui s'efforçaient de changer les choses dans le monde, dans leur propre vie. Mais quelques années à peine auparavant, Hannah, dans son travail, et dans une vie modelée par ce travail, était très seule.

Que ce soit parce qu'elle était folle dans ses derniers jours, ou parce que le monde était fou, elle a tout misé sur sa relation avec John Hayes, sur la vie meilleure qu'elle imaginait auprès de lui, parce qu'elle n'avait pas le choix – après avoir entrevu une autre façon d'être, elle ne pouvait se résoudre à revenir à l'ancienne. « Nous étions comme des pionnières qui avions quitté le vieux pays, a raconté une autre féministe à Susan Faludi. Et il n'y avait plus de repli possible pour nous. » « Après l'échec de sa relation avec John Hayes, m'a dit Tony Ryle, elle ne pouvait plus ni avancer ni reculer. »

J'ai grandi avec l'idée qu'il y avait deux Hannah : celle qui voulait tout de la vie, et celle qui ne voulait rien. Peut-être était-ce parce que sa « situation invivable » la scindait « en deux ». Ou peut-être peut-on envisager les choses d'une autre manière. Peut-être n'est-elle pas morte en dépit de la force vitale et du caractère pétulant que se rappellent ses amis, qui lui valurent de remporter des courses de saut d'obstacles, la poussèrent à se marier à dix-huit ans, à écrire *L'Épouse captive*, mais à cause d'eux.

UN DERNIER FAIT

Mais bien sûr aucun récit, aucun verdict narratif n'est jamais vraiment achevé. Lors d'une dernière conversation au sujet de Hannah, mon père me glisse en passant qu'il pense qu'elle a eu une autre liaison avant John Hayes. Il m'en a déjà parlé, ça me revient, mais je n'avais pas vraiment assimilé l'information – peut-être parce que je ne savais pas si je devais le croire, peut-être parce que je n'étais pas prêt à l'entendre.

« Avec qui ? je demande maintenant, pensant qu'il va retirer son affirmation, ou me dire qu'il ne sait pas, qu'il ne se rappelle pas.

— Un médecin.

— Quel médecin ?

— Tu ne le connais pas.

— Il s'appelait comment ? »

Il pince les lèvres.

« Qu'est-ce que ça peut te faire ?

— Ça m'intéresse.

— John Paulett », dit-il enfin.

Hannah et lui ont rencontré John Paulett et sa femme sur une plage du sud de la France. Les Paulett vivaient à Bexleyheath. Hannah était « toujours partante pour leur rendre visite ».

« Comment savais-tu qu'ils avaient une liaison ?

— Je ne le savais pas. Mais je le soupçonnais.

— Qu'est-ce qui te faisait penser ça ?

— Un jour, j'étais sur le canapé avec la femme, et elle a essayé de me faire des avances. Quand j'ai protesté, elle m'a demandé ce que les autres faisaient dans la pièce à côté, à mon avis. »

Il n'en avait pas fait grand cas sur le coup. Il était naïf, il s'était dit que la femme était juste un peu bizarre, mais après coup...

Sa voix se perd ; il en a dit plus long qu'il n'en avait l'intention.

« C'était quand ? je demande.

— Oh, beaucoup plus tôt.

— Quand ça, plus tôt ?

— À la fin des années 1950.

— Mais c'était avant ma naissance, je proteste.

— Oui, dit-il d'une voix ferme. Entre Simon et toi. »

John Paulett, je le découvre sur Internet, est né en 1918 – il avait douze ans de plus que mon père, dix-huit ans de plus que Hannah – et mort en 1997. Il a eu trois femmes et deux enfants. Il a notamment une fille qui s'appelle Daphne, et je trouve une Daphne Paulett en Grèce. Il y a une adresse mail, et je lui envoie un bref courrier disant que je crois que son père a sans doute connu ma mère.

« Oui, John Paulett était mon père, confirme-t-elle, et je me souviens de votre mère. N'hésitez pas à me demander ce que vous voulez. »

Je lui réponds par un mail prudent, suggérant seulement que son père a pu avoir une certaine influence sur Hannah. Je ne veux pas être celui qui lui parle pour la première fois de son histoire avec ma mère, et je ne veux pas affirmer quelque chose qui n'est pas vrai.

Mais elle ajoute : « Je suis pratiquement certaine que mon père a eu une liaison avec Hannah. »

Ils habitaient à St Paul's Cray, pas à Bexleyheath, dit-elle. Elle se souvient des visites de mes parents : un « couple qui vivait à Londres, qui nous apportait des choses étranges de la ville, des avocats, par exemple ». Cela semble coller – mon oncle envoyait régulièrement des cartons d'avocats d'Israël.

Dans les mails suivants, elle m'en dit un peu plus long. Son père « exerçait une forte influence sur tous ceux qui le connaissaient ». Sa mère à elle aussi s'est donné la mort en 1963, quand elle avait douze ans – après une « énorme dispute avec mon père », dit-elle. C'est Daphne qui a retrouvé le corps.

Son père a écrit un livre intitulé *Neurosis*. Il avait de nombreuses liaisons. La mort de sa mère s'est produite plusieurs années après son aventure avec Hannah, m'assure-t-elle – rien à voir.

Elle m'envoie une photo de lui : un bel homme en chemise blanche, col relevé, les manches roulées, debout dans son jardin, montrant un renard qu'il avait tué, dit la légende, parce qu'il avait envahi son poulailler. D'ailleurs, trois poules mortes gisent à ses pieds.

Je suis sonné. Je pensais avoir compris Hannah, avoir trouvé un sens à sa vie et à sa mort – et maintenant, cela change tout. John Paulett n'était pas le « contraire absolu » de son mari, comme Tony Ryle l'avait dit de John Hayes, mais un homme puissant et plus âgé, tout comme lui.

En poursuivant mes recherches sur Internet, j'apprends que c'était un militant d'extrême gauche, l'un des membres fondateurs du Comité des Cent, le groupe pacifiste créé pour manifester contre les armes nucléaires en 1960, aux côtés de Ralph Miliband,

Arnold Wesker, Lindsay Anderson, John Osborne et d'autres.

Comment concilier cette information avec mes théories sur le besoin qu'avait Hannah de se sentir jeune à nouveau, de se libérer de la domination masculine, avec ma conviction que c'était à Hornsey qu'elle s'était radicalisée ?

Entre Simon et moi, a insisté mon père. Avant ma naissance. Pendant un instant, je me dis : mon Dieu, John Paulett pourrait être mon père – mais la raison me revient vite. Pour savoir qui est mon père, il me suffit de jeter un coup d'œil dans la glace.

Lui qui n'est pas doué, en général, pour retenir les dates, il était étonnamment certain de la période à laquelle avait eu lieu cette liaison. Qu'est-ce qui a pu fixer la date dans son esprit ? Je pense à son opération de la colonne vertébrale – il est resté couché dans un lit d'hôpital pendant dix semaines en 1959. Il a tenu à souligner que Hannah avait été exemplaire à son égard à ce moment-là, qu'elle était à son chevet tous les jours – mais peut-être que si elle était si gentille, c'était pour compenser ce qu'elle faisait lorsqu'elle n'était pas là.

Je repense aussi à la fausse couche de Hannah entre Simon et moi. Je ne suis pas le fils de John Paulett – mais l'enfant qu'elle a perdu l'aurait-il été ? Était-ce là le véritable sujet de son texte sur le bébé à deux têtes ? Un bébé à deux têtes parce qu'il avait deux pères – parce qu'elle ne savait pas lequel des deux était le père ?

Pour la première fois de ma vie, je suis en colère contre Hannah. Je repense à ce que m'a dit David Page, qu'elle aimait reluquer les garçons à la fac. J'aime cette image depuis que j'ai reçu la lettre – cette

Hannah culottée, avec un petit côté Mae West. Mais à présent, j'y trouve quelque chose de perturbant. Avec qui d'autre couchait-elle ?

Il y a quelque chose d'écœurant, aussi, dans l'idée qu'elle ait eu une liaison avant ma naissance. Pourquoi faire venir un enfant dans une famille déjà éclatée ?

Toutefois, avec le temps, ma colère se dissipe. C'est difficile d'en vouloir à quelqu'un de m'avoir donné la vie. C'est difficile d'en vouloir à quelqu'un dont la vie a elle-même été si écourtée – qui a manqué tant de choses.

Elle aurait plus de soixante-dix ans aujourd'hui, si elle avait vécu – elle aurait les cheveux gris et cinq petits-enfants. Au cours de toutes ces années, elle ne m'est apparue que dans un seul et unique rêve. C'était peu après que j'étais rentré à Londres après mes années à l'étranger. J'avais l'âge qu'elle avait à sa mort, mais dans mon rêve, elle avait une quarantaine d'années, elle était maternelle, et même un peu gironde.

Je ne me rappelle pas qu'elle ait dit quoi que ce soit. Elle était simplement assise au pied de mon lit, comme si je m'étais réveillé pour la trouver là. Je me rappelle le bonheur intense que j'éprouvais dans mon rêve – et que ce bonheur ne m'a pas quitté pendant plusieurs jours.

Je me suis lancé dans ces recherches en fils qui cherche sa mère – mais la Hannah que j'ai trouvée n'est pas cette femme maternelle, d'une quarantaine d'années, ni la femme de plus de soixante-dix ans qu'elle serait aujourd'hui. Elle est la Hannah de son enfance, de son adolescence, de sa jeunesse. La Hannah qui ne dépassera jamais l'âge de vingt-neuf ans. J'en ai cinquante-deux ans au moment où j'écris la version finale de ces derniers mots ; en années, l'écart entre nous est presque identique à ce qu'il était quand je suis né, mais je suis maintenant le plus âgé, assez âgé pour être son père.

J'ai fait ce que j'ai pu pour redonner vie à Hannah, dans ma tête, sur ces pages, comme un père donne vie à sa fille. À présent, de même qu'un père doit finalement laisser partir sa fille, comme j'ai déjà commencé à le faire avec les miennes, qui approchent de l'âge adulte, je dois laisser partir ma mère.

REMERCIEMENTS

*« Celui qui se suicide ne s'en va pas tout seul,
il emporte tout le monde avec lui. »*
William Maxwell

Ce livre n'est pas seulement le mien. Je n'aurais pu l'écrire sans les contributions de mon père, de ma tante, de ma belle-mère et d'autres membres de ma famille, ainsi que sans l'aide des amis et collègues de Hannah, qui sont allés piocher avec générosité dans leurs vieux souvenirs, leurs vieilles photos, leurs journaux, leurs lettres. Certains sont mentionnés dans ces pages, d'autres non. Je leur voue à tous une gratitude éternelle.

Carmen Callil et Joan Aleshire ont lu des versions antérieures et m'ont prodigué des conseils inestimables. Clare Alexander, avec sa patience et sa détermination, a fait de même, et plus encore. Philip Gwyn Jones, Molly Slight, Sarah Braybrooke et Henry Rosenbloom m'ont guidé au cours des étapes finales.

Henry Singer m'a offert son amitié.

Rafi Gavron a fait preuve de beaucoup de cœur.

Leah et Mima Gavron ont grandi avec ce livre et ne se sont jamais plaintes. Elles ont toujours été compréhensives. Leah m'a aidé à en voir la fin.

Judy Henry m'a aidé à voir. En toi je vois.